长篇金融传奇小说

时代三部曲

周雅男○著

纸戒

一段股市中沉浮的人生
一桩门不当户不对的爱情
一位金融危机中勇猛的英雄
一个被操盘手唾弃的小人

中国工人出版社

图书在版编目(CIP)数据

纸戒/周雅男著.—北京:

中国工人出版社,2007.11

ISBN 978—7—5008—3969—9

Ⅰ.纸... Ⅱ.周... Ⅲ.长篇小说—中国—当代

Ⅳ.I247.5

中国版本图书馆 CIP 数据核字(2007)第 169541 号

出版发行:中 国 工 人 出 版 社

地　　址:北京鼓楼外大街 45 号

邮　　编:100011

电　　话:(010)62350006(总编室) 62005038(传真)

　　　　　(010)62379038(编辑室)

发行热线:(010)62005049　62005042

网　　址:http://www.wp-china.com

经　　销:新华书店

印　　刷:北京市密东印刷有限公司

版　　次:2007 年 12 月第 1 版　2007 年 12 月第 1 次印刷

开　　本:700 毫米×1000 毫米

字　　数:300 千字

印　　张:19

定　　价:28.00 元

1

旱冰场里的音乐震颤着耳膜，彩灯在眼前晃来晃去，一群少男少女在场中央的舞台上乱蹦。这个旱冰迪厅其实并不是很大，但这里很有名。据说以前是一个非常出名的证券公司，不仅仅在北京而且在全国也是很知名的。当年这家证券营业部与多家大资金联合，由庄家给消息，自营资金锁仓，然后向股民大力宣传，依靠民众力量将股价推高，名噪一时，但后来由于与庄家之间的合作瓦解，同时因操纵股价被中国证监会立案调查，所操纵的股票价格一落千丈，最终走向了末路穷途以关闭告终，后来便关闭了这里的营业部，随后这里也就变成了现在的旱冰迪厅。

人群中忽然一阵热动，一个穿着露脐小背心、超短裙的女孩在上面扭动着，像一条蛇，引得全场一片叫好和口哨声。

常云啸远远地看着，到餐饮部叫了杯可乐，回来继续看舞台上疯狂的场面。偶尔他注意到有一份柔情的目光几次传送过来，那是一个长发大眼睛的女孩，样子甜甜的，很娇巧的那种，穿了一身白色连衣裙，在舞动中被彩灯晃过，像飞舞的一片彩云。与她同来的还有几个女孩，有说有笑的，一看就知道应该是一群学生。女孩的笑一定很美，他这样想，因为灯光晃得太快，他看不清她的面容，但他感到很舒服。

常云啸迅速从后面追上那女孩，却又不急着超过去。到了一个转弯处，常云啸加快速度超过去，突然他身子一沉"咚"的一声摔在地上。在摔倒的时候他已经调整了姿势，是向后转身 180 度，仰面，坐摔在地上的。这一突然的高难动作惊得那女孩尖叫一声，脚下一阵忙乱，极其难看地扑在了常云啸的身上。

就在那一刹那间，常云啸感到了女孩的体温和他认为只有最最纯洁的女孩才会拥有的那种身体的香气。女孩急忙挣扎着坐起来，脸红得特可爱。女孩长得很美很清纯，那种感觉真的很难形容，如同你从繁杂的

纸 戒

都市一步踏进茂密的山林。女孩揉着胳膊噘着嘴瞪着眼，眼里有泪，看来是摔疼了。

糟糕，真摔着她了，常云啸有些后悔。"对不起，我不是故意的，我扶你起来。"他先站了起来，但在站起来的一瞬间，他又改变了主意。"啊"，他做出一副痛苦的样子，随后按着脚踝蹲下了。

这一手还是很灵的，女孩生气的表情消失了，她眨眨眼，看着他，不知所措的样子。

常云啸窃喜，"真是不好意思，好像是脚崴了。扶我到那边坐一下吧。"

女孩点头，乖乖地搀着常云啸走到边上的看台上坐下来。常云啸的心里甭提多美了，天上掉下来一个小美女。

女孩在常云啸身边坐下，不知说什么好，却也似乎不情愿离去。故作疼痛状的常云啸先开了口。

"刚才真对不起，摔坏了吗？裙子也给弄脏了。"

"没，没事……你呢？"女孩轻轻回答。

"我，皮糙肉厚骨头硬，没事。"第一步成功，她很关心我，嘻嘻，常云啸想。"你叫什么名字？"

"为什么问这个？"

"赔你医药费呀。"

女孩笑里有一对酒窝："那你先说你叫什么？"

"我叫常云啸，轮到你说。"

"我叫林晓雨。"

"名字像诗一样。你还在上学？"

"我在人大上大三，你呢？"

笨蛋，我怎么想起问学历来了，赶紧岔开这个话题吧。"是人民大学吗，名牌呀。一看你就是个好学生。"

"你呢，你是学什么的？"

"我？"这下问住他了，"我都已经毕业了，是学美术的。"

"是美术学院吗？那你是搞艺术的了？"

没办法，只有美术还沾点边，"就算是吧，我是搞电脑绘图的。"

"真的呀！"林晓雨一副羡慕的表情。

"真的，我摄影，绘画都是一流的。哪天你出去玩，叫我去照相绝对包你满意，肯定把你照得更漂亮。"

女孩又笑："我要走了，我的同学会找我的。"

"我给你留一个手机号吧，你要是摔伤了好找我。"常云啸迅速掏出一张名片，"这是我自己制作的，不好看，请收下。"

"好。"林晓雨站起来，"再见吧。"

"那你的呢？你也给我留个号吧。"

"以后再说吧。"林晓雨说完滑开了。

"喂，等等。"常云啸着急了。打算追上去，可是刚才假装脚疼，长时间保持一个姿势，现在的脚麻得找不到前后，更不要说滑冰了。常云啸只有暗暗叫苦，他最后看到的是林晓雨回眸的一笑，甜甜的酒窝……

那天晚上，常云啸睡得特快，特香，特美。

林晓雨靠在枕头上，手里拿着那张名片，还在回想着在旱冰场的情景。想着想着忽然笑出声来，身子向下滑进被子，眼望着天花板上的吊灯。吊灯缀着许多菱形的小玻璃，使灯光变得七彩斑斓。他大概有一米八零吧，她开始回想他的样子，不强壮，但看着很结实，眼睛挺大的，鼻子是尖的，嘴唇很美有点像女孩的，一副玩世不恭的样子，说起话来挺逗的……

中学她是在私立女子学校，到了大学家里还是管得很严，定点上学放学，虽然有很多男孩表示要追她，但是她真正接触男孩的机会真的不多。对男孩的判断也只能从小说中推理。想起摔倒在他怀里时那一瞬间的感觉，脸上有点热，那是一种特殊的感觉，有一种诱惑，好想再……"不知道他现在在做什么。"

她睡不着，轻轻地打开房门，走下楼梯进入餐厅，倒了一杯果汁，陷在松软的沙发里。沙发对着落地玻璃窗，透过玻璃可以看到外面带喷泉的花园，月光流水般洒在花园上，洒在飞舞的水花中。

林晓雨出生在一个富有的家庭中。父亲林文与其弟弟林武共同经营着文武集团，这是一家在上海证券交易所上市交易的北京房地产公司，下一步公司的目标是想进军香港证券市场。中国目前正在走一条资本证券化的道路，这样的好机会林文是不会放过的。将公司资本证券化之后，不仅可以得到公司发展所需的直接融资资金，而且一旦公司出现什么问题，就可以将风险转嫁到股民身上。母亲张雨出生在舞蹈世家，当然早

纸 戒

就不跳舞了，现在一边理家一边帮林文做一些社会公益活动。这栋别墅是几年前买的，三层小楼，上面还有阁楼和平台，总共大概有五百平方米，楼前是一个近二百多平方米的花园，请了专业的花匠护理，楼后有车库和工具房。

林晓雨穿着一套印满小熊的睡衣，懒懒地仰在奶白色的沙发里，快乐地遐想。

一只小甲壳虫飞过去没有忍心打搅她。

大早上响炮就打电话吵醒了常云啸，说有几个女孩想去乐队看排练。常云啸拗不过响炮的央求就答应了，想必是响炮跟人家拍了胸脯的。

常云啸挂了电话，不知为什么又想起昨天那个女孩，林晓雨，乌黑的长发，纯洁的眼睛还有一对酒窝。想她干吗，"起床啦！！"他大声喊着从床上蹦起来。

常云啸是一个人住。父亲在"文革"中不幸去世，听妈说是被红卫兵打伤造成肾内出血死去的。他只能参照照片来回忆父亲的容颜，在父亲到另一个世界的时候他还没有上小学，整天只知道玩，早忘了跟爸爸接触的美好时光。他有一位操心一辈子的妈，他不愿意同老妈住一起，因为妈是从苦日子中熬过来的，常云啸的许多想法无法与她老人家相符，搞不好就成了吵架的导火线。常云啸知道老妈一辈子不容易，对儿子也是好意，哪个妈妈不想自己的孩子好呢，他也不想惹老妈生气，所以他只好搬出来自己住。这套一居室是爷爷当年的平房拆迁换来的，还略微剩点拆迁费，老妈说等着他结婚用。

他常回家看看，妈妈自父亲死后就落下了心脏病，他每次回家买点东西吃顿饭但不敢久留，生怕俩人因什么吵起来。常云啸有个哥，叫常云涛。妈总是说："瞧，云涛多听话，你有你哥一半我就满意了。"常云啸笑而不答，他知道哥是老实人，老实得叫别人都难受。在一家国有工厂当出纳，一当就是十多年，就算是只有中专水平也该当上会计了，钱又少，所以三十了还是单身。常云啸觉得世界上也就是这样的老实人最可爱、最可靠，不让人欺负死，最后也得自己给老实死。

不过半年多前，哥哥也做了一件不老实的事，他偷偷把工作辞了去炒股票，这事妈妈可不能知道，要是知道了一定犯心脏病。听哥哥说他在股票上已经研究好几年了，现在已经小有成就，看来穷人逼到一定份上也会想各种方法去发财，完全可以理解。常云啸是一点都不懂得股票，对他来说股票和赌博没什么两样，无非是赌博违法，而炒股合法而已。前几天哥哥说他在证券公司的炒股大赛上得了奖，营业部举办股民报告会邀请他做嘉宾给大家讲课，让常云啸一定去捧场，这么风光的事情当然是要去的。

常云啸吃完早餐已是十一点，他开始工作。他所在的公司是一家广告公司，公司名字叫某某广告中心，他的工作就是设计广告宣传画。说起来这个公司不过是一个门路广博的家伙找来活分给大家做，然后大家拿小头，那家伙拿大头的无办公地点的公司。

常云啸这次被派发的活儿是个"美脚霜"的广告，他一直想笑，美脸、美手、丰乳、丰臀之后，又打脚的主意，真不知接下来还想美哪儿。常云啸为这双"美脚"忙到下午四点多也没有结果，他下楼买点包子，奔乐队去了。

乐队的名字"NO BETTER"，常云啸是乐队的主唱，乐队所用的歌多半是他自己的词曲，也翻唱一些流行歌曲。从小老妈就说："让你学习费死牛劲，不务正业你最在行。"常云啸不认为乐队是不务正业，生活要多姿多彩嘛。

乐队的环境有点可怜，在一个工厂的地下防空洞里，不过这也好，不会有人打扰。常云啸到的时候老猫和竿狼已经在练琴了。

"喂，我闻到包子香了。"竿狼嚷。

"我就知道这儿有一群饿鬼。来吧，我买了二斤呢。"

"好啊，偷吃好东西。"驼子与牛皮走进来。

牛皮不知从哪里翻出一包榨菜，"蝈蝈不来了，他发烧。"

驼子是鼓手，老猫是键盘，牛皮和竿狼是电吉他，蝈蝈是贝司。这就是他们的乐队，由六个心情愉快的人组成。

"来，开始吧。"竿狼将最后的包子塞进嘴里。

瞬间，音乐回荡在防空洞里。今天练的是《当你说你爱我》，是常云啸上星期写的。

"嘿，哥们儿，我给你们找来两位观众。"声音落下，响炮带着两个女孩进来。现在的中学生开放得很，两个女孩都画了眼影，描着眉，头发黄黄的很飘逸。一个穿着短裙，一双黑色袜子一直遮到膝盖；另一个穿了一条肥硕的军绿裤子拖到地上。

纸 戒

"不是说过不让带女孩来嘛，你该哪玩哪玩去。"老猫没好气地说。

常云啸赶快打圆场，他知道老猫看不上响炮，"算了，人都来了，就这样吧，响炮下回可不行。"

老猫瞪响炮一眼，不再说什么。

八点练习结束，大家收拾东西出来。

"你唱得真好。"短裙女孩说。

常云啸淡淡的，"一般吧。"

"我特喜欢。"女孩的眼睛转得有些快，"听说你是一个人住是吗？我能去玩会儿吗？"

"不行。"

"就待一会儿，要不带我出去玩吧。"女孩撒着娇，一只手挽上常云啸的胳膊，一股香水味。

"回家学习吧，别让你妈担心。"说完，常云啸骑上车走了。

他觉得这些女孩实在太无聊了，一丁点儿品位都没有，就为了点好吃的或是为了体验某种生活的刺激，跟着那些无聊的并不真爱她们的男孩瞎混。没劲！

他又想起了那个有酒窝的女孩，林晓雨！

坐在操场看台的石阶上，四月的夜风柔柔的但还有一丝凉意。林晓雨刚刚跑完步，她将身体向后仰，双手撑地，头向后垂，让风从领口溜进去把炙热的体温带走，她觉得很舒服。

已经过了一个星期了，林晓雨不知斗争过多少遍：给他打电话？不给他打电话？电话和手机号码都已经背得烂熟于心了，就是下不了决心。

"我干吗总想他？我爱上他了吗？这就是爱情吗？"林晓雨自言自语道，"他也想我吗？""给他打电话？"

常云啸对着电脑发呆，"美脚霜"已经让他厌烦透顶。明天是交稿的最后一天，他做了四个方案，但没有一个满意的。他也说不清楚，最近心里乱得很，静不下来，似乎有些事应该发生却迟迟没动静。他关掉电脑，躺倒在床上，隐约想起一个不愿承认的事实，对一些人来说可能算是一种幸福，但是他真的从来都不相信一见钟情……

哥哥来电话，说后天要在证券公司的营业部开股市讲评会，哥哥会给大家讲课。哥能讲课，着实让他惊讶，一直觉得哥哥讲话就脸红的人还居然给别人讲股票。其实常云啸住的楼对面就是一个证券营业部，自从哥哥辞职偷偷跑去炒股票，常云啸也在路过的时候进去看过，但是兴趣不大。有一天还看见一个股民喝醉了酒在营业部闹事，听说是近些年股市不好，赔了很多钱，可是闹事有什么用，最后让警察带走了。所以到现在，常云啸都觉得哥哥进入股市是一个不明智的选择。

晚上又来了一个电话，这个电话很让他高兴。

"我知道你是谁了，林晓雨？是你吗？"常云啸为这个突然而来的电话而高兴。已经是夜里十一点半了，但他的睡意却在瞬间烟飞云散。

"你怎么知道是我？我还以为你早就忘了我的名字呢。"林晓雨躲在大学女生宿舍的楼道尽头，轻声地说。月光洒在脸上，更显出她皮肤的娇白，现在这张美丽的脸庞上透出了一层绯红。她拿手机的手有些紧张，可以感到细小的汗从手心漫延。

"怎么会？我还没有赔罪，怎么会忘呢？"

"我没说让你赔呀。"

"可是我自己不能原谅自己的，正巧明天我要路过你们学校，我请客吃比萨饼，好吗？"

对方没有出声

"怎么不说话？是不是觉得太便宜我了？"常云啸追问。

"不，不是。我……"

"那就是同意了，明天下午三点半，在你们学校那边的比萨店，我等你。"

"好吧。"声音很小，但还是答应了。

"不见不散，我等你。Bye－bye。"

"Bye。"信号断了，发出嘟嘟的响声，林晓雨关掉手机。我同意了？才见一面就让他请客，好吗？我心跳这么快干吗？不就是吃顿饭吗，想请我吃饭的人可以排队了，我有什么好紧张的？别人都可以去见网友，也没有谁说怕呀。

常云啸仰在床上，感觉就像完成一件满意的作品般的喜悦。刚才要不是怕林晓雨反悔，他才不忍心挂断那甜美的声音呢。总算是约定了，他心里渐渐平静下来。觉得刚才心里的波动真是好笑，我又不是小男孩了，这有什么好兴奋的？

纸 戒

他将被子拉到头上，梦里似乎幻想到了明天的美景，不然他不会在梦里笑的。

"我们在比萨店吃晚饭，他问我有什么爱好，有没有男朋友，还总盯着我看。吃完饭去看电影，然后陪我逛新东安市场，"林晓雨趴在女生宿舍的被窝里，床头灯拧得很暗生怕照醒了同学。日记本是新的，今天让常云啸买给她的，她决定开始写日记把新的生活记录下来。"这就是拍拖吗？有一个男孩走在身边的时候，心里的感觉都不一样。我看到有好几个女孩偷偷瞧他，看来他还挺吸引人的。我会喜欢他吗？他也不是我认识的男孩里最优秀的，只是那些男孩多半都太死板，愣愣的一点儿感觉都没有……"

"干什么呢？"突然有人说话。

林晓雨才发现同屋的好友许童站在床边，"你吓死我了。"说着将小本藏到身下。

"别藏了，写情书呢？让我看看？"许童伸手来掏。

"瞎说，没有。"林晓雨脸红到了耳根，边躲边说，"别闹，别闹，别吵醒她们。"

"你不告诉我，我就把她们叫起来，说你有男朋友了。"

"好，好。我给你讲还不行。到外边。"

许童是林晓雨最好的同学，脸蛋长得漂亮，身材又好，有好几个男孩死追不放，她的阅历被公认为特丰富。林晓雨有问题就喜欢找她说。

趴在阳台的栏杆上，林晓雨两手托着圆润的脸蛋。月亮弯弯的，像一叶轻舟在淡淡的云里穿行。夜很静，人们早已熟睡，只有风还在锻炼身体，跑来跑去地晃动着树叶。

"快说是哪个白马王子呀？"

"我说，你急什么。他嘛，高高的……"

常云啸赶到证券营业部的时候，报告会已经开始，他没有想到会有那么多人来听，散户大厅的座位不够用，多数人站在大厅里还在不停的记笔记。常云啸溜边挤过去，看到哥哥坐在讲台上，现在还没轮到他讲。常云涛也看到了他，示意他到前面的空位。既然哥留了位子常云啸干脆挤过去坐下，悄悄伸个大拇指，用眼睛扫一下四周，意思说这么多人来听很了不起。这时前面的人讲完，主持人报了哥哥的名字："常云涛先生在这次新人杯实盘炒股大赛中获得了两项冠军，一是收益率最高，二是准确率最高。除交易周转率一项没有拿到奖以外，常先生包揽了三分之二的奖金，我们有请常云涛先生给大家讲讲炒股的奥秘。"一片掌声。

常云涛站起来走到投影仪前，"很多人喜欢把炒股跟赌博并列，认为对与错用丢硬币的方法就可以解决。但实际上，炒股是一种智慧的博弈，也可以理解为一种说谎话的游戏，庄家的操盘手所做的一切都不会让我们散户知道或理解，他需要说谎话，但是很多时候盘面中反映出来的信息是说不得谎话的。"

"那么为什么我们中小股民很容易被这些操盘手欺骗呢，主要是没能了解他们的骗术，知道了骗术我们就不容易上当了。今天我就简单给大家说几个操盘手的骗局。大家看这只股票的分时图，在成交明细栏中，每笔单子在数量后面会注明 B 即 BUY 或 S 即 SELL。那么大家很容易认为这个 1010 手的成交量后面标有 B 是有人主动买入的单子，但实际上这种理解是错误的。通过研究见顶后大跌的股票发现，在见顶前会出现大量标注 B 的买入单，是庄家在大量买盘吗，不是，这就是庄家散布的假信息。是怎样做到的呢？股票的成交明细实际上不是一笔一笔报出来的，目前交易所以每分钟 10 次的速度向外传输数据，也就是说 6 秒钟一次，在这 6 秒钟或许有三个人交易也或许有八个人交易，他们可能有主动买也有主动卖，那么以什么标准来定是 BUY 还是 SELL 呢？要看这 6 秒的最后一笔交易的方向。以这个股票的 1010 手 BUY 为例，第一秒有人卖 1000 手，而第六秒的时候有人买 10 手，那么我们在分时图上看到的就是 1010 手的买入也就是 BUY。那么如果这两笔都是操盘手自己特意做的假象呢，那就等于他在悄悄出货。"台下一片私语。

"很多人也在看分时图上的外盘、内盘，一般理解外盘是买的数量，内盘是卖的数量，认为外盘越大越说明主动买的数量多。实际上标注 B 的单子计入外盘，标注 S 的单子计入内盘，既然明细表中的 BUY 和 SELL 可以作假的话，大家看到的外盘和内盘不也成了没用的参考数据。由于时间有限，以后有机会再给大家讲买单和卖单中操盘手是怎样作假的，届时大家就知道盘面中所能看到的数据几乎都可以作假，比如量比了、委比了、委差了等等都可以成为欺骗大家的工具。"台下哗然。

"盘面上就没有真的了吗？不是，成交方向可以作假但是成交数量不

纸 戒

是假的，最后给大家看一个股票。看万象大潮的分时图，阶段性有大单进场，但是价格始终变化不大，邻近收盘有均匀大单出现，但是价格向上不多。盘中挂单特征是基本没有值得关注的超级买单或卖单，说明这些阶段性大单是瞬间成交的。实际上这是操盘手在试探盘面清理浮筹，如果没有看错的话，这个操盘手已经吃满了货，当他试探盘面没有发现异常情况时，必定开始他的拉升。我预计短期内将上涨 20％。请大家关注。"台下一片掌声。

常云涛坐回原座，主持人说"我们这样的交流会还有两期，后面两期常云涛先生还会给大家更多地讲解盘中操作的奥秘，我们再一次感谢常云涛先生的精彩讲解。"又是掌声。后面还有别人上去讲。常云涛示意弟弟到楼上去等他。

常云啸上楼，哥哥很快过来。"我讲的还行吧？"

"怎么不行，一片崇拜的眼神哦。"

"你以为你哥我啥都不行？等你哥成为了股市大亨的时候，还要签名售书呢。"

"你要写书？"

"呵呵，说说而已，其实写证券的书也不难，看看现在市场上的都是抄来抄去拼凑起来就是自己的。"

"反正我不看。不过要是能出名，妈妈可能就不会生气了。"

常云涛瞪了他一眼，"千万不能跟她说懂吗！你也学学股票吧，我教你。"

"等我有兴趣的时候吧。我还有事先走了，祝你成功。"在常云啸看来学这些东西不如回家去玩游戏。

"下次不许迟到啊。"哥哥挥手。

常云啸上楼掏出钥匙打开家门，突然有人在身后一把将他推进去，门在身后关上了。他定过神，看见梅子站在身后。

"干什么，吓我一跳。"

梅子一头短发，但两鬓留得很长一直飘到腮下，虽然是单眼皮，长长的睫毛也足以叫人迷恋。她皮肤有点黑，反倒显得很健康。"昨天你跟他们说什么来着？"

"我说什么了？"

"没什么？你说我们是纯纯的友谊，让牛皮泡我。"

"我不是……不是那个意思。"面对梅子的逼近常云啸只有后退。

"不是什么你。友谊，友谊能友到床上去吗？"

常云啸的脸都白了，"你你你，要不是你把我灌醉，我……"

"你又说是我勾引你的，"梅子的眼圈红了，"我干吗不勾引别人呢。你知道我是爱你的，云啸我真的爱你……"她哭了，无法再说下去。

"我，对不起。"常云啸扶住梅子抽搐的肩。

梅子顺势倒在他怀里，双手搂住他的腰，"你就不能说你爱我吗？"

"我……"

"我知道你心里爱我就是不好意思说出来，不过没关系，只要我们在一起就行。"说着梅子动手去解常云啸衬衫的扣子。

"梅子你别这样。"常云啸赶快推开她，"梅子你听我说，是我对不起你，其实我只是把你当做妹妹看待，你……"

梅子瞪着常云啸，"我不管！我爱你，我是追你，我是勾引你，我追你一辈子，我要你，我就勾引你了。"梅子一把将套头衫甩到一旁，一对少女丰满挺拔的双乳弹到常云啸的面前，她竟然没有穿内衣，她又准备解常云啸的衬衫。常云啸赶忙按住她的手，她趁势吻了一下他。常云啸只好把她向床上一推，拉开房门冲了出去。

街上的人不多，路边的饭馆里还坐着群聚的人们在推杯换盏。出租车一辆又一辆地掠过。常云啸双手插兜，漫无目地在街上晃。他不吸烟，觉得那个东西特呛，但刚才他还是去买了一包三五，叼上一根，起码给自己找点事干。又一辆出租车从身边按着喇叭缓缓地开过。

常云啸在路边花坛的铁栅栏上坐下。梅子是个不错的女孩，特热情，乐队的地下室还是她找的。他也曾感到这个女孩挺可爱的，驼子很喜欢梅子，他能感觉得到，但是梅子却喜欢自己。朋友妻不可欺，虽然还不是老婆，就算只是驼子单相思那咱也不能碰的。常云啸只想把梅子当妹妹，不能因一个女孩伤了兄弟之间的感情，这是原则。他也同驼子说过，驼子说："大家平等竞争，我会努力。"但是现在却成了这样。那天梅子带常云啸去七里村一家酒吧，然后带着喝醉的他回了她家，当少女光洁的身体毫无遮拦地显露在他面前的时候，他受不住了，忘了朋友忘了妹妹忘了自己叫常云啸。

"怎么向驼子交代，我说过只是妹妹的。"好在梅子没有怀孕，过了

纸 戒

这么久，大家还蒙在鼓里，只是觉得梅子对常云啸越来越好。"我自己都习惯把她当成妹妹了，可是现在怎么办怎么办……"

林晓雨，常云啸忽然又想起了她。天使！我真对不起你，不知道你睡了没有，你是唯一让我真正动心的女孩，唯一让我想拥抱的女孩。你要是知道了这件事还会理我吗？你那么纯洁你一定会讨厌我的。你会成为我的天使吗？会吗？可能吗？

当常云啸回到家的时候，梅子已经走了留下一个纸条："对不起，我近来有点烦。我这样对你好，可是你都没反应，这些天还故意躲我。我是一时冲动今天才这样的，你别生气，我以后不敢了。可是我是真心爱你的，我会一直追求你的。亲爱的，我回家了。对不起，爱你的梅。"

常云啸沉重地倒在床上，他感到心情坏透了。女孩，他从小就不缺，有多少女孩曾说过我喜欢你，他已记不清。他觉得女孩可以给他快乐、满足、自豪感，但头一次感到女孩的爱会让他如此痛苦，如此混乱。梅子、林晓雨，林晓雨，谁爱谁，爱谁谁……太累了，他昏沉沉地睡过去。

2

一辆白色宝马迎面驶来，常云啸向后退了退，想让过去，可车直冲着他开过来。这下常云啸慌了，一时都想不出向哪边逃。车在他面前"嘎"的一声停住。

"你还蛮英勇的，居然没动。"林晓雨笑嘻嘻地从车窗向他招手。

常云啸上车，"是吓傻了，临死倒是想起了许多人。"

"你还有工夫去想别人？"

"是呀，有邱少云、雷锋、我妈，还包括你。"

"讨厌，你就是没个正经的。"林晓雨的脸又红了，心里甜滋滋的，"想我干什么？"

"想你还欠不欠我饭吃。"

林晓雨笑了，"我请你吃饭还不容易，算是向你认错好了。"

"这车哪借的。"常云啸绕着宝马转了一圈。

"我的呀。"

"你的？"常云啸惊呆了。

"哦，是我爸租来借给我用的。"林晓雨想这样说大概他更可能接受。

"够有钱的，租这么贵的车。宝马也有出租的吗？"常云啸自言自语，他意识到他们的差距太大了，学历、家庭、经济，他们就是生活的两个极端，一个是天使，一个是街头浪子。

接下去的下午，常云啸一直在考虑这件事，并没有把心思放在林晓雨身上。晚饭的时候许童也来了，林晓雨想让这位好友看看她的帅哥。可是帅哥今天好像没了精神头，待到天黑，大家就散了。常云啸坚持自己回去，没让林晓雨送他。

"他不像你说的那么有意思。"许童说。

"可能是我开车撞他吓住他了。"林晓雨一面开车，"他平时不这样。"

"再说，他也不像你说的那么优秀呀，看着还有点流气，不像什么好人。你可当心点，别是见钱眼开的人吧？"

"不会吧？我没敢告诉他我们家的事。"林晓雨看看许童，怎么自己认为这么好的男孩，许童会觉得他不是好人呢？

许童耸耸肩，"就你这打扮和开这车谁不知道你是富家小姐呀？"

"是吗？我说了车是租的。"林晓雨不说话了，她开始考虑朋友说的话是不是真有可能。他是坏人吗？

常云啸在网上跟几个网友聊了会儿，最近不再喜欢网络游戏了，那真的是很浪费时间的事情。他觉得最近的烦心事一个接一个，梅子天天的对他好得什么似的，林晓雨原来是个有钱人家的闺秀，一个是他不想得到的一不留神得到了，一个是他想得到的却不可能高攀。那么漂亮、优秀并有钱的女孩会看上我？不会是她装傻想要我吧？常云啸想得自己都有些害怕。他打开一听啤酒，一口气喝下一半，气泡顶得打了几个嗝。美人天生就不属于我这样的人，更不用说她是天使。

电话铃突然响了，"是我，林晓雨。今天你怎么了，好像有点不高兴？"

"没有。我只是，只是有点不舒服。"

"你干吗不早说？去看医生了吗？"听声音林晓雨真是很着急。

纸 戒

"就是有点感冒前兆，回家喝两包板蓝根现在没事了。"

"我还以为你因为我开车吓唬你，你生气不愿理我呢。"

"我有那么小气？别瞎想，挺晚了早点睡吧，明儿还上课。"

"好吧，再见。"不太情愿。

"Bye—bye。"

她不像是那种耍别人的女孩，她那么天真那么可爱那么傻，绝不像在耍我。他想。

他真的不像坏人呀，他认识我的时候他并不知道我家有钱。我知道他喜欢我，他不会骗我的。她想。

"哥，今儿怎么想起请我吃饭了？是不是给我找了个大嫂？"常云啸喝了一口啤酒泡，滑滑润润的。这是街边一家小酒店，倒也干净整齐，墙上挂着不少画框展示着不知名画家的小作。

"做梦，没钱谁跟我？以前总是你请客，今天我请你就不习惯是吗？"

"我没那意思，你天天请我才高兴呢。"常云啸看看他哥，一副春风得意的模样，"你一定是遇上什么好事了，不然不会乐得鱼尾纹都出来了。你拣了钱包还是买彩票中了五百万？"

"比中五百万过瘾得多，最近几个有钱的家伙要我代理他们的股票操作，仅仅一个星期咱们就发财了，分成得了几万元呢。"

"俗话说，来得快去得也快，不是我打击你哦，挣钱的时候大家都好说话，万一要是赔了钱，那些有钱的家伙还不吃了你？"

"我们签了协议的，但协议中不保证收益，"常云涛不在意地笑，"我又不傻，我们签的协议中只提到有收益要分成，可没有赔偿损失这条，就算将来有民事诉讼我也不会吃亏。现在的股民都赔得没有感觉了，有一个救星就像抓稻草似的。"

"那么好赚钱吗？我听说炒股票都是先赚后赔，里面的猫腻多了，全都是人家上市公司和庄家操纵的，你呀还是小心点吧，十赌九赔哦。听说现在的行情并不是很好，能不赔钱就不容易了更不用说挣钱，先开始给一点甜头，到后来就全锅端。"

"跟你说，股市不是赌场当然也不是银行。我呀，活到这个岁数才发现我竟然对股票很开窍的。股市好不好都会有好的股票，那天你在营业部也看到了，他们对我研究的那些东西几乎都要拜师学艺了。我对那些红红绿绿的 K 线是很有感觉的，只半年我已经收益 60% 多，连职业操盘手都惊讶，一般来说一个好的操盘手年收益能达到 20% 就是很好的，要不然怎么会有那么多股民跟定我做股票。那天讲课的场面你不是也都看到了。"常云涛的眼睛眯成一条缝，将嘴里的烟一丝一丝地吹出去，像是回味这一星期的胜利战果，又像是看到了明天的希望，过了好一会儿才又收回精神，"你什么时候回家看看，妈近来身体不好。"

"那我就更不能回去了，万一跟她吵起来，再惹出她的心脏病。"也不知这对母子是不是上辈子的冤家对头，他俩只要是在一起，吵架就是必修科目。

"你们两个也真是，妈常说想你，可你们一见面就不高兴。每次还得我来抹稀泥。干脆不写股票书了，出一本《抹泥大全》好了。"

"要好好向你学习任劳任怨俯首帖耳才行，明天我回去，好吧。"

"有工夫你跟我炒股票吧。"

"别，"常云啸摇头，"我在营业部看半天一点都不懂，还要看书学习太麻烦。"

"我教你不用看书，书上说的和实践差距太大。书上说股市是经济的晴雨表要反映经济的发展趋势，但是中国的股市不是这样，……"

"得了，打住吧。来喝酒的，不是来听你作报告的。先干一个。"

常云涛自己也笑，最近一说起股市他就滔滔不绝。"来，干杯。"

北京的春季总是过得太匆忙，夏季和冬季又时间太长。春姑娘刚刚唤醒草木，夏日的烈阳就提前来报到了。才四月底，街上已经满是穿短裙秀腿的女孩，预计再过两个月就有穿露脐裸背装的了。常云啸从公司出来，今天领到一千八百多，又够花一段时间的。他懒得先回家就直奔乐队去。

乐队的门开着但没看到人，落地的电风扇正开足马力冲着门外吹风，显然有人想把屋里的潮气和霉味去去。

六月中旬北京广播电台音乐节目将举办一场业余乐队的比赛，NO BETTER 也报名参加，大家这几天都在加紧练习。常云啸是主唱兼编排，更要多找点时间练习，他拿起吉他：

你看不到雨水中流下的泪

纸　戒

是因为你不能够全心体会

你看不到晨风中爱人的美

是因为你的心还在高飞

在空中在山中在云的中央

是我是我对你不变的誓言

……

"是为我写的吗？"

常云啸没有发现梅子几时站到了身后。就在他一愣神的时候，梅子从身后搂住他的腰，将脸紧紧地靠在他的肩上。

"梅子你别这样，让人家看到。"

"我不管，这么多天你都不理我。你知道我有多想你？"梅子的手搂得更紧，并轻轻摇晃着身子，让常云啸透过衬衫可以感到乳峰与后背的摩擦。

"梅子。"常云啸慢慢掰开她的手，定了定神，转过身看着梅子。梅子眼睛红红的，像是哭过，眼里流露出委屈的神情，好可怜地望着他。常云啸再下一遍决心，"梅子，我知道你对我的感受，说心里话你是个挺可爱的女孩，但是我，我从很早就爱上另一个女孩了。"他实在不愿再看到梅子那吃惊又无助的眼神，走到一边，"而且我喜欢的并不是你这样的女孩。我还是愿意把你当妹妹，对那天的事我愿负一切责任……"

"你负？你负得起吗？"梅子突然喊了出来，"谁要你负责？常云啸我讨厌你！我恨你！我一辈子都不会原谅你！"说完她哭着跑了。

常云啸急得直拍脑门。怎么办，梅子要是把这事传出去，大家就连朋友都做不成了，乐队可能也得散伙。最糟糕的是，那天喝多了，真的什么都不知道。让驼子知道后会怎样呢？我负责，我能负什么责？娶她？再说那天本来就是她要了我嘛，为什么是我负责呢？

他愣愣地看着大门，女人真是世界上最最搞不懂的东西，是最天真也是最狠毒的，集可爱与可怕于一身的东西。男人可以为了友情不要爱情，女人可以为了爱情不要友情、不要尊严，到一定时候甚至不惜毁掉一切。想知道为什么女人一生中真爱的也只有一个男人，只因为她们在情感上太专一。

从那天以后，乐队的所有人都感到了梅子的变化。梅子很少与常云啸说话，而是对驼子特别的好，把驼子的一切照顾得井井有条，温柔得就像小媳妇。大家都意识到一定是出了什么事，但谁也不问。驼子也不问，装糊涂，他正巴不得天上掉馅饼呢，更不愿意因为明白了真相而破坏了来之不易的气氛。常云啸知道，梅子所做的一切是为刺激他，让他看看她对男友会有多好，让他后悔。

常云啸清楚地感觉到危机，这个时候的女孩最危险。这是她最后的招数，但最终当她发现她的行动依然不能打动她心爱的人时，那时的女孩将有可能使用极端手段。常云啸越想越怕，还是需要同她再谈清楚，他想。

今天是五一节，约了林晓雨到首体打羽毛球。

常云啸蹬着他的山地车，高兴地吹着口哨。他与林晓雨认识大概有两个多月了，他看得出林晓雨对他是有好感的，他坚信林晓雨不是那种拿感情开玩笑的人，并且他也坚信林晓雨是真想和他交朋友的。因为林晓雨的个性中带着一点高傲和任性，这样的女孩一般是不会轻易同一个男孩过多接触的，除非她……

还离着很远常云啸就看到林晓雨站在路旁。哇！太美了！常云啸在心里喊。今天林晓雨穿了他最喜欢的白色长裙，长发散在肩后，裸露的玉颈用一条白金的链子束着，收腰，裙摆一直垂到脚面，配一双白色高跟凉鞋，没穿袜子，细长的脚趾，脚甲上染了红色。常云啸停在她面前上上下下看了好几遍。

"我要喊非礼了。"林晓雨噘嘴说。

"你知道吗，见到你我就想起了我的梦中情人。"

"没正经。"林晓雨脸红。这些话在她的想象中都是流氓说的，但她却偏偏容忍了常云啸，似乎从他的嘴中说出来就成了一个动听的赞美。

"你就穿这身打球？"

"运动场里有我的储衣柜。"

同林晓雨走在一起他感到有好多羡慕的眼光扫射过来，他心里特美。他无暇回视那些目光，因为他也被林晓雨的洁白、秀美所吸引，他不愿遗漏任何一点能够多看她一眼的时间。

林晓雨的羽毛球打得很好，不一会儿工夫已经把常云啸累得汗流浃背气喘吁吁。

纸 戒

"你打得真不错，没有想到啊。"常云啸坐在地上不起来。

　　林晓雨递过一条毛巾，"你不是想当我师傅吗？"

　　"饶了我吧，你是我师傅还不行？"常云啸一边擦汗一边闻着毛巾的清香。

　　"哼，"林晓雨大眼睛一翻，抿着嘴乐，"小徒，别坐那儿犯懒了，快起来吧。"

　　"喳，谢林格格，小常子叩见格格，格格吉祥。"常云啸做了个清朝时请安的姿势。

　　林晓雨笑得差点背过气，眼泪都出来了。

　　常云啸很莫名，"有那么好笑吗？"

　　"你叫小肠子？能不能炒个熘肥肠？"

　　常云啸听完也笑。两个人要了饮料找地儿坐下。他们肩并肩地坐着，面对着球场，好久都没说什么。但彼此早就觉得，对方已成为最快乐最开心的朋友。每当独自一人感到孤单的时候，就会想，能不能再深交呢，他在想，她也在想。

　　"你一会儿回家吗？"喝了半杯，常云啸歪过头问。

　　"没想好。我跟爸爸说晚饭时才回去。"

　　常云啸差点笑出声，完全与他计划的一样，"去近点儿地方，北海划船好吧。"

　　"现在还有船？今天可是五一哦，到处都是人的。"

　　"没问题，我有哥们儿在那儿，都说好了，给我留一条船。"

　　"是吗，都说好了吗，看来我被你算计了。"林晓雨阴阳怪气地学了一遍。看看常云啸有些发慌的模样，"还不快点收拾东西？"

　　由于街上堵车，林晓雨今天破例坐常云啸的"二等座"。林晓雨用一只手轻扶着常云啸的腰，常云啸感到那么温柔，一股暖流直冲大脑，他太感激堵车了，他从没想过堵车是这样快乐的事情。北海的人实在是多，等租船的就更多。常云啸在租船处找到响炮，响炮远远盯着林晓雨瞧了好几眼。

　　"干吗不叫过来，哪儿找的？条儿还挺顺的。"

　　"我怕你拔不出眼来。我的船呢。"

　　"不就在那儿吗，"一只脚踏的鸭子船，上面插个小旗，写着：救护。"不插个旗早就抢没了，谢我吧。"

"请你吃饭。"常云啸已向他的天使划去，无暇再听响炮废话。

"你真棒。"林晓雨将一只手递给常云啸，钻进船来。

他们各踩一边的踏板将鸭子船开得跟飞似的，向湖心冲去。两人开怀大笑，船下的水浪被压开，变成水花向两边溅出。引得别船的游客向这边张望，能把鸭子船蹬得如此快真是少见。

"啊！"林晓雨突然叫了一声，同时常云啸感觉脚下的踏板磕到了什么，坏菜，他想。他马上停下来，向林晓雨看去。只见林晓雨双手捂着左侧小腿，眼泪都掉出来了。

常云啸赶忙坐到她对面。"磕伤了？严重吗？"

"能不严重吗？疼死了。"林晓雨嚷道。说着拎起白裙，迎面骨上擦掉一块皮，正往外渗血。见了血林晓雨哭出了声。

"别急，我带着创可贴先帮你弄一下，然后咱们上岸再找医院。"常云啸打开林晓雨的手包，他知道她是带消毒纸巾的。他将林晓雨的腿抱起来放在自己的腿上，用纸巾把伤口消毒，再将创可贴轻轻贴上。

林晓雨抽着鼻子，看着他。自己修长的腿还从来没被男孩碰过，现在竟然这样毫无顾忌地放在一个男孩的腿上，任人摆布。林晓雨的脸又在发烧了。

"我帮你轻轻揉揉？"常云啸抬起眼。

林晓雨点点头，常云啸开始轻轻地揉了起来。我怎么还会点头呢？半条腿都露着，架在男孩腿上，让别人看见多丢人呀。我竟然会点头？我是学坏了吗？竟然不愿把腿收回来。可是他揉一揉疼痛果真减轻了许多。她看着常云啸低着头认真的身影居然忘了伤痛，似乎感到好幸福。

"不疼了吧？"

"好多了。"林晓雨擦掉刚才的眼泪。

常云啸放下林晓雨的腿，这时他才注意到刚才一直抱着林晓雨的腿，但刚才只顾帮她清理伤口，什么都没想。现在他后悔了，他真想再把她的腿抱起来，抚摸一下那光洁的肌肤。

"咱们上岸，我带你去医院。"

"不用了，已经不疼了，继续玩吧。"

"不行，感染了怎么办？先去看看，什么时候玩不成啊。"常云啸开始掉转船头。

林晓雨按住常云啸握着船舵的手，"你敢回去，以后就别来找我。"

纸 戒

常云啸看看她，很坚决，富家的女孩子嘛，总是有点小脾气，再说，这么浪漫的机会他又哪里舍得这样终止呢。他们在北海的湖面上又开始飞奔，直到两人谁也累得动不了为止。两人靠在座背上喘气，任由这只大鸭子在湖中漂来漂去。后来常云啸居然还在琼岛的湖堤上逮到一只小乌龟，送给林晓雨。林晓雨玩了半天，将小东西放回水里，小东西把脖子一缩就沉得无影无踪了。

　　"以后你就叫我小雨吧，是我小名。"

　　"那你就叫我小云吧，专门下小雨的那种小云。"

　　两人互相看看，大笑。

　　直到太阳大人累了，跑到西边去的时候，常云啸才牵着有点跛的林晓雨走出了北海公园。这时的公园游人已少了，恋人们在树林和草地上小憩，磨肩细语，任由麻雀在身边跳来跳去也无人顾及。当他们手牵手地走出公园大门的时候，常云啸又想起一个好玩的地方。

　　地下室的门吱吱地打开，今天不会有人来练琴，大家都各自游玩去了。

　　"这就是你们乐队练习的地方？"林晓雨好奇地动动这摸摸那，乐队她见过但从来没有接触过。她拿起鼓槌在架子鼓上敲出一串噪音，又拿起萨克斯吹出两声屁响。"你给我唱首歌吧。"

　　"好吧，"常云啸抱起电吉他，打开扩音器，"歌名叫《风雨过后》。"

　　风雨过后，我笑得依然美丽。
　　不为别的，祝福你点点滴滴。
　　流星闪过，我看到花落满地。
　　淡淡花香，会随你永远一起走。
　　……

　　"是你写的吗？"

　　"是。"

　　"有点忧伤。"

　　"好像是哦。"

　　"你给我写首歌吧。"

　　"今天是我最快乐的一天，是你给我的快乐，所以写一个快乐的歌。"

常云啸拉起小雨的手，凝望着那双闪亮的大眼睛，"见到你我才知道什么是快乐。"

小雨的心跳呀跳呀，她感到小云手中的暖流，她的大脑开始空白，似乎在等待什么事物来填满它。

"我喜欢你。"小云慢慢将小雨揽入怀中。

小雨本能地挣扎了一下，就不动了。这个场景她似乎见过，是在梦中吗？那个对方是他吗？她现在已无暇顾及。她在等，等一件从没尝试但看过许多遍也幻想过许多遍的事情发生。心跳加快了，快得她闭了眼。她不自觉地将双手绕到小云背后。她感到了小云的气息。她甚至听到了自己的心跳。她的每一处细胞都开始紧缩，颤抖。她的喘息已经开始加速。

当小云的唇贴在她的唇上时，她全身一颤，随后每一处的细胞都松懈下去，浑身都酥软了。她已感觉不到心跳，感觉不到时间，感觉不到空气和灯光，她只感觉得到小云的湿唇和挑逗她的舌头。她慢慢张开牙将香舌微微吐出。她的双手已不自觉地缠到小云的脖子上，翘起脚跟迎接他。

小云的手慢慢碰到了小雨身后连衣裙的拉链，他慢慢将它拉开。他的手碰到小雨的肌肤，她光滑的背，很细腻很细腻。他沿着她的脊柱一点一点地向下，轻轻的，慢慢的。小雨突然惊醒了，她挣脱开他的怀抱，重重赏了他一记耳光："流氓！"而后飞一般跑了。

"小雨——"事情太突然，常云啸完全没了主意，竟然站在原地没能追上去。

这么浪漫，这么温馨，结尾却是这么突然而简单。他重重地坐进破沙发里。我怎么这样？小雨是那么纯洁神圣，和大街上的女孩怎么能一样呢？完了，完了，我的天使不会再回来了。我的天使。

常云啸静静地看着天花板上的管灯，渐渐模糊不清，他睡着了。

这一天是那么快乐，却是那么伤心的结束。刻骨铭心的刹那已深深印在我心里，小雨，我爱上你了。我要对你说"我爱你"。那个洁白的天使会飞到哪儿去？是山巅是海底，是天堂还是宇宙，我愿意去追，再给我一次机会吧，我一定要追上去，无论在哪里，一定会追你回来，一定……

纸 戒

常云啸已是心乱如麻，三天了，林晓雨没有打电话过来，常云啸也不敢打电话过去。他渴望听到她的声音，但他又怕，怕传过来的是一个什么可怕的消息。现在也好，没有电话至少那些假想的可怕消息不会出现。

他今晚约了梅子，他想还是应该跟她谈谈。他是觉得对不起梅子，但是感情是不可强求的，即使强拗在一起谁又会快乐呢。

已经是晚上七点，梅子七点半会在七里村 56 号他们上次喝酒的酒吧等他。他叹口气，现在他的大脑里依然满是小雨，似乎对梅子的事根本就不经脑海。他拿起电话，听着电话里嘟嘟地响，他把电话放下，想想还是拿了起来，拨出那个熟悉的手机号。

墙上大钟的秒针哒哒地走，声音显得特别大，他都怀疑一会儿是否能听到对方讲话。手机接通了，发出长音，一声，两声。他忽然把电话挂断了。我怎么说？说什么？她要是拒绝我，我怎么办？承认错误？乞求？还是甜言蜜语？常云啸重重地把门摔在身后，下楼去酒吧。

林晓雨从精致的手包里取出手机，已经不响了？她看看打来的电话，一个熟悉的号码让她的心一动，但又很快沉寂了。

那天晚上她回到家躲在自己房里偷偷地哭。为什么哭？为她的初吻？为她受了欺侮？还是因为她打了他？她自己也说不清，她就是想哭。后来哭累了，她静静地坐着，望着窗外的黑夜发呆。她发觉似乎心中对小云其实没有一点儿厌恶的感觉，甚至有些怀念那种体验，居然有时会想下一步会发生什么。天啊，我怎么变成这样了。她使劲摇摇头，想甩掉这些怪念头，想开始憎恶常云啸。但努力白费了，她想的全是这一天好玩的事和那时冲动的感受。最后她只能决定睡觉，这个时候电话却响了。

林晓雨盯着手机发呆，他为什么要挂断了呢。我苦苦等待了三天，我以为他生气再也不会打来的，但他为什么打来又挂断？他是想我的，我知道。他一定还在怪我打他，我怎么会打人呢，还骂他是流氓，他一定很伤心。我知道那天他是无意的，电视里的男女激情的时候都会是这样的。他一定是爱我的，才会⋯⋯

酒吧的烛光暗得只能看清对面人的脸。音乐缠缠绵绵的，听得人心里异样的感受。

常云啸招手，"服务员，再要一扎。"

梅子看着常云啸，等着他先开口。他已经喝完一杯扎啤，依然沉默着。梅子明白他要说什么，她只是静静地等待。

"你和驼子，到底怎么样？"常云啸没有抬眼。

"你管呢？你算什么人。"

"我，我想说驼子他——是真心爱你的。"

"这与你有关吗？"梅子真的想哭。

"我知道，我伤了你。但你知道我已经有心上人了，她一直在我心中埋藏着。我不打算再爱上别人，所以……"

"所以你想求我退出，对吗？"

"驼子是我的好朋友，他早就说过他爱你。我看得出来，这一段时间你对他好，是做给我看的，这对驼子是一种欺骗。"

"谁做给你看，你算老几，你又不是家长又不是老师，轮不到你来教育我。"梅子说着说着眼泪就掉下来了。说得一点也没错，她这些天所做的一切都是为了引起常云啸的注意，让他知道她不是没人要，让他感到惋惜，让他回来找她。这一切都被常云啸说穿了。他依然还是不肯改变。

很久的沉默，谁也找不到从哪里开口。可以听到旁边隔断里窃窃私语。

"她对你好吗？"梅子问。

常云啸点点头。忽然他想起一个问题：刚才给小雨打手机，手机会留下家里的电话号码。那么小雨会怎么想？我挂断了，她会认为我怯懦，她会看不起我；或者她根本就不想理我；或者她会与我联系。常云啸赶忙悄悄从裤兜摸出手机。没人打过。她会怎样看我呢？她也想我吗？

这时常云啸家里的座机电话响了第一遍，当然是没有人接。

梅子望着窗外的街道。行人三三两两，一群民工东张西望地走过，又有两个穿着暴露的浓妆女人走过，向酒吧里看看有没有生意可做。梅子不知道自己在想什么，也搞不清自己应该想什么。她脑子里很乱，就像一个小孩骗人的把戏被识破后的不知所措。她看看常云啸，他还在喝酒。他一定是为这事心烦，她想。

小雨，你知道我多想你吗？常云啸喝酒，再喝酒。她会想我吗？她是大家闺秀，我是什么？蛤蟆非吃天鹅肉，不是找摔吗？我想你，你会知道吗？那天是我错了，原谅我吧。我愿意对你说"我爱你"。

纸 戒

常云啸家的电话响了第二遍，依然不会有人接。

"少喝点吧。"

"没事，只喝了一点点。"常云啸的舌头有点直。

为什么他从没有提起过有一个心上人？那个幸运的人是谁，能让他如此心动，如此忠诚？梅子看着常云啸喝着闷酒。看上去那么花心的人竟然是这样专一，要是那个女孩是我该有多好。为什么就不是我，我也一样爱他呀？或许……或许我要是能怀上他的孩子，他会爱我的……

家里的电话响了第三遍。

常云啸觉得头大得撑不住，一个劲往下倒。他记得梅子摇晃他，好像他吐了，其他的都已在朦胧状态了。

常云啸慢慢睁开眼，头还是很疼，有点晕。眼睛和嘴里干涩涩的，嗓子有点疼。他使劲揉揉眼勉强睁开。周围是蓝色的，是海洋的那种：蓝色的窗帘、蓝色的墙壁、蓝色的被子。常云啸突然惊醒了，这里不是他的家，但这里他记忆很深——这是梅子的闺房。酒劲彻底醒了，他的第一反应就是在薄被下摸了一下自己，果然什么也没穿。他有点火了，昨天跟她解释了那么多怎么还会这样！

门开了，梅子倚着门框站着。常云啸靠在枕头上不动声色，看着她。

梅子撩一下头发，"放心吧，昨晚我没动你。穿上衣服到客厅来。"说着将常云啸的衣服抛过来，关上门。

常云啸穿戴好，走到客厅，坐在梅子对面。他依然不能相信梅子，他担心她葫芦里卖着别的药。

"本来，"梅子点上一支烟，"本来我想要是有了你的孩子你就不会这样对我了。"

常云啸不吱声，等着梅子说下去。

"可是后来我改变主意了，因为……因为你一直在念一个名字：小雨。"梅子说不下去了，看得出她是强忍着不让自己哭出声来。

常云啸也很惊讶，自己竟然在睡梦中能念出林晓雨的名字。并没觉得自己对她是那样的依恋，难道自己对她的相思已到了无法控制的地步？他不愿承认。

梅子定了定神，指着茶几上的手机平静地说："有人打你的手机整整一夜。"

林晓雨！这是常云啸唯一的反应。他赶紧拿出手机，是她，是她，她的名字，她的手机号。天，她竟然一夜打了六次，最后一次是后半夜三点。就在这个时候手机没电了，响起关机音乐。

"你怎么不早说？"这是常云啸今天第一句话，当他说完他也意识到这怎能怪梅子呢，他向梅子喊什么，他有什么权利？只不过是自己心烦而已，梅子又何尝不心烦。他看看梅子，梅子咬着下嘴唇，本来就红红的眼睛现在更是一片委屈。"真是抱歉，我，我酒还没全醒，头昏沉沉的瞎发脾气。"

梅子吸了两下鼻子，依然平静地说："快给人家回电话吧，不过我家电话坏了。"

常云啸明白这是给他一个离开的借口，"好吧，我先走了，你自己待会儿。别胡思乱想，休息一下。我会打电话给你。"

常云啸一口气跑下楼，他的心思已经全部到了林晓雨的身边。

她会怎么想呢？她会原谅我吗？一晚上不回电话，怎么解释？我一定要找到她。她喜欢我，不然不会找我一晚上，我也许还有希望。我去学校找她。

他坐上出租车才发现身上只剩十三元钱和一张 IC 卡。他在计价器翻到十三元的时候下了车，开始奔跑，吸引了不少路人的观看。常云啸已经顾不了那么多了，他只想早一会儿见到林晓雨，哪怕是早一分钟一秒钟。他一气跑了四站地，冲进人大校园，站到了女生宿舍门外。楼门口的女管理员死活不让他进去。庆幸的是他在不远处看到一部磁卡电话。

手机接通的速度很慢。我应该先说什么？是问候还是认错要不装糊涂？她现在是生气吗？也许她根本没往心里去，但愿如此。通了！常云啸有些紧张。

没人接？为什么？没人接！为什么！不接我的电话。嘟——嘟，难道一切就结束了？求你了，林晓雨，只让我听听你的声音，哪怕只一声。当他拨通第十回的时候，对方竟然关机了。

放弃吗？不，常云啸是不会认输的，林晓雨还有一个用来看天气预报的汉字寻呼机。从此常云啸开始了漫长的一个又一个的寻呼与等待。

"我知道你生我气，给我个机会，谈谈好吗。"

"我就在你们楼门口，愿意出来吗。"

"原谅我好吗。下次不敢了。"

纸　戒

"求你出来一趟吧，我就在楼门口。"

……

居然阴天了？黑云从西南方向爬来，很快封住了蓝天，开始起风。校园的行人越来越少，常云啸的心开始凉了。他想起小说和电影中，男孩在雨中等待女孩，女孩就感动得不得了的场面。每次他都会觉得他们很傻很可笑，可是现在……他自嘲地笑笑，他倒真的希望这招灵验，能打动林晓雨。他站在这里已经快两个小时，对方却依然没有动向，他心慌，他茫然，他不知道下面应该怎样做。

雨已经下了起来，越下越大。路边的下水道似乎是堵了，积了一大摊雨水。雨珠很密，在水洼里根本看不到水晕荡漾漾开去的样子，一片乱纷纷的。

常云啸躲在电话罩下，下半身早就湿透了。他已经不再奢望林晓雨会出来，他现在站在这里好像只是为了完成某项任务，而不是来寻找某项希望。

可能是没吃饭也可能是雨凉，常云啸觉得两牙打架，起鸡皮疙瘩。他知道美丽的故事彻底结束了，他靠在电话厅的铁架子上望着女生宿舍的大门，他清楚林晓雨不会从那个门里走出来，她不会原谅他。他拿出IC卡，这是最后的五毛钱，他掂了掂，像是在掂自己的心情，然后郑重地插进去。

"小雨，这是最后的五毛钱，我太冷了，我回家了，对不起，后会有期。"

挂上电话，他忽然觉得自己很伟大，是完成某件英雄事迹的自豪还是毁灭某样宝贵东西的高傲，他也说不清。他将磁卡丢进水洼，看着卡片在水面上漂浮了一下沉下去。

"看来下水道是被心情堵的。"他自嘲地自语。他甩甩淋透的头发，留恋地望一眼宿舍楼门。这时他才感到那张磁卡的珍贵——林晓雨就站在楼门前。

常云啸简直不敢相信自己的眼睛，他苦苦等待了两个小时的人出现了。林晓雨举着一把白色透明的雨伞，穿着那件白色连衣裙和一双红色雨靴，站在路对面看着常云啸。

他不知道自己是怎样跑过去的，直到来到林晓雨面前才考虑：是握手，是拥抱还是点头一笑？他选择了最后一种，因为他发现双手不自然的溜进了兜里……

"我以为你……"

"以为我不敢出来?"

"不。我,我想向你道歉,我……"

"你会买张新卡继续打电话吗?"

常云啸为这突然的问题愣住了。莫非,难道……他抬起头,从刚才到现在第一次认真地看到了林晓雨。他看到了她眼里的血丝,红肿的眼泡,熬夜的黑眼袋,他的心一颤。这双眼睛现在带着某种期待地看着他。他点点头:"会。直到我穷得一无所有。"

雨还在下,似乎还想打动点什么。常云啸已经不冷了,这场雨让他体会了希望、失落和惊喜。这场雨也成了两人情感的一个转折,因为伞下站的是紧紧拥抱的两个人。

这一幕的情景留在林晓雨的日记里:"常云啸,我恨你,小云,我想你,我恨你,我想你,让我恨你一辈子。"

在鸿雁投资基金公司的总经理办公室中,有两个人在为桌上的一份报告讨论着,时而争辩时而低语。坐在宽大的老板椅中的中年人就是基金公司的总经理张总,早在七年前就已经在投资领域广为人知。站在他身边的年轻人是他手下四位基金经理中最得意的一个,唐浩。

"那么你的意思是什么呢?"

唐浩摇摇头,"现在不是我的意思是什么,而是要考虑您的意思是什么。证券市场不景气我们已经连续两年亏损了,年初总裁的讲话您也是听到的,很明显就是要排挤我们。虽然说出去找个地方吃饭糊口没有问题,但是脸面上无光啊,还有您这么多年的荣耀就这样抹杀了吗?"

张总沉思了片刻指指桌上的报告,"但是你这样做等于操纵市场,一旦证监会介入调查,我们立刻就要被踢出去。"

"怎样才不会被踢出去?如果不盈利,总裁就可以抓住把柄将他那个废物侄子安排过来,我们一样会被踢出去,而且很不光彩。现在我们要做的就是做好计划,利用扩募基金这次机会。扩募基金在中国是新生事物以前没有参考,中国股民有炒新的习惯,正好利用这种心理大干一场。我在报告中研究了扩募基金的规则,其实存在着很多的漏洞,如果这些漏洞抓得好,证监会不一定能说出我们什么,就算是有一些小的责任,

纸 戒

换取的却是高额的收益回报。"

"你的报告中还提到需要前面两家扩募基金做基础。"

"是。如果前面两只基金上市的时候能给股民一点甜头,那么赚钱效应就会在第三只疯狂表现出来。我们作为主承销商,这样的收益将是惊人的。"

张总摆手,"前面两只基金涉及的承销商是三家,一旦摆不平,事情就泄露出去。"

"利益驱使。我查过这三家承销商过去两年收益,都跟我们一样账面浮盈实际亏损,而且上面给的压力都一样很大,如果能有一个盈利机会的话,我想谁都不会轻易放过。而且我和其中两家关系很熟,问题不大。只要您点头,我相信可以在两个星期内达成共识。最重要的是这个计划利用的是游戏规则上的漏洞,谁的责任都不会大,小责任大收益的事情谁会放过呢。"

张总沉静许久说了一句,"如果市场出现这样的波动,可能会死人的。"然后在报告上写了四个字,"绝对机密"。

林晓雨总是缠着常云啸带她到乐队认认大家。但常云啸很是担心大家的反应,尤其是梅子。他找个机会跟梅子谈,梅子说:"你带谁来关我什么事,你跟我已经没有关系了。"常云啸想想还是带林晓雨见了大家。一个星期以后,常云啸发现他的担心是多余的,因为有钱的美女打开人际关系的能力是惊人的。乐队有了冰柜,有了空调,每天有雪糕,有了队服……乐队的每个人现在都感受到她的重要性,于是谁也不再去想常云啸和梅子的过去,谁都开始默认林晓雨就是常云啸的女朋友,只有梅子有时候不是很友好,但也没什么出格的事。

转眼已经六月中旬,NO BRTTER 如期参加了北京市的比赛,以常云啸的一首《风雨过后》一举夺冠。那天大家痛痛快快地喝了一顿,然后去 NASA 蹦迪,从那夜起,小雨开始主动吻小云了。

乐队歇息一星期,今天约好一起聊聊乐队后面的发展,自从大露光彩以后大家都有许多新的幻想。

"我现在简直就是一大名人,小姑娘追着让我签名呢。"牛皮满脸不可一世。

"他八成是去女澡堂看门了,不要签名不让进。"竿狼逗得大家一顿笑。

常云啸看看表，小雨说要来，她从来守时，怎么今儿会迟到呢。正想着林晓雨跑了进来。

小雨脸色苍白，泪眼汪汪的，进门就扑到常云啸怀里哭了。

大家赶紧劝，问出什么事了。断断续续地听明白了："有个光头他欺负我。"

"什么，"竿狼直拍桌子，"雨妹告诉我，那孙子在哪儿，我替你拍他去。"

"慢慢说，说清楚。"驼子劝。

几分钟后大家听明白了：在工厂门口，林晓雨被几个人打劫，领头的是个光头，留小胡子，居然还摸了林晓雨。

"是秃老二。比赛输了来找茬儿的。"老猫说。

"抄家伙。"牛皮嚷。竿狼扔给他一条木棒就往外走。

"等着，"常云啸喊，"我还没急呢。秃子是有备来的，一定是利用小雨引咱们出去。连几个人你都不清楚，送死呀？"

"你不是想忍吧？"竿狼瞪着常云啸。

"我打得他满地找牙。"常云啸拨通了手机。"响炮你在哪儿？你听着我们被人憋在厂子里，不知对方有多少人，你给我多找几个人在外边埋着，准备里外夹击，埋伏好了回这个手机。"放下电话，"老猫你翻墙出去跟响炮汇合，他说马上能叫六七个兄弟过来，一会儿我一出现，你们就先动手，明白吗。"

老猫出去，十分钟后回电话来。常云啸招手大家往外走。

林晓雨已经不哭了，见常云啸要去打架心里害怕。她拉住常云啸的胳膊，"小云你别去，我害怕。"

"没问题，放心吧，一会儿就回来。"

梅子在一边没好气地说："富家小姐就是胆小，瞧，吓得那样。不就被摸一下嘛，算什么呀。"

"说什么呢!"驼子瞪她。

林晓雨不说话了，常云啸冲她一笑，带着大家出去了。

秃老二带了十几个人，却被背后的突袭和正面的冲锋打得四散奔逃。常云啸足足在秃头上又敲出三个小秃头，秃老二一个劲地求饶说下回不敢了，大家才放他走。

纸 戒

回来常云啸又单独哄了小雨好久，终于把她逗笑，送回学校。

然而事情并没有结束。第二天清晨，常云啸被两个警察带到了分局的一间小屋里。

常云啸完全不明白发生了什么，警车上那个家伙只说：别废话。就差加上一句"我们都是木头人"。常云啸看看周围，除了对面的一张破桌和一张破椅外，就剩屁股下坐的不知从哪个电影院拆下来的一条硬板椅子，共有五张连在一起。左边有扇窗户，小，外边封着铁条。右边是刚刚进来的门。

等了十多分钟，门开了，进来一个魁梧的中年民警，眼睛大而无神，想来是长时间睡眠不足。手里拿着本和笔，一脸严肃地坐在对面的破桌后。

"姓名，年龄，身份……"

竟然查问的是昨天打架的事，警察闲得没事干了，这小屁事也过问？常云啸一五一十地讲了打架的经过。

"后来呢？"

"后来？我们就散了。"

"你没有再见到王兆？"

"秃老二，哦，王兆跑得像兔子似的，我根本没再见到他。"

"没跟你开玩笑。你再好好想想！"

好像非要想点什么出来似的，"真没有了，你让我想什么？"

"老实点，认真回答。"警察盯着他足足半分钟，"王兆被人剁了一个手指，你想不起来吗？"

"啊？"常云啸傻了，原来这才是今天的目的，"不可能，他走的时候好好的大家都看到了。"

"看来你想不起什么了。现在当事人怀疑与你有关，我们决定拘留审查。"

"凭什么！"

"冲谁喊。跟我去办手续。"

常云啸彻底傻了，是谁干的？竿狼他们？不可能，他们要动手一定会先通知自己，再说下手不会这么狠。那是谁呢？说不定是秃子自己的仇家，妈的偏偏这个时间报仇，倒是会拣便宜，可别把我牵进去呀。妈的这跟监狱有什么区别。坏了，林晓雨会怎么想，她不会因为这事就把我想成坏人吧。老妈千万别知道，她老人家心脏又要犯病。妈的，这是怎么搞的！

下午常云涛来了。这位老实人头一次走进分局，还真是战战兢兢，仿佛犯罪的是他。

"警察没打你吧？"常云涛望着弟弟。

"哪能呀，毕竟是人民警察嘛，只是抓错人了。"

"你别老没事人似的，警察能轻易抓人吗？"

常云啸从头到尾讲了一遍，"根本不是我干的，警察会查明白的。你别跟妈说。"

"我怎么敢。那他们什么时候才能放你？"

"一两天吧。没事，别愁眉苦脸的，又不是我要死了。"

……

"是谁干的，这不是害他吗？"林晓雨急得直掉眼泪。

"绝不是自己人干的，大家会通气的。"牛皮说。

"肯定是秃子回家路上又看上哪家小姐了，被人家砍了，没地方要医药费。"竿狼。

"别废话了，想想怎么解决呀。"

……无声。

"我去找张叔叔看看。"林晓雨拔腿就走。

"张叔叔是谁呀？"竿狼问。

"我爸的老朋友。"林晓雨已经跑出大门。

夜里十点，常云啸走出分局，见到林晓雨，有点儿久别的感觉。林晓雨等他一进车门，就扑到他怀里。

"干吗，又不是出大狱。"

"人家担心嘛。吃饭了吗，咱们去吃饭。"

"你还没吃？"

几天过去了。警方没有任何线索表明常云啸与这个案子有关，对常云啸也不再多盘问了，只是要求随叫随到。但究竟谁是罪魁祸首？谁下这么黑的手？是秃头的仇家，还是与这次打架有关呢？

纸　戒

3

　　哥哥又要请常云啸吃饭，说算是洗尘，这次是在"南海渔村"酒楼吃海鲜。看来常云涛还真是发财了。

　　常云涛已经可以算是职业股民了，金融市场这块土地真的是造就人才的地方，只要是你沾手，就拿得起来放不下了，原因是有太多的诱惑。不信你就随便走进一个证券营业部去和老股民聊聊，他们都会给你讲讲想当年是如何如何风光、如何如何在某个股票上大展宏图，而很少有人会给你讲自己如何如何赔钱挥泪斩臂。所以人们听到的都是好的一面，就被吸引了、激发了，都想亲自去体验一下日进斗金的感觉，就算撞到南墙也只说自己运气不好。是老股民骗人？其实不能这样说。股市嘛总有好有坏，好的时候资金日见增长是很容易的，但是不好的时候一落千丈也是难免。只是人类自身有一种自欺的功能，就是忘记那些不愉快的事情记忆美好的东西，这是人类逃避恶劣事件的一种本能。所以股民往往是记忆了自己辉煌的时代，却没有好好总结自己失败的原因，因为他们已经本能地去忘记了。

　　这几天政府部门再次提出振兴东北了，并且流传说要拨几笔大的款项以激发东北经济。股市上就开始了各种猜测，这些钱将流向哪些行业哪些上市公司。常云涛选中了沈阳机械，这是东北地区的一个重点支柱企业，效益一直稳定，在东北股中算是处于龙头地位。由于公司所在地理位置和交通的优势，就算几年内产品不更新都不愁销路。而且当地政府将这个企业视为掌上明珠，毕竟是纳税大户嘛，要重点保护。公司最近有消息说要引进德国先进生产线，如果政府将资金拨到这个公司，不是正好促成了公司的扩张发展吗？从股票 K 线上可以看到，有资金在三个多月前已经悄然介入，经过了一个短暂的上升之后，形成了一抬一杀的格局，进入了一个三个月的潜伏期。实际上这"一抬"就是庄家得到初始筹码的表象，"一杀"是庄家利用初始筹码向下打压，诱使股民跟风抛售，从而实现低价位更大建仓的结果。看来庄家对利好的消息早已经了解，提前有所行动。三个月的潜伏期出现了80％的换手，这能说明两个可能：第一，如果是建仓这就是一个短庄，三个月建仓必定不充分，即使是长庄它的下一个拉升也会是短期行为后面还有回调；第二，长庄的战略撤退属于低位出货。这个时候只有傻子会相信如此难看的 K 线组合会是出货，常云涛暗自想，于是他认定是第一种可能开始大举买进。不出所料，当市场开始留意沈阳机械的时候，它已经悄悄反弹 20％了。于是满处都开始猜测政府资金的受益者就是沈阳机械，这时它已经上涨了 30％多，接着放出了涨停板。第二天早报果真有证实说政府资金已经签订了，股价继续涨停常云涛在大家兴奋地买进的时候全部卖出，"利好都已经兑现了，还不赶紧出来？"他这样劝别人。果然后面的股价就开始了跳水运动，所有利好进入的股民都纷纷被套讨论是否要割肉，常云涛却闲在一旁看报纸，这一仗真是大获全胜，收益达到 53％。

看着酒楼幽雅的环境，常云啸开始挖苦老哥，"行呀，哥，你现在也款上了。也知道吃点高品位了，想想去年你想吃螃蟹，还是我给你到大钟寺买的，现在真是今非昔比了。"

"别把你哥说得像个臭要饭的似的。人时来运转，你哥我不能穷一辈子是不？"

"过两年你也许是亚洲首富呢。来，为发财，发大财干杯。"哥俩痛饮一杯。

"兄弟，不是我说你，你也岁数不小了，别整天瞎混了，真混到我这个岁数连个老婆都不好找了。学点儿东西，比如学学证券什么的，总要攒点钱将来娶媳妇养老用吧。"

"炒股就是赌博嘛，谁运气好谁就赚钱呗，有什么好学的。再说攒钱干吗？现在讲究的是空手套白狼，提前消费，能花出一百年后的钱才是本事。"

"哎，你现在不会明白，将来你会知道钱是多么重要的东西。说真的，我教你股票吧，别人让我教我还不愿意呢。社会经济的发展必定要进入资金运作，最终完成资本运作，股市就可以完成这些。在股市里你能感受到那种资金积累的过程，其实万物都有发展的规律，股市也一样，并不是无规律可循，只是人们过多地依靠了感性思维，其实投资如果进

纸　戒

入到一种程序化的时候就减小了风险从而加大了收益的机会。那个时候炒股就是一种艺术而绝对不是赌博。"

常云啸才懒得听这些，"你现在觉得不是赌博，那是因为你挣钱了，等你赔钱的时候就跟赌博没有区别，至少心理反应应该是一样的，赔了还要玩。还是那句话，运气好了，一两年都是赢家，运气不好从开始就倒霉。让我学习股票，费神又累心。这样吧，你帮我炒好了，趁你运气好的时候也帮我多攒点钱。"

"我倒是可以帮你少做一点，但你还是最好自己学学，这里的学问很大的。我跟你说哦，其实学习金融是一种修炼，当你进入股市之后就会明白很多人生的道理……"

"好好好，我怕你还不行？你知道我最怕学习，要修炼你自己修炼就行了。这样说定了，我出钱你来做，赔了算我的，挣了半劈。"常云啸大口喝着啤酒。

"那倒不用，赔了我出一半，赚了都给你。"

"哇，这种生意你也做。难怪你升不了官呢，这不是干赔吗。得了以后再说吧，先喝酒，干。"

第二天常云啸将一张八万元的存折交给了哥哥，只用了一个星期这笔钱就变成了九万。也许真要成为富翁？常云涛越来越感到这才是他真正的光辉点，这么多年了，在工厂这么多年了，在财务行业上这么多年了，原来股市才是他真正的用武之地！股票给了他新的生命，也在一点一滴地改变着他的生活。

股市像什么？就像在一群猫的面前钓了好大一条鱼，如果你叼到它就一步登天，如果吃不到宁可徘徊四周也绝对不愿意离去。而且叼到它的时候谁都不会去想自己高高在上，距离地面有多远，更不会去想鱼腹中是不是还存着没有剥离的渔钩。

林晓雨从健身城回来，脱掉那身南韩的运动服。虽然在健身城已经洗过桑拿，但还是在浴室里用香料泡了半个小时。

然后换了一件 T 国出产的重磅真丝吊带裙，坐在自己的书房里写日记。有人轻轻敲门。

"是谁？"林晓雨将日记放入抽屉。

"小姐，老爷请你过去。"是吴婆婆，她是林家的老佣人了，现在社会叫管家，但吴婆婆从小就服侍人已经听习惯了佣人这个词，论岁数可以当小雨的奶奶了。老太太早就没了亲戚，林文雇佣了她之后就一直住在林家，林家是很尊重她的，不需要她干什么活，有其他的佣人干，所以她的职务算是个管家。小雨从小由她带，所以她特疼小雨，小雨也喜欢她。

"知道了，我就去。"

林文靠在书房的旧藤椅上，闭着眼养神。这位身世不平凡的人，一生都在政治和经济中兜圈子，像古罗马斗士似的身负着重盔甲还要左挡右突，终于同弟弟林武创立了文武集团，林文为董事长，林武为总经理。文武集团两年前在上海证券交易所挂牌上市交易，终于完成了公司进入证券市场的战略步骤。现在他已经觉得自己老了，人老了才发现这个世界不属于老人，人老了才越发感到有个儿子该多好，可惜那个儿子在"文革"中一出生就死了……现在只能盼着自己的宝贝女儿以后能有个好的归宿，要是女婿争气，他愿意培养他接手文武集团。

"爸，爸，你想什么美事呢？我叫了你好几声了。"林晓雨站在林文面前。

"啊，抱歉，我差点睡着了。"

"您找我是不是想请我去外国七日游？"

"瞧你，没个正形。"林文拿起紫砂壶给自己续上，品一口香茶，看着小雨。

"您老看我干什么？"小雨有点不好意思，突然眼珠一转，"再看我告我妈去，说你看到美女就盯着不放。"

"臭丫头，拿你爸寻开心。"两人大笑，"爸今天跟你谈点正事。"

小雨意识到他要说什么，但嘴上还装糊涂，"什么事呀，爸，瞧您还神秘兮兮的。"

"你有男朋友了？"

"怎么想起问这个？您不是一直教导我说要好好学习天天向上吗？而且每次谈到我在哪儿遇见一个男生的时候，您就紧张得不得了，我哪儿敢。"

林文略有所思，"爸是怕你分不清好人坏人，被别人骗。不过你现在也大了，爸想……"

"想什么？"小雨很想把常云啸告诉爸爸，但又担心，爸爸的要求很

纸 戒

高，常云啸一定是不符合要求的，那会是什么结局呢，小雨不愿意去想。看来暂时还是顺着他的意思把戏演下去。

"我是觉得像你这么大年龄似乎应该有几个好朋友。"

"我有呀，许童，就是常来咱家的那个，我们很好的。"

"不，我是说男的朋友。"林文又喝口茶。

"您不是说现在好好学习吗？干吗，担心我嫁不出去？"

"不是，我是说要是有好的，现在先接触一下没什么不可以。女孩子嘛，总要谈谈恋爱的，挡也挡不住。"

"真的？"小雨有些迟疑，爸爸今天很奇怪，平常一向是不允许她同男孩有联系的，为什么现在这么宽松？那可不可以把常云啸讲出来？不，等等再说，"那从今天开始我要找男朋友啦。"

"男朋友也不是随便就能当的。再说你能找到好的吗？"

"那您给我介绍两个？"

"嗯，我倒是有一个人选。"

原来是这样，小雨心里暗暗想，爸爸真狡猾，兜了个大圈原来想给我介绍男朋友，结果还是自己上当了。

林文顿了顿，"这个男孩叫唐浩，工作能力很好，长得也很精神。今年二十八，麻省理工毕业，别看年纪轻轻已经是鸿雁投资公司的基金经理，很精明能干的，最近金融市场上的几个事情都有他参与策划，在金融界也小有名气了，我看他将来必定有大发展呀。"

"哎哟，爸爸，您这是给我挑男朋友呢还是招聘职工呢？怎么没听过您夸我这么多。"

"你那么好还用我夸吗？我想让你们明天见见面，怎么样，没问题吧？"

"我，我。"林晓雨不知道是否应该告诉父亲小云的事，因为她清楚林文一向是不相信别人的眼光，他只相信自己，他一定看不上小云。

假日酒店的装潢很是精美，一种富丽堂皇的气势给了人神圣同时也给了人束缚的感觉。在一个雅间里林晓雨见到了唐浩，今天是林文安排的单独见面。

林晓雨穿得很随便，一件圆领衫上面印着小狗SNOOPY。而唐浩可不一样，穿得西装笔挺的，像要参加国宴似的。

"傻瓜，"林晓雨心里想，"装什么样子呀，也不嫌热？假正经！幸好我们家小云从来不穿西装，要是穿上，一定特好笑。"

其实唐浩长得还是蛮精神的。个子比常云啸高一点，脸型有点方，略有棱角，很有男人气概。肩膀比常云啸宽大，可能是常年在国外吃得好的缘故。学业更是优秀，在麻省理工学经济的，英语、电脑自然也是极为精通。他的一位中国老师就是资本运作的高手，曾经是华城商贸的总经理，一个国企，企业倒下了，个人却早就捞得肥头大耳的。这个老师一年前将唐浩推荐到鸿雁投资公司，唐浩也争气，以他惊人的投资眼力和投资收益，仅一年已经是基金经理，成为公司四大干将之一。年仅二十八，真是年轻有为。只是林晓雨一开始就在心里排斥他，自然怎么看都不顺眼。

"你好，我叫唐浩，是麻省……"

"知道了，已经听了很多遍。"讨厌，外国上学有什么了不起，天天挂在嘴边。

"看来你爸爸已经介绍过我了。我，我这人很笨，尤其是与女孩在一起的时候。"

我看也是，林晓雨心不在焉地四处环顾。

唐浩叫了两杯鲜橘汁。林晓雨喝着冰凉的橘汁，听唐浩点菜。都是一些怪名字，她从来不理睬菜的名称，因为每次都是别人点菜嘛。她记得前天常云啸带她吃过一种叫"炸灌肠"的小吃。"给我拿盘炸灌肠。"

服务员面有难色，"对不起小姐，我们这里没有。请您换一道菜可以吗？"

"那就随便吧，他说了算。"她指指唐浩。

唐浩跟服务员说完，打发走了。"小雨，我……"

"打住，小雨是你叫的吗？"

"哦，林小姐，我想送你一件礼物，初次见面，请笑纳。"唐浩说着递过一个小盒。

这人说话真累。林晓雨接过来，盒子有漂亮的光纸包着，还系了一条蓝丝带。她看了他一眼，拆掉包装打开盒子，是一只意大利钻石坤表。

出手倒是大方。"礼物太贵了，我不能收。"林晓雨将盒推回给唐浩。

"礼物很小的，真心送给小姐。"

看着他为难的样子，林晓雨觉得很好玩，"好吧，本小姐先收了。

纸　戒

唉，并不代表什么。"

"是，是。早听林伯说过你很漂亮，今天我才知道……"

"知道什么？"

"林小姐原来美若仙子。"

"哈，看你笨笨的，原来也油腔滑调的。"林晓雨心里倒是挺美。

"真的，我不说谎。"

"我也没说你说谎呀。"

菜上来了，很丰盛，两个人吃不了。林晓雨挑了几筷子，继续喝饮料。应该叫许童来，林晓雨想，她最爱吃了，还怎么吃都不胖，这里环境这么好，又有这么个才子陪着，而且也算长得标准。她一定羡慕得不得了。哎，不知道常云啸在干什么，是不是在想我。

吃饭的气氛很平淡，餐后林晓雨没有应邀去看电影，也没用唐浩送。开车回家的路上，小雨给小云打个电话，把今天的事跟他讲了，逗得他直笑。

"有这么可爱的人，你是不是动心了。"

"我才不像你呢，三心二意。"

"瞎说，我才没有。"常云啸淡淡松了一口气。他知道小雨对他的好，小雨是不会骗他的，但还是心里有点儿不舒服，只是嘴上假装轻松罢了。

……

有人敲门。

林晓雨靠在床上读小说，"进来吧。"

吴婆端了一杯牛奶进来。"丫头，给你放在这儿了。"

"好，谢谢吴婆。"林晓雨冲她一笑。

吴婆站在那里似乎要说什么，但有些犹豫。

"吴婆，您是不是有话对我说？"

"丫头，"吴婆顿了顿，好像下了很大决心，"你跟婆婆我亲不亲？"

"吴婆您怎么了？我是您带大的当然亲了。"林晓雨放下书望着吴婆。

"吴婆我有事问你，你要好好回答，我才能帮你。"

林晓雨笑了，"您这里坐，是什么这么神秘兮兮的。"

吴婆在床沿上坐下，"你是不是已经有男朋友了？"

"你说唐浩吗。"

"才不是，你怕我不保密？什么时候你我不是站在一条战线上？你告诉我，我有事跟你说。"

林晓雨看看吴婆，不像是说笑话，于是说，"那你要保密。我是已经有男朋友了。"

"叫常云啸。前一段时间你被一个秃子欺侮，他帮你打架来着。后来秃子断了一条手指。我说得没有错吧。"

林晓雨惊奇地望着吴婆，"你怎么知道？"

"我说的话你也要保密，实际上老爷派人跟踪过你，也调查过那个姓常的。那秃子的手就是老爷的手下干的。"

"我爸？怎么能这样呢？"

"孩子，你爸给你介绍唐浩，就是想结束你和常云啸的来往。昨天我偷听到老爷和你妈商量想给常云啸一笔钱让他离开你，要不然就对他不客气。"

"他敢！"林晓雨气得火冒三丈。

"丫头，说老实话我听说那个姓常的并不是什么有出息的人。家里没有背景，文化也不高，高中毕业就在社会上混，是个小混混，在一家广告公司做设计，收入又很低，哪里配得上我们小姐呀。还真不如唐浩呢。"

"你们知道得这么详细？我生活在盯梢中了吗？我找我爸去。"

"哎呀，小姐不能去呀。你一去不就把我卖了吗？"

林晓雨想了想，"谢谢您吴婆。放心我不会出卖您的。今天先放下，改天我再找他理论，绝不说与您有关。您先回去吧。"

"那好吧，早点睡吧。"吴婆出去了。

林晓雨坐在那里发了好一会儿呆。竟然跟踪我！秃老二的手也是爸爸的手下干的！想拆散我们！小云更可恨，原来不是大学生！骗我！你是个十足的小混混，骗子！只有我这样的笨蛋才相信你呢……没钱怎么了？谁也不是天生就有出息呀，现在没有将来也会有的呀。不过倒是可以用钱试探一下他，看他真心还是假意，要是假意就让他们好好扁他。

小雨翻来调去一夜没合眼，决定先不和爸爸对质。

今天又是哥哥做股评会的日子，常云啸还是迟到了。走进营业部看到哥哥站在黑板前正在给股民讲课，下面还是坐着和站着那么多人。每次到这个时候，哥哥总是显得非常自信和潇洒，在那么多人面前侃侃而

纸 戒

谈滔滔不绝。虽然他讲的东西常云啸多数听不懂，但是还是为他高兴，因为他能够感染下面这些股民，就说明他是最好的。

"……表面上看股市的运动是一种经济运动，实际上它是一种心理运动。由于人类有高于其他动物的思维能力，所以人类有其特有的心理运动。经过社会阅历的积累，这些心理运动会成为一种群体效应，也就是说心理运动会彼此影响和效仿，使得心理的拐点变化更加接近。说得更直白一些，就是在座的大家在股市上的承受能力基本上是在同一个区域内，这个承受能力包括盈利的承受和亏损的承受。而市场主力所利用的就是群体的折中承受能力，反向操作，因此使得一般股民出现二八效应，为什么只有20％的人有收益，而80％的人都出现亏损呢？是这80％的人不聪明吗，这些人里有教授、有科学家，那么是因为什么呢？我只能说这80％的人的心理是非常正常的，至少是符合人类的普遍心理。所以要研究股市，就一定要先研究社会心理，股市群众心理的方向就是市场真正运动趋势的反向指标。"

在常云啸的耳朵里这就是天书，但是从台下股民的脸上，他看到了激动和羡慕的表情。他也由衷地产生了一种敬畏之情，想想哥哥前些年在工厂里受累受苦，再看看他现在的风光，常云啸感觉到人的一生真是变化无常，大有三十年河西三十年河东的感觉，也许哥哥真的能成为股市中的一代风流人物也说不定。

"在指标的研究上有两种，一种是趋势性指标，一种是转折性指标。例如MACD就属于趋势性指标，而PSY就属于转折性指标。我个人喜欢在转折性指标上多下工夫，因为在趋势上更多的股民是容易形成一种惯性思维的，这样就会不断地追高，由于止损点不容易判断所以丧失了防御心理。而转折性指标在出现买点或卖点的时候，可以防止助涨助跌的力量，而且对于止损点很容易判断，一个转折点出现后如果不能成立，反而向反方向运动，那么就可以立即止损，宣布转折点错误……"

常云啸的手机忽然响了，一个男人称是他楼下的住户，说家里漏水了让他赶紧回家。难道我家里跑水了？常云啸看看讲台上的哥哥，急忙出了证券营业部往家里赶去。

林晓雨和许童在蓝岛大厦里闲逛，随便挑了两条长裙和一双皮鞋。
"昨天的款哥合不合口味哟？"

"哪一个？"许童装傻。

"我看你呀昨天一直笑眯眯的，肉麻死了，是不是？"

"你说那个唐浩呀，我那是给你面子，要不是你，我才懒得理他呢，傻呆呆的。再说那是你爸爸给你介绍的未来老公，我哪里敢抢。"

"原来在嫉妒，好吧送你了，还搭份子钱，结婚的时候我给你一个大礼包。"林晓雨笑笑地看着许童。

"干吗？对常云啸表忠心呀。其实唐浩比他好多了，有才华有风度，工作又风光。做金融的多棒呀，基金经理，至少以后炒股票可以找他嘛。要是真有一个这样的老公真让人羡慕死了。不像你的常云啸整天就知道瞎混。"

林晓雨不说话了。是啊，我究竟喜欢他什么？我那么优秀，怎么会爱上他呢？这时手机响了。

"是吴婆呀……什么？他们去找常云啸了？什么时候？好我通知他。"

"出什么事了？"许童问。

林晓雨没时间理她，拨通了常云啸的手机，忙音、忙音、忙音，林晓雨急得直跺脚，一路向外跑。

许童不知发生了什么，也跟着跑出来。

两个人到了停车场，"到底怎么了？"许童上气不接下气。

"有人要打小云，我得过去。你先回学校吧。"说完上车走了。

"常云啸有什么好的，这么牵肠挂肚的。"许童自言自语，"真是的，他打架又不是新鲜事，你去了也是白费，害我一人回去。"

"你倒是接电话呀。"林晓雨急得哭，常云啸的手机和座机一片忙音，死活不通。

终于看到了常云啸住的楼房，林晓雨顾不上找车位将车往路边一靠，风一般跑上楼。常云啸家的房门虚开着，林晓雨有一种不祥的预感。

她战战兢兢地推开门，屋里一片狼藉。没有人。电话被打烂了，电视也破了个洞，鱼缸碎了，几条小鱼已经躺在那里不动了。小云呢？小云在哪儿？她想喊，但喊不出来，她害怕极了。这时厨房有水声。

"小云！"当林晓雨看到狼狈不堪的常云啸时，她哭着扑了过去。

常云啸一边用浸了凉水的毛巾捂着流血的鼻子，一边拍拍林晓雨说，"没事，别哭了，擦破点儿皮。"

林晓雨扶常云啸一瘸一拐地躺在沙发上，帮他擦掉脸上的污垢，才发现她的小云牙床、鼻子、眼眶都在出血，脸上还青一块紫一块的，左眼也肿得好大。林晓雨给他倒杯水，小云喝了一口，突然咳了起来，竟然咳出一口血。

"啊，你吐血了，我去叫救护车。"林晓雨又哭。

常云啸抓住她，"别大惊小怪的，是淤血，吐出来就没事了。"

"都是我的错，都是我的错……"林晓雨哭得像个泪人，常云啸笑了笑。

过了一会儿，常云啸觉得好些了，恢复了一些力气，他坐起来，拉林晓雨坐在身边。"哭什么，我又没死。小雨，你是不是惹到什么人了？他们知道我的手机号，骗我说家里漏水。我开门后，有五个家伙冲进来，让我以后不要再见你，不许再跟你好，还说只要我答应就可以得到五十万。"

"那你答应了？"林晓雨盯着小云看。

"你就那么对我没信心？我说，留着给他妈竖贞节牌坊。结果就打起来了。"

小雨都给气笑了，"你这么说，当然打起来了。"

"妈的，这几个小子还真有两下子，出手够狠。不过我还是让其中两个挂了彩。"

"你真的不愿离开我？你真的很在乎我吗？"小雨的眼泪又下来了。

"傻丫头，打死我也不能把你卖了呀。"

"好，"林晓雨忽然站起来，"凭你这句话，我找他们算账去。"

"等等，站住！"常云啸看着小雨，迟疑地问："你认识那些人？真的是黑社会？"

"不，是我爸。"

"什么？你爸？你爸究竟是干什么的？"

"我爸是文武集团的董事长。"

"是那个叫林文的吗？富豪林文是你爸？"

"是。"……小雨将事情的原委统统告诉了小云。

"秃老二的手也是你爸叫人干的……我知道你家有钱，但是没有想到你是……现代故事版的公主与牧羊娃。"

"怎么，知道了这些你就不要我了吗？"

"怎么会，我跟你好不是因为你家里有没有钱。我不管你家是什么样，也不管你家人怎么想，只要你跟我在一起，我就永远保护你。"

小雨依倒在小云的怀里，流下了幸福的泪水。

林晓雨一口气冲进了林文的书房。林文正靠在一张藤椅中闭目养神，听到有人急匆匆地跑进来，睁开了眼。

"你为什么这样做！"林晓雨当头就问。

"火气不小，出了什么事？"

"你问我？"林晓雨气得都快跳起来了，"不是你派的人去打常云啸的吗？我就是跟他好，你怎么着吧，有本事你就杀了他，然后我也跟着死。"

"小雨，怎么跟你爸说话呢！我这是为你好，我调查了那个姓常的不是什么好东西。"

"他有名字，他叫常云啸！"

"好好好，常云啸。要文化没文化，要本事没本事，他将来靠什么吃饭？整天就是混，看看他那些朋友就知道了，没有一个能成才的，那是一个注定生活在社会底层的人群，你跟他们瞎闹什么？"

"他有工作，有理想，他的朋友怎么了，至少不像你那么阴险卑鄙。"

"什么？你说什么？"林文从藤椅上跳了起来。

母亲张雨听到了书房的吵架声，已经从楼上跑了下来，赶紧站到两人中间"小雨，不许这样说话。你父亲是为你好。"

"对我好就可以雇佣打手打人了吗？就可以去剁别人的手指吗？这跟黑社会地痞、流氓有什么区别？"

"你、你瞧瞧你都变成什么了，跟着那个小子你都学了什么！打人，我今天还打你呢。"说着，怒目圆睁的林文冲了过来，张雨赶紧拦住，吴婆护住小雨。

"还不快走？"张雨拉着林文朝小雨喊。

"不行，今天我要说清楚，我爱常云啸，我要嫁给他，除了他我谁也不嫁，他要有一个三长两短，我就去跳楼。"

"小姑奶奶少说点。"吴婆向外拉。

"你还反了你，嫁给他你就别姓林！"林文挣脱过来，抡起手就是一巴掌。

屋子里一下静了下来。林文从小就疼爱女儿，虽然平时跟手下人火

纸　戒

气很大，但从来没对女儿发过这么大火，更不用说打她了。

林晓雨哇地一声哭了，"我讨厌你！"转身向门外跑。

"小雨！"张雨和吴婆想追出去。

"不许追！让她去，还懂不懂规矩！"林文气哼哼地说。张雨和吴婆只好停下来面面相觑。

哭着离开林家别墅的林晓雨没有去常云啸家，只是打了出租漫无目的地在街上转，最后到了天安门。

站在广场上，天已经黑了，华灯照亮天安门、长安街和英雄纪念碑。小雨无聊地找个地方坐下，看看眼前走路的、照相的人们，她第一次感到了无助。以前在家里，谁都听她的，有点事都会围着她转，在学校里，她长得漂亮，大家都喜欢她都会帮助她。现在呢，一个人坐在这里，没有人来过问。我错了吗？我只想爱一个人，真真正正地爱一个人，爱也有错吗？就因为他没有高学历，没有好的家庭背景，没有好的职业，没有钱？这些重要吗？十三亿人口中多少是平凡的，而这些平凡的人们就一定很差吗，一个机会来临或许就有耀眼的明星跃出。其实只要是真爱，又何必在乎平凡？为什么不支持我，我们是真心相爱。现在有家也不能回了，刚才的吵架是记事以来和爸爸闹得最僵的一次，竟然还打人，现在脸上还疼呢，嘴里都破了。家是暂时回不去了，爸爸不来求我，我才不回去。可是将来怎么办，车子也没有开出来，什么也没有拿，好在信用卡还在身上，里面应该有十几万，这可是很多人辛苦一辈子才能攒下的，支撑一般生活应该够花一段时间。

也不知道什么时候才有机会回家，想想很长时间不能回家，心里有些难过，但是想想可以多陪着小云，心里又高兴起来。反正过一段时间爸爸会来找我的。先急一急他，谁让他打人的。想着，林晓雨关掉了手机。

听到门铃声，常云啸去开门。门一开，林晓雨就跳过去抱住了他的脖子。"我现在无家可归了。"

"怎么回事？"

"我跟爸爸吵翻了"

"你跟家里吵架了？我不是跟你说没什么吗，不用找你爸爸。"

"干吗？你敢教训我？那我走了。"小雨噘着嘴假装要走。

"不是不是。我的家就是你的家，想什么时候来就什么时候来，可以了吧。"常云啸知道现在跟她说什么大道理也白费，不如先让她静下来。

"不是来玩的，我要住这里。"

"啊？"

"啊什么啊，我要住这里。但是你不可以欺负我。我睡卧室你睡厨房。"小雨噘着嘴仰着头的样子倒是很可爱。

"……行。"

"那，本公主移驾这么寒酸的地方，是不是应该有一个迎接宴会呀？"

"喳！小的这就去给公主准备。"

夜晚是人们抒发感情的好时间，这个时候不需要考虑太多的工作、学习，很多人间美好的事情就在夜幕中酝酿和诞生。

小屋已经被精心地布置，灯管已经用水彩涂成暗红色，房顶上飘着氢气球，点点烛光在暗红的房间里闪烁着，伴着优美的音乐跳跃着。房间里还散发着香水的气息，让人陶醉，有点飘飘然。桌上有红酒和有雕花的高脚杯。桌子两旁是一对被光线映红的脸。

"你干吗看着我？"小雨问。

"那你干吗看着我？"

"谁看你了？"

"没看我你怎么知道我看你呢？"

"讨厌，来，为不回家干杯。"

"应该为住进帅哥家干杯。"

"就你？别臭美了，干。"

几杯酒过去，小雨已经醉了，脸也更红，"你真的爱我吗？"眼睛里满是柔情。

"是的，我想我是真的爱你。"

"你会一辈子对我好吗？"

"是的，用我一生对你好，让你快快乐乐的。"

小雨的眼睛忽然湿润了，不知道是想起了离开的家门，还是被爱情的话语感动。她的手指向前移动了一点停下来，常云啸慢慢将手靠过去，碰到她的指尖。没有躲，干脆握住她的手。一股暖意传上她的手臂。

两人相视，无声的眼光，只有相爱的人看得懂的眼神。

"你今天至少要送我一样东西。"

"对对对，我们缺少一个戒指。"

"这么晚了哪里有商场还开门呀？再说我又没有说要嫁你，你送戒指做什么？"小雨笑。

常云啸想了想，拿来一张金色糖纸，认真地折起来，"送戒指代表我的爱。今天来不及出去买了，先折个纸的送给你，依然代表我的心。"纸戒很快折好了。"好了，小雨愿意接受我吗？"

"那要你给我戴上。"

常云啸给她戴上，女孩子纤细的手指好像天生就是用来带戒指的，虽然是一枚纸戒，但是戴在她手上依然那么好看。

"我也来叠。"小雨也拿来一张金色糖纸，认真地折了一枚戒指，拿过小云的手给他戴上，与自己的手放在一起，"现在就是一对了。"

"纸的容易坏，明天我们去买真的钻戒。"小云说。

"我不要，钻戒谁都能买，一点不新奇，我们的纸戒只有我们才有，不是更有意义吗？"她从床边拿起一个红色心形的糖盒，"以后我们不戴的时候就把纸戒放在这个糖盒里。这颗心就代表我们两人一心，纸戒就是我们爱的约定。"

"好，让我们永远保存，保存两枚纸戒，保存我们爱的约定。"

小雨感动得快要流泪了，"抱抱我好吗？"

对常云啸来说，真的不敢相信自己的耳朵，自从上次抱过林晓雨后，在常云啸的心中，小雨就像莲花一样圣洁，只可远观而不可亵玩。

小云站起来，将她的手轻轻拖起，拉入自己的怀中，竟然也感觉到了自己的心跳。

靠在小云的怀里，林晓雨感觉到了温暖和心动，像靠进了自己一生的港湾，紧紧地抱住，生怕一放松这种幸福的感觉会飞掉一样。

小云捧起她的脸，在红色的灯光和酒的作用下，这张脸更加的秀美，楚楚动人。小雨闭了眼，下颌微微向上嗷起了小嘴。

热吻，爱情的热吻。在两双唇遇到一起的时候，心也相遇了。小雨觉得身子很软只想靠在小云的怀里。小云顺势抱得更紧，双手开始慢慢地抚摩她的后背、腰际，亲吻她的颈和耳垂。

小雨深深地喘息，胸脯在起伏。小云一弓身将小雨横抱起来，放在床上，小雨没有挣扎，只是睁开眼看着他。

他抚摩她的脸，然后继续亲吻她。小雨觉得他压在上面很舒服，自己的身体开始发热，能够感觉身上某些地方的变化，那是一种渴望，也是一种欲望，在膨胀、发痒，身体也随着小云的唇一阵收紧一阵放松。

不知什么时候小云已经褪去她的衣服，只剩了胸衣和内裤。小雨感觉到自己的意识在挣扎，但是自己的实际动作却是顺从。为什么？为什么是这样，我是一个坏女孩吗？不，我渴望，渴望他来压住我，抚摩我，亲吻我，直到……

小云要解开她胸衣的搭扣，小雨发现自己的身体竟然是抬起来，让他可以把手绕过去，而不是挣扎。难道身体已经不是自己的，难道一切都是他所有了吗？当一对丰满的乳房展现出来的时候，她深深地吸了一口气，不敢看自己的身体，但是她知道粉红的乳头已经开始发硬。

她握住了他的手，不让他再继续抚摸下去。"你真的爱我吗？你要答应我爱我一辈子。"

"我爱你一生一世。"郑重的眼神，好像是承诺了一个毕生的使命。

"温柔点好吗。"她都不知道自己为什么这么说，感觉自己好像很淫荡。然后她松了手。

当林晓雨的身体全部暴露在面前的时候，常云啸也为这个没有遮拦的身体赞叹，那样洁白和优美。女人的曲线在小雨身上体现得是那么完美无缺。

"别这样看我，抱住我……"

小云抱住她，感觉到她的颤抖，也感觉到自己的膨胀，需要去占有她。小雨闭了眼，喘息着，等待着。那是一个女人的期待，一种原始的期待。

"啊！"像是婴儿的啼哭，爱情的碰撞就像是一个生命的起点，所有的一切都不存在了，一切重新开始。一个女孩到一个女人，独身一人到相依相偎，爱情在一瞬间就转变了女人的命运，将两个人紧紧地结合在一起……

常云啸从小雨的身上躺倒下去，小雨翻身伏在他结实的胸膛上。

"舒服吗？"

"讨厌，哪有这样问的？你……"

美好的日子开始了，也是所有平凡人要经历或者已经经历过的日子。逛街、购物、看电影、遛公园和疯狂地做爱。所有情侣的热恋都是让人羡慕的，许童就很羡慕。

纸　戒

“你可好几天都没有来上课了，每次点名可都是我替你喊到的。”许童低声地说。

林晓雨抬眼看了一眼正在讲线性代数的老师，“找机会我一定要好好地谢谢你。”

“哈，那要怎么谢我呀，是不是帮我找个大款呀？”

“干吗，想把自己给卖了？”

“我也想沉浸在爱情之中呀。看你，每天高兴得不得了，一脸都是幸福，是不是他晚上干那事挺厉害的？”

“你说什么呢？讨厌。”林晓雨差点笑出声来。“哎，你真想找个大款？”

“凭你爸爸的关系，你一定也认识很多大款。不过我可不想找一个老头，一定要找年轻的帅哥。”

“好，不找老头，我能害美女吗。”

“真的有大款介绍？”

“就是那个唐浩呀，我都介绍给你了，是你自己不知道把握。上次带你和他去吃饭之后你们没有再联系？”

“没有哦，我倒是想联系呢，但他不给我打电话，我怎么好意思给他打。你怎么不找他呢？”

“我有我的云哥哥呀。”

“肉麻，就知道你的云哥哥。”

“这样吧，我再约唐浩出来，你跟我去，然后我就说我突然有事要走，以后的事情我就不管了，看你的魅力了，把他的魂勾走就省得他来缠我了。”

“哈哈，原来是为了不让他影响你和你的云哥哥的好事呀，我还以为真的为我好呢。”

“以后我可不再帮你联系了，要是你自己不争气我可没有办法。”

“后排的同学不要说话！”老师高声地说。

两人相视一笑，低了头。

4

"妈在星巴克咖啡厅等你，你过来吧。"

十五分钟后，林晓雨见到了妈妈，要了一杯牛奶。

"你不知道你爸有多着急，看上去假装没事似的，然后会问：小雨的生活费有没有给她打进卡里，小雨的手机费交了没有。这次又让我把车钥匙给你送过来了，就停在外面。他是非常爱你的，他也是为你好。"

"我知道啊，我也很爱他的，只是他不应该叫人打小云呀，还说什么要给小云钱让他离开我，当我是商品吗，花钱就能买卖？"

"你们两个都不要生气了，过几天你就回家吧，你爸不说什么的话，就当什么都没有发生过就可以了。"

"对了，你的手机为什么总是关机呀，我给你学校打电话，也总是说你出去了。你都去哪里了？"

"我出去玩了。"

"晚上十二点多也出去玩了吗？"

"妈，我，我住在小云家了。"林晓雨不好意思。

张雨的手一抖，"我就知道那个常云啸不是个好东西！结果还是发生了！"

"妈，不是这样的。"

"不是什么！明天你就回家住！这是你的车钥匙，还有回家后先不要说起这件事。"

就这样，林晓雨回到了家中，但还是找机会到常云啸这里来过夜，两人很开心。林文忙于生意，暂时也没有时间来处理女儿的事情。张雨心疼女儿，在林文面前不提及常云啸的事情，又怕说多了女儿不高兴，就只是跟女儿说要注意安全。说得林晓雨直脸红。

在林晓雨的怂恿下，许童独自去见了唐浩，回来后一脸的崇拜和羡慕，天天念叨。后来好像是两个人又见了几次面，具体的事情林晓雨也不知道了。

常云啸还是自由自在，每天跟他的广告较劲。乐队还是每天练习。

周五哥哥打来电话，说晚上要过来吃晚饭。常云啸在楼下的饭馆定了几个菜，和林晓雨去超市买了几瓶啤酒一条鲤鱼，准备红烧吃。

下午五点多，常云涛兴致勃勃地到了这里，见了面就拍着小云的肩："你大哥我已经就要发财了，下次请你们去新马泰玩。"

"哈哈，你又赚了多少钱，瞧你高兴的。"

"嘿，是赚翻了。你的八万元现在已经是十五万了！"

"真的！"常云啸简直不敢相信自己的耳朵。

"大哥真棒。"林晓雨也为此高兴。

哥俩坐下，听常云涛开始讲股市上的风风雨雨。直到小雨把鱼做好，大哥的故事还没有讲完。讲他如何看待市场，中国经济如何走势，证券市场如何发展，以及哪个股票如何风光。听得两个人云山雾罩的，和大哥一起兴奋不已。

"看看你大哥，还不如你跟他学学呢。"

"我哪儿行呀，我看见数字就头疼。"

"我可以教你呀，我已经总结出一套方法，在市场上屡试不爽呀。其实这个股市只要是多看看多听听，自然也就明白了。你大哥我每天都要看上四个小时，然后收盘后做上两个小时的作业。你看这次做的新兴股份，一把就挣 40％。"大哥多喝了两杯，这话也就更多了。

"我最怕用脑子了，大哥你就帮我炒就可以了，全权代理。"

"真是无比的懒惰。"小雨笑他，"瞧你那没出息的样。"

"那这样，你反正白天在家里也经常闲着没事做，跟我去股市走走看看，保准你去几次就有兴趣了，等你有兴趣了，我再教你。"

"那个不用学吧，不就是赌博嘛，等我有了嫂子一起来打麻将就是了。"

"什么赌博呀，告诉你多少次了，股市不是赌场也不是银行，炒股是一门艺术不是赌博。跟你说也没用，不学算了，股市那些人想跟我学，给钱我都不稀罕教。将来我教小雨，等她成了女大款就看不上你小子了，你就干着急吧。"

一直也没有跟大哥说小雨是文武集团的千金，"啊？我好怕呀，我去股市还不行吗。"常云啸做了一副害怕的样子。

饭桌上满是欢笑。

临走大哥留下了三万元，是盈利中的一部分。听了大哥的讲述，小雨比常云啸还兴奋。第二天林晓雨将自己的存款二十万交给了大哥，希望能有所收益。

后来常云啸也跟着哥哥去了几次证券营业部，人多很热闹。大哥在那里很出名，大家都上前打招呼。大哥是这里的核心，一些人喜欢聚集在他身边，好像等待他发号施令似的。一向性格内向的大哥进了证券营业部就换了一个人，大有呼风唤雨的大将风度。这里还有一部分人很清闲，彼此聊着一些不关股市的事情，一些老头老太太更是把这里当成了聚会的好场所，只是不时地眺望电子大屏的滚动价格或去刷卡交易机上查询一番。过了几天的新鲜劲常云啸就懒得去了，每天看那些数字变来变去，红红绿绿的K线指标也看不懂，大哥又被那些人围着问这问那，没时间理会他，他自己向几个老头问了一些问题，可能是问题太肤浅，老头都懒得一个一个地回答他。

对于常云涛来说，自己都没有想到会在股票上有所发展。多年来一直踏踏实实地在出纳岗位上工作。由于他为人老实，财务的很多工作都放在他这里，他也知道很累，有时候回家还会头疼很久，但是又不好意思说。每年评先进倒也有他一份，年底多发二百块钱，觉得心里也算踏实一些。也许不接近股市他一辈子都是这样了，大多数的人不都是平平淡淡一生吗？

两年前的某一天鬼使神差地让他走进了股市，一堆红绿的走势图吸引了他，这些趋势图跟他的财务统计很相像，虽然没有人要求他这样做，但是每个月工厂的营业额和成本他都做了趋势图。

经过几个月的认真学习，常云涛开始掌握了一些必要的知识，用自己的一点积蓄放进去，总是有挣有赔。他发现学习别人的方法总是不能运用自如，于是开始自己潜心研究，每日勤奋……现在的他已经是一个职业股民，隐瞒着妈妈辞掉工作，从辛苦攒下的几万元开始，后来也从证券公司高利息融过资，两年后的今天，仅仅两年后的今天，他已经从一个散民走进了中户群体，拥有八十多万的资产，加上小云和小雨的资

纸 戒

金，总资本已经超过了百万。由于他的精确分析，吸引了一批追随者或者叫做崇拜者，梁红小姐就是其中之一。

梁小姐不过二十出头，身材那是一等一的好，漂亮的脸蛋，红润的腮边，一头乌黑的秀发加了条染，挺拔的胸和纤细的腰总是那么迷人。夏天的时候还可以看到她美丽而白皙的腿和细长的脚趾。就连常云涛这样老实的人，都不知道偷偷地看过多少回这位美女的大腿。

听说她在外地开了一家公司，但是从来也不见她打理过什么事务，每天十点多才来股市，白天的时间多数也就在这里了。有人说梁红是傍大款，被有钱人包的二奶，常云涛不信，这么天真的小女孩傍什么大款呀。

美女偏偏不会炒股票，自从常云涛进入中户室之后，梁红总是围着他问这问那。旁边的股友开玩笑地说他是被糖衣炮弹打中了，他总是笑笑不语，也许他真的对她有好感？

股市经过三个月的快速上涨，最近一个月的时间都在大幅度调整，部分股票出现了快速下跌，基本可以用"疑是银河落九天"来形容。常云涛将半数资金进入了北关村这只当年的问题股，照他的话说，别看现在二十元价位有点高，将来这只股票不翻番那才怪。既然市场下跌，剩下的就是漫长的等待。

常云涛照例早上送母亲去了公园，然后来到证券营业部，从服务台拿了一张报纸。头版是某某领导的讲话，内容是保护中小投资者利益，旁边是香正基金今日上市的公告。

前两天上市了两个基金，上涨得非常好，在这个整体下跌的市场中简直就是一片黄金。常云涛决定今天参与香正基金的交易。

"老常啊，最近有没有挑选到好的股票吗。"胖子问，其实他的岁数比常云涛还大呢，但是一直尊称老常。

"就是，我们都已经很久没有做股票了，手都痒痒。"瘦子也咋呼。

"什么都不做不是很好吗，不然赔得更多。"常云涛翻着报纸，"不过今天的香正基金倒是可以关注一下，如果价格合适可以跟。"

9：30股市准点开盘，香正基金开盘价格2.45元。

"这太高了吧，离谱呀。"胖子说。

"一块钱的基金卖两块四不是逗着玩吗?"瘦子跟着说。

“让常哥说，还做吗？”

“这怎么做，”常云涛也没有想到开盘会这样高，“看来今天没有什么可以看的。”

大家开始聊天看报纸打牌，最近股民的生活都是这样。在中国股市上就生活着这样一个人群，每天以做股票为生活，营业部就是生活中的一部分，每天必定要光顾这里。他们可以不去上班，有的是下岗了，有的是退休了，有的辞职了等等，股市就是新的生活，只有在这里他们才能感受到生活的气息，才能找回自己。就像吸食了毒品的人一样，离开股市会让他们喘不上气了，虽然这里绝大多数的时间绝大多数的人都在赔钱。但是他们依然忠实地来到这个市场。

常云涛照例翻阅股票，然后做笔记，梁红来了之后聊会儿天。

中午小睡一会儿。开盘后常云涛又翻到香正基金。半天了只是从2.45元下跌到2.4元，怎么还这样高没有跌下来？他想。

就在他想的时候，中国股市的一大奇迹开始了，记住这个时间吧：1：35。突然中，一笔巨大的买单出现了，接着是第二笔，第三笔，股价迅速开始上涨到2.48元。

“出问题了。”常云涛自言自语。

大家听到这个都放下手中的事情凑过来，“怎么了？”有人问。

“要来行情了。”凭着特殊的感觉，常云涛闻到了战斗的气息和金钱的味道。“有人要做。”

他迅速地开始挂单，2.50元20000股、2.51元30000股、2.53元25000股。

“行吗？多高了你还追呢。”胖子问。

“好像要大涨，这种单子有问题，要是不涨上去我爬着出去。”他眼睛都不离开电脑屏幕，还在一丝不苟地挂单。有几个人也开始犹豫地买进。价格已经上到了2.57元。

“常哥，这个还能涨吗？”梁红问。

“我感觉可以，按照今天的成交，明天就能是一个涨停。”常云涛手不闲着，开始抛出北关村，买进香正基金。

2.59元80000股，2.60元60000股……

价格突然开始飞增，所有的人都开始惊讶地瞪大了眼睛，“涨了，涨了，快买呀。”瘦子喊着冲向了电脑。

纸 戒

2.65、2.68、2.70、2.73……价格在飞快地刷新,常云涛的手在不停地买进、买进,他似乎已经看到了希望,直觉告诉他这是一场战争,这只基金恐怕要成为历史中的辉煌一笔。

"买进,快买进呀!"所有的股民都开始行动了,可以听到隔壁的股民也在喊,本来平静的营业部,突然开始炸窝了,人们开始奔向自己的电脑,散民们抢夺着交易机。能够听到的就是"快点呀!""又涨了!又涨了!"

常云涛将手中的北关村全部卖掉,当最后的资金打进去的时候,价格已经是 2.86 元了,他发现自己的手在颤抖,头上已经出了汗。他看了一眼其他的人,大家在疯狂地买进,嘴里有喊涨的,有骂涨得太快的。

价格还在继续向上,2.91、2.95、2.96、3.00……

他赶紧计算了一下自己的成本,2.69 元 434000 股,动用了他全部的资产。

3.04、3.07、3.09……

他觉得全身一震,理智的他从来没有将全部资产进入一个股票。在这个突然火暴的走势中,他竟然也这么不冷静。

3.18、3.23、3.31……速度越来越快了。营业部从沸腾已经到了极度兴奋。人们因为跟不上上涨的速度开始拍桌子踹椅子了,可以听到散民的交易大厅中有打架的声音,也许是因为抢不到刷卡交易机。

常云涛看着价格在飞涨,手还是抖得厉害,他想喝水,但是竟然将杯子碰翻了。

3.44、3.51、3.63……

常云涛极力让自己平静下来,看来自己的直觉没有错误,一个大的行情让自己着着实实地抓地住了。

3.80、3.94、4.11……

这个老天有眼,我常云涛也要发财了,股市就是我的用武之地。我也要成为人上人了。

5.23、5.40、5.66……

所有人,所有人的目光都集中在了香正基金上,人们已经不是兴奋了,而是疯狂,极度的疯狂。银行的资金迅速地通过电话转账进入股市,进入这只基金。抢不到交易机的散民已经开始大打出手,保安在维持秩序。所有的屏幕都在紧盯着这只一元钱发行的基金。

6.22、6.35、6.67……疯了，疯了。中国基金的奇迹出现了。

常云涛已经不相信自己的眼睛了，他将一只手放在屏幕上，让自己能够感觉到它的真实，另一只手放在胸口，知道心在颤抖。他看了一眼时间，还有十几分钟就要收盘。

6.94、7.11、7.56……有人开始欢呼，其他人跟上一起呐喊。

梁红冲过来，抱住常云涛的头亲了一口，然后高兴得满屋子转圈。

"现在我已经是三百多万了?!"常云涛的大脑已经不知道是兴奋还是紧张了，总是觉得透不过气来。

价格在8.64元的位置突然出现了大量的卖单，就像开始上涨一样的迅速。所有的欢呼停止了，大家都紧张地看着价格的变动，刚才喧杂的营业部突然就寂静无声了。

价格在6.6元停住，又一次开始上涨，人们再次欢呼，价格一直达到不可想象的10.04元。又开始回落。

时针点到3：00，以6.40元收盘。人们将常云涛围住开始欢呼雀跃，好像是庆祝一个凯旋的英雄。好久没有这样兴奋了，这真是一个漂亮的战斗，很多人的资产在今天仅一个半小时的时间里就上涨了百分之几十。常云涛的收益更是丰厚，平均成本2.69元买入434000股，现在全部资产已经达到……277万！

在欢呼和掌声中，常云涛走出了证券营业部，对他来说今天的天空都是那么蓝。他想大笑，但是却流下了两行泪，是兴奋自己今天的胜利，还是感慨上天的恩赐？鬼晓得，总之心情难以琢磨。正当他想骑车回家的时候，一辆POLO停在旁边，梁红在车里冲他在微笑。

"一起出去庆祝吧。"梁红的声音总是那么甜。

"不，不了，我还要回家。"

"着什么急呀，还早呢。我带你去个好地方放松一下，今天可真过瘾呀。"

"这个……"

梁红索性下车把常云涛连拉带拽地推进了小车，一路去了通县。在一个别墅区，梁红将常云涛拉进了一个二层的别墅。

"这里是……"

"我的房子，随便坐吧喝点什么？"梁红把手包往沙发上一丢，径自在吧台倒了两杯红酒，递给常云涛一杯。

纸 戒

女人纤细的手指轻捏着酒杯的细腿，殷红的唇在杯边轻轻地吸着。再没有欲望的男人，也要心中一颤。他站了起来，"我看，我还是早点回去的好。"

"着什么急呀，再坐一会儿。"梁红上下打量着他，"你，是不是怕我呀？"

"我怕你做什么？"

"那还着急走，别那么老土的，我们只是朋友，到朋友家做客也不能这么快就走呀，你说是不是？"

"是，是，我们是朋友。"

梁红打开了卡拉OK，说为常云涛表演。她的声音很甜，唱的都是流行歌曲，虽然听不出来她在唱什么，但是常云涛一直认为她唱民歌的话可能更好。天色渐渐暗了，梁红叫了一份比萨外卖，还带来了一个小蛋糕。

豪华的房饰，优美的音乐，闪亮的吊灯，暗红的美酒和对面的美人。常云涛感觉自己有点醉，要融入这个舒适的气氛中。

"来，我们为今天的胜利干杯。"

"干。"

"来，我给你切蛋糕。"梁红将蛋糕分成小块，用小盘盛了几块端给常云涛，然后自己端一盘。忽然抓起一个向常云涛扔去，打在他的衣服上。常云涛吃惊地看着她，她却笑得喘不过气来。

"你，我衣服都脏了。"

"不管，我们庆祝嘛，你要陪我玩。"说着蛋糕又扔过来。

"你，好，看我好好教训你。"常云涛也抓起蛋糕打起来。

弹药打完的时候，两个人都已经是满头满身都是蛋糕，彼此笑得直不起腰。

"赶快去洗个澡吧，瞧你那样。"

"你也不比我好多少。"

"你在边上那个浴室，我上楼去洗。"梁红上了楼。

常云涛将衣服上的蛋糕清理了一下，还是很斑驳，没有办法，先洗澡吧。

躺在舒适的大浴缸里，常云涛觉得全身都在放松，毛孔张开，呼吸着潮湿的水气，一天的紧张在这温暖中洗刷干净。门忽然打开了，梁红走了进来，常云涛感觉全身的热血一下都涌了上来，他看到的是一个裸体的女人……

灯光暗淡，照着柔软的大床，常云涛给母亲打了个电话，说他在一个朋友家晚上不回去了。梁红靠在常云涛的臂膀里，抚摩着他的胸膛。

"常哥，其实我早就喜欢你了，可总是说不出口，我知道你是老实人，我要是不问你呀，想你一辈子也不会问我。可是也不知道你喜不喜欢人家？"

"我，"对常云涛来说，今天的事情好像来得太快了。"你这么漂亮，谁都会喜欢的。"

"别人我不管，我问你喜不喜欢我？"

"喜欢，我也喜欢。"

"那就再来一次吧。"梁红又钻进了被窝。

第二天常云涛还是很早地到了证券营业部，拿了一份报纸。他已经想好了，今天在开盘前就着着跌停的价格挂单卖出，少挣10％不算什么，毕竟钱在账户上的时候总是一个数字，只有到了自己手上的时候才算真正的赚到。

"告诉你一个糟糕的消息，"刚刚进门，胖子就对他说，"香正基金今天停牌了。"

"真的是很糟糕，不知道玩什么把戏。"瘦子帮腔。

常云涛的头嗡地一声，他预感到了什么不妥，"在哪儿？"打开报纸，香正基金停牌一天的字幕跳入眼帘。

梁红也进来了，其实他们两个是一起来的，只是她多等了一会儿才上来。"怎么会这样？说停就停了？"

常云涛给好几个证券公司的朋友打了电话，都没有人知道香正基金出了什么问题。大家就这样在郁闷中度过了一天。第二天是一个周末，常云涛总是感觉有什么事情就要发生，香正基金的名字总是在眼前晃动。到目前为止没有一家股票在上市的第二天就停牌的，现在这个停牌意味着什么呢？有重大信息要公布，一定是这样的。从周四上涨的幅度来看，再出利好的可能性已经不大，那么会是怎样的利空消息呢？常云涛心里有点打鼓。周日他又到了梁红的别墅度过了销魂的一夜。

纸　戒

上天对人们都是很恩惠的吗？也许对部分人是这样的吧，但是对另一部分人就不是了。记得听人说过：每个人一生的财富是有限的，你不可能得到更多，当财富超过了你的极限，就只好用减少寿命来补偿。这一次，上天的恩惠没能降落在常云涛身上，可能就是因为他的财富超过了他能承受的极限。要知道一旦超载，很可能会压得你喘不上气来，甚至会崩溃。超载的汽车出现交通事故就是一个例子。

　　周一的时候，报纸登出一条消息：香正基金扩募1：6.5，四天后除权。意思就是，原来你拥有一个基金单位的香正基金，现在就要按照发行价格购买它的6.5倍。计算一下就更好解释了，常云涛拥有43.4万股香正基金，扩募6.5倍，按发行价格按1元1股，常云涛要找282万元来参与扩募！

　　常云涛愣愣地盯着报纸，手抖得厉害，真不敢相信自己的眼睛，"这是阴谋，这是阴谋！"他愤怒地说。

　　四天之内必须缴款，四天后除权，可是四天到哪里找280万呀，自己已经将所有的资金用上，没有留下一点退路。可是不参加扩募的话，除权之后的价格不是更要吃亏？唯一的办法就是将现有的基金卖掉。

　　卖出！卖出！一定要卖出去！

　　营业部的所有人都是这样想的，谁都知道如果没钱缴款跟着股价除权的话，那将是多么大的一个亏损，但是谁又有那么多的钱去填这个大洞？

　　于是第二天开盘就是跌停，人们争先恐后将卖单挂在跌停的位置，而且根本没有买单，谁也不想买下它去参加扩募，你又能卖给谁呢？不会有成交的。

　　第三天，跌停！第四天，跌停！营业部的气氛沉闷到了极点，很多人在议论说常云涛害人不浅，甚至有人在背后指指点点，弄得常云涛自己不敢抬头看人，只觉得一阵阵寒意从脊梁上爬过。本来想先卖出部分筹码，然后参加扩募，但是现在看根本没有机会，4.52元的跌停板上的单子封得死死的。常云涛两眼盯着显示器，一动不动，没有表情，没有泪水，没有思维，甚至感觉不到自己的心还在跳动。卖不出去，就只能跟着除权，43.4万股呀，要赔到哪里才是终结？

　　常云涛的心就像用刀狠狠地挖。但是噩梦依然没有结束，价格依然是连续跌停！跌停！跌停！常云涛的脑海里一片空白，混混沌沌。

梁红对他再也没有个好脸，这天梁红对他说："都是你让我买的，现在赔了那么多，你要赔偿我。"

　　"我……"

　　"我什么我！你赔十万元给我，算咱们两清。其实你不亏，让你白睡了那么多天，还没有给你算账呢！"

　　常云涛愣了一下，只是笑笑，"放心，我会赔你。"

　　终于不跌停了，终于一切都可以放下了，终于揪着的心可以安稳了，了结这段痛苦。43.4万股的香正基金终于按1.15元的平均价格卖出了，损失超过60%。而原先持有的北关村股份已经开始上涨。

　　常云涛长长地出了一口气，跌坐在椅子里。几日的彻夜不眠使得本来不胖的脸变得消瘦，眼睛倒是大了很多，但是除了血色看不出神情。证券营业部的经理亲自下来两趟问有什么需要帮助的，常云涛没有表示，只是那样坐着，看着面前的显示器，整个上午都是这样。别人也不再敢跟他说话。

　　中午，当他把一包十万元的现金丢进梁红的车里后，心情突然放松了，看着梁红的车远去，女人和金钱来去只在一瞬间，他淡淡一笑，回到证券营业部。

　　他将抽屉中的股东证交易卡存折等等装进一个手包，还有一本耗费了近一年时间的股市心得笔记，想了想也装了进去，然后向外走。

　　"老常，你这是？"胖子问。

　　瘦子拉了拉胖子，示意他坐下。一屋人看着他离去，有人还在小声地说，"要不是他咱们也不会赔那么多。"

　　常云涛回头看看，那人不再吱声。他顿了顿对大家说："这里不是赌场也不是银行，祝大家好运。"

　　这里的空气很好，阳光可以照在身上，比起交易室，这里已经没有了压抑的感觉，可以说是心旷神怡。几个高耸的大楼围在四周，营业部就趴在这些世界的脚下，充满了欢笑和忧伤。这里是营业部的楼顶，仅仅是一个楼板之隔，气氛完全不一样，已经闻不到那场欺诈的硝烟，只有暖暖的阳光。世界总是有阴暗和美好，幸福并不难找，甚至就在一步之遥的地方。

　　常云涛在一块水泥板上写着："今日天气晴朗，我从中国股市中退

　　　　　　　　　　　　　　　　　纸　戒

出，因为这里存在着惊人的欺诈和诱骗。谁来真正保护中小投资者的利益。香正基金，我为你流泪。"

他站起身，仰望蓝天，那里有白云也有鸽群，他流着泪笑了，向前走，每一步都是沉重，每一步也都是新生。当他迈出最后一步，将全身溶解在了蓝色的空气中的时候，他淡淡地笑了，一个老实人的微笑。

其实人类的思维有时候就是很奇怪的，能够勇敢地面对死亡，却不能够面对生存。也许有的时候就是这样，因为生存的时候需要面对的事情太多太多，而死去只是面对一个黑暗。也许真的有一个天堂，也许真的一切可以从头再来……

警察到的时候，常云涛已经躺在证券营业部楼前冰冷的水泥地上，身边是他的手包。

值得一提的是，这只曾经最贵的基金，扩募最大的基金，使众多人倾家荡产的基金，在一个月后变更了名字，自此香正基金不存在了，历史被掩埋了。也许你真的不相信，那就回去问问老股民，他们会告诉你当时情景的壮烈。还有，后来北关村股份真的翻了一倍涨到了 44.5 元，但是几年后这只股票也跌到了 2 元钱，什么是投资价值，又以什么来衡量，谁能说得明白。今朝的胜利也许只是奠定了明日失败的前提罢了。

常云啸惊得说不出来话，握着电话的手在抖，他瞪着电话，眼泪顺着面颊流下来。这吓坏了林晓雨，从来没有见过他这样。

"出了什么事情?"小雨轻轻地问。

"我哥，我哥他……他跳楼了。"

"啊!"

林晓雨陪着常云啸赶到医院，警察将事情经过对常云啸讲了讲，把一个手包交给了他，跟他说可能还有一些事情要调查核实，需要的话会再找他。

常云啸抱着手包，什么都没有听见。林晓雨扶他坐下，安慰了几句，被医生叫去办理手续。等她回来的时候，常云啸还在那里发愣。

"小云，你，不要这样。这样我很担心的，你要为我，为你妈妈想想。"

"我妈，对了我妈，快给我手机。"

"你要告诉她?你不怕她的心脏受不了?"

"我，我不说，但是我想听听她的声音，只听听声音。"

林晓雨想了想还是把手机给了他，电话拨过去，占线，再拨，还占线。"不可能的，我妈从来都没有打这么长时间的电话。快，去我妈妈家，我要看她一眼。"

两人上了车，"小云，你冷静点。你现在这样的状态，你又不想跟你妈说，进去看一眼我们就走，好吗？"

常云啸点点头，还在拨电话，占线。一路上他在不停地拨电话，总是占线。他开始觉得全身发冷，寒气从脊背向上蹿。

不等车停稳，常云啸已经冲了出去，当他慌慌张张地打开门后，他看到了妈妈。妈妈靠在沙发里，手里抱着电话机，已经进入了永久的梦境。

显然妈妈是得到了公安部门的通知，那颗脆弱的心脏最终还是不能接受这个突然的事实，停止了工作。双手还死死地掐着话筒，好像这样就可以将自己的儿子从死神手中抢夺回来，但是什么都没有挽回。应了中国的老话，祸不单行。然而这个祸太突然了些，让常云啸觉得自己在看电影而不是现实，多少次他自己狠狠地掐自己，希望能从电影的角色中挣脱出来，但是始终没有成功，这个人生的电影继续上演着。

林晓雨和乐队的朋友们帮常云啸办理了母亲和哥哥的后事。一天之内失去了两个亲人，对常云啸来说，真是一个巨大的打击。整整一个冬天，他就像一条冬眠的蛇，蜷缩在家里没有出去。朋友们常常来看望他，他总说没有什么事情了，可是一个人的时候，就常常对着照片发呆。小雨看到了好心疼的，总是尽量地调节他的心态。

时间一天天过去，已经看到了青草从泥土中发芽，小燕子在雍和宫的飞檐画壁间盘旋。

常云啸心情也开始缓和了，笑容回到了脸上，朋友们一起去郊游踏青。每周他都去母亲的房子看看，里面的摆设没有动过，他只是去坐坐。

林晓雨今年就毕业了，所以有更多的时间来陪陪他。林文自知多加干涉也不是办法，再加上公司制定去香港证券交易所上市的计划，工作非常繁忙，所以也就假装不知道，不过问什么。乐队恢复了排练，只是现在常云啸不写歌了，大家翻唱一些歌曲，有时候也去酒吧赚点钱。

日子很平常，很平常，好像时间可以抹淡一切，好像什么也不曾发

纸 戒

生，好像那撕心裂肺的伤痛只残留了一点点。直到有一天，事情又发生了……

那是一个周六的早晨。

5

周五他们还是像往常一样，晚上疯狂地做爱，然后在周六睡懒觉。

中午的时候，林晓雨醒了，迷迷糊糊地没有看见常云啸。又睡了一会儿实在是有点饿，想喊小云拿个面包来，但是好像小云不在家。

林晓雨自己去冰箱找了一个夹心面包和一盒酸奶坐在床沿。忽然看到床边的小柜上有一张信纸，拿起来：

小雨：

我想做点正经事了，我哥哥把你的二十万都赔掉了，我想给你挣回来。我在 S 市还有一个舅舅，以前没有跟你提起过，是因为我们很久没有来往。听说舅舅在 S 市开了很大的公司，生意不错，我想去他那里学点东西，不能总是这样混了。也为我们的将来着想，你也不想找一个没有用的老公吧。运气好的话可以向舅舅借些资金，在北京做点买卖。另外，也应该让他知道妈妈的事情。

不管能不能得到舅舅的帮助，我一个月内一定回来。另外我也想散散心，换个环境。

我会给你打电话的，照顾家里。吻你。

爱你的小云

什么吗？怎么不说一声就走了？小雨的眼泪都给气出来了，一个月呀，是多长的时间呀。谁要你还那二十万了？我根本没有向你要呀。

林晓雨拨通了常云啸的手机。

常云啸坐在去 S 市的火车上，没有背包，只在衣服里揣了五千元钱。

其实这次他出来最重要的事还是散散心，在他的记忆里根本就没有舅舅的样子，要不是有照片他是一点印象都没有，就记得舅舅曾经给他买过糖。在他四岁的时候，舅舅就已经离开了北京。

那个时候舅舅杨东是一个纺织厂的技术员，妈妈是这个厂的会计，当时爸爸是食品检验部门的一个小领导。妈妈就一直想把这个弟弟送到爸爸那里。

但是舅舅喜欢上了厂子里的一个纺织姑娘，说什么也不调动。姑娘是外地农村的，是临时工，妈妈总觉得亏了自己的兄弟。另外给弟弟介绍了几个对象，都没成。妈妈也着急，就打算想一个办法辞掉那个姑娘。

一次厂里少了两轴棉线，其实不是什么新鲜事，妈妈就诱导别人往那姑娘身上想。这种事情就像疑邻偷斧，越看越像，最后所有人就认定是她拿的。那个时候怕上纲上线，平时这棉线少了也没有人管，一上线，就成了挖社会主义墙脚，盗取劳动人民的劳动果实。这样一来，辞退是肯定没有问题的了，妈妈也有点后悔想再说点好话，大帽子就别戴了。谁知道姑娘是个倔脾气，愣是为这事投了河。

舅舅是一直支持那姑娘，相信绝对不是她做的，结果姑娘为了清白自杀了，这下舅舅就跟妈妈翻了。吵到最后，竟然出手打了妈妈一个嘴巴，第二天就离开了家。妈妈去派出所报案都没有能找到他。

还是前两年，舅舅忽然又和妈妈联系了，寄了照片过来，写信说自己现在是大老板了，在S市，很好，工作忙没有机会来北京，而且也不好意思回来，如果姐姐、姐夫和外甥有机会到S市可以去找他。妈妈回信说这边也都很好，只是姐夫早就去世了，只剩下两个孩子。常云啸也跟舅舅通过几次电话，但是还是没有什么感觉。毕竟舅舅离开的时候，常云啸还不懂事。

常云啸抄了信笺上的地址，坐上开往S市的火车。这也许是一个生活的开始，也许是一个故事的转折，他已经不管那么多了，他想出去看看外面的世界。

手机响了，是林晓雨的。

"喂，小雨。"

"有你这样的吗？都不跟我说一声就走？你把我当你什么人！"

"你别着急，你当然是我现在最亲的人了，对不对。我只是想出来走

纸　戒

走，总在北京待着总想起很多往事，一直心情都不很好。我出来也想看看我舅舅，我保证不管能不能见到舅舅，一个月内我也就回去了。”

"我知道你想出去走走，但是也要跟我说呀。还有，什么还钱不还钱的，我要你还钱吗？"

"我知道你不会要，但是在我心里是一个障碍；你知道有的时候我需要一些自尊，我知道你家里有钱，但是我也不是吃白饭的小白脸，就算是为了掩盖我的自卑吧，给我个机会好吗？"

"随你，反正我的钱就是你的钱。既然已经出去了那你好好在外面，不许去乱七八糟的地方，否则回来有你好看的。"

"哈哈，你呀鬼精灵似的，我怎么敢。家就交给你了，自己注意吃饭，注意休息。"

"放心吧，记得想我，我要你每天给我打电话。"

"好，每天晚上打电话。"

"吻我。"

从火车下来，常云啸就去了人民广场，早就听说这里建得不错。有聊天的，也有滑旱冰的小孩，花草没有"十一"的天安门多，人流没有首体门前密。他在一个画像的人后面站了一会儿，看画手给别人画了一个漫画造型。在广场上晃荡了一会儿，他决定现在去找舅舅。

地铁到了陆家口，这里应该说是 S 市最最繁华的地方了，放眼看去高楼林立，充满着现代的气息。著名的东方明珠、世界前几位高度的金茂大厦，陆家口绿地后面的一片高大建筑，让人不知不觉中就有一种向上挺拔的感觉，这种感觉也许正在激励着很多 S 市人不断向上、向前。

据说晚上从西山东路那面看过来，就可以欣赏到黄虎江的 S 市夜景。常云啸想等晚上一定要去看看，现在他要去找一个叫建筑大厦的地方。舅舅的一封来信上说他的公司是在这里，由于没有舅舅的手机号刚才常云啸给舅舅的公司打了电话，但接话的人说这家公司已经搬家，不知道新的地方在哪里。常云啸还是想过去看看，总应该有人知道公司搬去哪里了吧，至少大厦保安部应该有记录。

大厦并不远，就在陆家口东路那边，问了几个路人，常云啸就看到了这个大厦，很气派，看得出来在这里租用写字楼的公司一定是有相当资金实力的。

所有的工作人员很有礼貌，虽然常云啸穿的是牛仔服，但是修花工、门童、清洁员和服务员都会微笑着说您好。

大厦的一层中间是一个天井，阳光很好的从天井上照下来，跟着阳光一起下来的还有一个极大的吊灯，用无数的带有钻石棱角的玻璃穿成，将阳光反射出美丽的色彩。天井一直通到地下二层，可以看到下面酒吧间淡绿色光线的吧台。一层大厅中有一个水池，水柱从水池四周一股一股地飞出，再落到水池的另一端。像是戏水的游龙自水面跃起，再落入碧波，喷泉的中央有一股水托起了一个黑色石球。水池前有一块巨石，很创意地在巨石上凿出一个方槽，方槽中码放了刻有公司名称的石条。常云啸仔细看过了每个公司的名字，果然没有舅舅在信上所说的那个公司。

问过服务总台之后更失望，竟然没有人知道这个公司现在的地址和电话，提供了一个手机号码，但是已经停机。

常云啸走出大厦，没有了目标和方向，好像心情反倒更好了，此行就变成了单纯的旅游。在陆家口转了一圈，打车沿虎东南路向南，在时代广场下来逛逛九佰伴，其实东西也不算贵，常云啸给小雨挑了一条带蓝宝石的项链。

夜色渐渐落下，夜 S 市的确是令人陶醉的。常云啸沿着大街走着，滨江大道的灯景还是明天再看吧，先找个地方住下来再说。

在一家小饭馆吃了晚饭之后，他上了一出租车，"你能不能带我找一个不高档、但是住起来很不错的旅馆？"

"哦，这个简单，我带你去一个地方，绝对安全，小姐又漂亮，价格又合适的。"

"我不是那个意思，我只是想找一个住的地方，至于小姐就算了。"

"不是想去逍魂呀，干净的地方也有，我送你去，没错的。"

"你可别绕道，我最多只给你 20 元。"

"没问题呀，我像那种人吗？您放心吧。"

不久，出租车在一家旅馆前停下来，其实这里距离陆家口也不远，在丁香路，挨着金融贸易区和虎东新区。旅馆的名字叫丁香园。

一个四十多岁的大姐模样的女人在前庭接待他们，司机说这个就是老板娘。在司机转身出去的时候，常云啸看到那个女人给他塞了钱。

女人给常云啸登了记，让一个女孩子带他去看房间。里面一个天井

纸 戒

式的院子，院子的对面是一个饭馆，两侧是两层的小楼，走廊在外面，房门都朝向院子。

房间还不错，一张双人床，有写字台、电话、电视、衣柜、带厕所能洗澡。房价一天120元也算不贵。

"就这间吧，先定两天。"

女孩上下扫了他一眼，"帅哥晚上找个妹妹给你按按背吧，很舒服的。"

"不用了，叫她们别来打扰我。我跟你去交定金。"

回来后常云啸靠在床头，给林晓雨打了个电话。小雨还是有点生气，但是还可以理解。可能是最近很少运动，加上旅途折腾，常云啸觉得两个眼皮有点沉，洗个澡睡了。

早晨起来，洗漱之后，想出去吃点东西。他穿上大衣，从枕头下拿了手机，突然发现钱包不见了，给小雨买的项链也不见了！

"不可能。"大脑开始飞快地回忆，昨天付了房费之后，分明是放在上衣的内兜中了，对了在昨天晚上还拿出来看过小雨的照片。他在屋里又找了一遍，没有收获。

"昨天晚上有人进来过？"想到这里，他的头有点大，进来一个人自己都不知道？宰了我都不知道。可是自己的钱都在那里，这下可糟糕了，连买火车票的钱都没有了，他决定找老板娘讨个公道。

常云啸下了楼，在一层第一个房间找到了老板娘。老板娘听了这个事情很吃惊，"不可能，我们这里的钥匙就一把，从来都没有第二个钥匙。连我们自己都没有的。"

"但是我昨天付完押金回到房间之后还有呢，早晨就没有了。"

女人拿出一支烟，找打火机"那你找我们也没有办法呀，钱又不是我们拿的。"

"这可是在你店里丢的。"

"你说丢就丢了？我怎么知道是怎么回事？"

"哦，你的意思是说我骗人了？"

"你骗不骗人我怎么知道，不过我这里没有义务给你看东西，墙上贴着小心小偷。"

"好，那用一下电话，我要报警。"

"随便。"女人还在找打火机，就在她打开抽屉的瞬间，常云啸看到了自己的钱包。

"喂，那个钱包是我的。"

女人愣了一下，"这，谁说这个是你的，你怎么证明。"说着站了起来。

"里面有我的证件。"常云啸一把抢过钱包，但是里面什么也没有。"东西呢!"他明白了，这里是一个黑店!

女人有点慌，但是还是嘴硬，"这个钱包是我老公的，不信你去问他。"

"放屁! 这个钱包上的划痕都是我的!"

女人突然向门口跑，常云啸一把抓住她胳膊，女人挣开后向院子里的饭馆跑，边跑边喊人，常云啸追到院子里。从饭馆中跑出一个矮胖的人，身后还有两个大个。

"你干什么!"矮胖嚷嚷。

"他打我。"女人告状。

看来不会讲道理的，"你们把我的钱还给我，咱们就当什么都没有发生，不然我就报警。"

"什么他妈的钱，谁拿你钱了，你打我女人，我还没找你算账呢。这么凶你吓唬谁呀。没事赶快滚蛋，我们店不留你这贵客。"

"把钱还我。"

"嘿大哥，我看这小子是找抽呀。"身后的大个说。

"我再说一遍，没事滚蛋。"

"我也再说一遍，把钱还我。"

"我操，黑子关大门。"

这时候，常云啸才发现大门口还站着一个人，黑不溜秋一看就是愣头青。

"小子，正好哥几个好久没有活动了，来吧，练练。"说着正面三个人走了过来。

常云啸转身向大门跑去，身后三个人立刻追上来，常云啸突然站住转身就是一脚，正中矮胖的胸口，矮胖咚的一声就摔了出去，连哼声都没有听见。常云啸腿还没有落地，右拳已经打向左边的人，那人挡了一下，右边的人已经扑了过来，看架势是想扑倒常云啸。常云啸右手一肘

纸 戒

顶在他脸上，那人啊的一声摔倒一边。同时左边的人的拳也打在常云啸的胸上。他向后退了几步，听到后面的黑子已经冲了上来。常云啸向边上撤了撤，让自己身后对着墙，这时对面的两个人谁也不敢轻易上前了。三个人用眼光审视着对方，常云啸担心地上的两个人缓过劲来，还是速战速决吧，身子向前一晃，黑子以为对手要动，一拳打过来，常云啸右手一搏，右脚一个下踹蹬在他的小腿迎面骨上，黑子的身体整个向下沉，向前跟跄。另一个人起腿踢过来的时候，常云啸已经闪到了黑子的侧面，让黑子成了盾牌。黑子的一条腿已经跪在了地上，常云啸抬脚踢在他下巴上，黑子反倒过去。剩下的大个看了看其他倒在地上的人，就剩摆动作不敢上前了。女人躲到了饭馆里面乱叫着什么。

"不错，不错，好身手。"有人鼓掌，声音在楼上。

常云啸看了一眼，一个穿风衣的家伙站在二层的过道上，扶着栏杆在鼓掌。

"好了，都不要打了。"那个人从楼上下来，走到院子里。刚才的几个人已经爬起来，常云啸抄了一把扫把，准备再战。

"好了郑胖子，遇到对手了？大家都住手吧，我来做个好人，大家看我面上把事情了结吧。"

"秦哥都说话了，我们照着办就是了。"郑胖捂着胸口。

"好，一会儿把东西送到我房间来。这个小伙子跟我来。"说完向楼上走去。

常云啸想了一下，跟上去。进房间后，秦哥让他坐下，倒上一杯茶，说去打个电话，进了里屋。

这是一个套间，但是里面不是一个卧室，而是另一个套间。一个五十岁上下，中等身材，大方脸的人坐在宽大的黑漆办公桌后面。

有一个穿黑色纱裙的女人站在他身后，乌黑的长发垂下来，落在方脸大汉的肩上。透过薄纱可以看见里面黑色的胸衣，诱人的雪白肌肤。女人正在为大汉揉肩，纤细的手指在他肩上触摸。

这样的女人一看就知道是一个妖精类的尤物，但是只要是正常的男人，都希望能多看她几眼，她叫黑玫。

"沈老板，那个男孩在门外呢，您看是……"

"身手不错，算一个吧。你的计划什么时候完成。"

"马上就好，这个周末就是您看好戏的时候，也让那几个爷看看，谁跟您对着干，就跟他杨老贼一个下场。"

"我都有点等不及了，妈的，那个姓杨的也太不识抬举了，不给他点厉害以后还怎么混。"

"是是是，我明白您的意思，那我去办事？"

"嗯，周末就看你的了。美人，来给我捶捶腿。"

秦哥出来，立刻身板就直了起来，"小伙子，叫什么。"

"没有必要问吧，"常云啸坐在沙发里，其实心里还是有点紧张，"把我东西还给我就是了。"

"钱好说，不只是还给你，我还给你一个挣钱的机会。"

"不感兴趣。"

"去跳跳舞，两万。"

常云啸有点愣，如果说真的去跳跳舞就可以得到两万，不是很好的事情吗，不过一定有诈，但是他们诈我什么呢？就为了我那五千元钱？"说来听听。"

"其实我们跟一个舞厅有点过节儿，只需要你周末去给他们捣捣乱，当然不是你一个人去还有其他人，完事就走人，只要混乱起来解解我们的气就可以了。"

"去砸别人的场子？就这么简单？"

"就这么简单。"

"我怎么信任你。"如果说只是打架，常云啸才不怕呢。

"我们先付五千给你，然后这几天你就在这里等待我消息，不要出旅馆。到时候去就可以了。"

"不会是把我往警察手里送吧。"

"我出五千元，送你去见警察？我没有毛病吧。好吧，我来给你详细地解释一下这是怎么回事。"

原来有一个姓杨的家伙跟秦哥的老大沈老板那里不对眼，那个姓杨的是开舞厅的，所以去砸个场吓唬吓唬他。有另外五个人一起去，那几个人都已经在这个旅馆里了。

"你们自己那么多手下怎么不用？"

"本地的这些小崽子们，大家多少都认识，以后大家低头不见抬头见的，你们就不同了，都是外地的，完事走人就是了。而且我们有自己的规矩，不可以互相砸场拆台子的，谁不讲规矩，其他老大就会统一向我

纸　戒

发难，我们只是想吓唬吓唬人又不想把事情搞得太大。"

"哦，明白了。"

这时，矮胖将常云啸的钱包和项链拿回来了，里面的东西都如数奉还。

秦哥笑着伸出手，"那我们就算成交了？"

"好吧，那住宿费……"

"免了，吃饭住宿当然都包在我身上。"

常云啸跟他握了握手，是一个很有力的手，至少手臂的力量不小。"好吧，定了。"

"郑胖，送这位老弟下去，是自己人，你知道怎么招待。"

"是是是。"郑胖引常云啸出来，换了一间屋子，显然比昨晚那个好得多。

现在距离周五还有两天，怎么跟小雨说呢？还是跟她说找到舅舅了吧，然后住两天到周末回去。于是给林晓雨打了个电话，小雨说等他回来。

晚饭的时候，常云啸见到那五个人，四个男的，都在三十多岁，东北口音，另一个是一个女孩。那四个男的好像是一起的，彼此说话东北口音。那个女孩不说话，只是自己吃自己的饭。她大概二十多一些，头发梳成了辫子。身材不错属于苗条的那种，但可以感觉到身体很结实，对女人来说就是有点壮。胸部不小，是非常诱人的那种。腿很长，而且直，流线很好。要知道亚洲女孩中有这样长腿的女孩不多，流线好的就更少了。

四个男的在喝酒，一会儿就脸红脖子粗的满嘴跑火车了。女孩吃完饭要了一杯椰汁，喝完后起身要走。

一个男的拉住她，"美人，陪我喝点吧，增加感情。"

"滚一边去。"女孩没动。

"就一小杯。"男人的手搭在了她肩上。

"第二次警告你，滚一边去。"

"呦，美人还生气呀。"男人想摸一下她的脸。

常云啸实在看不下去了，火气一下顶上来想上去帮忙。突然那个女孩抬起了腿，瞬间一脚直切小腿骨，一脚踹小腹。男人立刻摔了出去撞翻了后面的桌子。

其他人一下都站了起来，女孩轻轻一笑，"一个一个来太麻烦，一起来吗？"

"大家别打有话好说好说，"郑胖赶快上来解劝，"风玲，秦哥说了，在这里谁都不能惹事。"

叫风玲的女孩笑了一下出去。"等秦哥的事办完了再跟你算账。"其他几个男人叨咕着扶起同伴。

"那是秦哥上个月找来的女教官，训练小弟们练拳的，你们可别招惹她，凶着呢。"

教官？常云啸也被女孩的身手惊住了，那么快的两脚，一看就知道是练家子，那种速度和连贯性，自己上去也不是对手，更不用说这几个草包。

那四个东北人坐下继续喝酒，郑胖跟另一个人也凑过去，常云啸只是在一个角落里听着那个破喇叭里的音乐。但是他们的说话后来引起了他的注意。

"还不是就为那个杨东老贼吗……你们当然不知道了，杨东那也是一个厉害的角色，开着好几个地下舞厅和赌场，那家伙……"

杨东？不是我舅舅吗？是不是一个人？

"……不是，当年'文革'那会儿就是一个干将，后来……前几年接了他老大的场子，势力越来越大……其实咱们沈老板也是有点怕他呢，要不……"

杨东，只是重名吗？舅舅是开公司的。他们说的是舞厅、赌场，到底是怎么回事一定要搞清楚。

这时一个人从外进来，把郑胖叫走了，从大玻璃窗看到他急急忙忙地出了旅馆。

很快他又急急忙忙地回来了，向楼上走去，想必是去找秦哥了，常云啸离了饭桌尾随郑胖上去。

郑胖果真进了秦哥房间，竟然没有关好门。常云啸在门侧蹲下系鞋带，希望能偷听点什么。

"……你给我再说一遍！告诉你，周五晚上我要是拿不到枪，你就给我举着大刀上去，听明白了吗？"

"是是是，我一定想办法。"

纸 戒

"实话告诉你，这次要是要不了老东西的命，我也吃不了兜着走，更保不了你。你有几个脑袋够老板收拾的，你自己比我清楚吧。"

"是是是，我知道我知道。"

"门都没有关好？去。"

门被郑胖关上了，常云啸赶紧回了自己的房间。不是说去捣乱吗？怎么要杀人？说的杨东到底是不是我的舅舅？看来他们是想让我们去捣乱，然后趁乱他们杀掉杨东，最后一概推说不知道，让我们当替罪羊。

妈的，想骗我！我想逃出这个院子估计不是问题，但是还不能走，万一那个杨东真的是我舅舅怎么办。如果是他的话，我当然应该留下来救他，如果不是的话，我不动手趁乱躲起来估计也没有问题。

这晚常云啸没有睡好，很想将现在的事情告诉小雨，又怕她着急，还是等回去再说吧，还不知道后面的事情要怎样发展。

第二天早上起来假装什么事都没有发生过。

6

舞厅很大，满场乌烟瘴气的，灯光在闪，闪得人迷迷糊糊，同样在闪的就是女人的大腿和丰胸了。这里上下二层，中间一个天井，一层是舞池设有舞台，舞台的左面靠墙是包厢，灯光昏暗处有男女打闹嬉笑，舞台右面靠墙是散座。舞台上有一个家伙抱着话筒撕心裂肺的不知道在唱什么，后面有个披头散发的女人在使劲甩头，估计是吃了摇头丸的，现在这种东西并不难找，哪个歌舞厅都能偷偷买到。

几个人分散开了，常云啸唯一想的就是要及时找到那个杨东，看看他是不是舅舅。

可是这样怎么找呢？做老板的一定不会在前面的大场子，可是会在哪里？常云啸上了二层，二层都是包房，转了一圈没有发现什么特殊的地方，从扶梯看下去，凌乱的灯光和团团的烟雾很难分辨出什么。但是他还是看到在酒吧与舞台之间有一个门，演员不走这个门，酒吧人员也不过这个门。有两个看上去很凶的像保镖的人从里面出来。由于那里的灯光昏暗，很难看清门口的情况。

常云啸下楼转到吧台，要了一扎啤酒。坐在高椅上偷偷观察门口的状况，门外没有什么特殊，不知道里面什么样。趁吧台的人没有注意，常云啸到了门口，推门进去。原来里面还有一个大厅，一进去是一个接待台，里面有一个小姐和两个保安。漂亮的小姐一点头："您的证件。"

常云啸看了一下四周，在接待台的后面是一个房间，大概是保安室，保安室左边是一个通道，可以看到几个房门，保安室右边有一个小酒池，再里面看不到，但是可以听到台球的声音和人员的嘈杂。

"哦，我的证件落在里面了。"

"我见过你吗？"一个保安说着将他推出门。

"等等，我来找人的。杨东是你们老板吧，我找他。"

"我们这里没有这个人。"另一个保安也过来了。

"喂，我跟你说正事，有重要的事情要告诉他，耽误了你可担当不起。"

"再不走，不要怪我们不客气，小子。"

两个保安将常云啸推出了门口，正在争执的时候，突然听到一声炸响，接着有人从二楼丢了鞭炮下来，人群立刻乱了起来。常云啸知道行动的时间到了。在奔跑的人群中又爆了几颗烟幕弹，浓烟直冲二层。两个保安看到这个情景已经顾不上常云啸了，向舞池跑去。常云啸重新又进了那个门，这个时候墙上的警报响了，从台球那边跑过来一群人，看来都是这里的保镖。

常云啸趁乱溜到了保安室左边的通道，这里更像是办公室，大概有二十几间，常云啸正不知道哪一间是他要找的，走廊口又跑进来一个女的，竟然是风铃。

两人都是一愣，接着两个人的反应就是动手！常云啸真的不是风铃的对手，风铃的武功在腿上，而且神出鬼没无法想象下一脚从什么地方踢过来，一时间只有招架的工夫，索性向一个房间门撞过去。房门撞开了，常云啸在地上打了一个滚，可是还没有等他站起来就感觉到了这个屋子里有很多人，两个枪口已经顶到了头上。

"站起来。"风铃已经在面前了。"想杀我干爹？没有那么容易。"

纸 戒

"我，我……"常云啸头一次见到这种架势，浑身有点发软。

"干爹，怎么处置？"

"让我看看派了个什么家伙来杀我？"一个年长者的声音，常云啸现在是面朝大门，背对着那个声音。

两个保镖推着他转过身，这时他才看到这个房间的情况。房间很大，也很明亮，至少站了二十多个人，看样子都是保镖之流。中间有一圈沙发，刚才说话的人显然就是沙发里坐着的那个人。这个人五十上下，个头不高，光头很亮看来饮食不错。眼睛不大，眼袋很明显，也许是经常熬夜，下巴上有一道疤。这个人……

"舅舅，舅舅是我呀，我是常云啸呀。"

杨东一愣，身子从沙发中立起身，虽然常云啸的照片他也见过，但是还是不能确认，"你妈是……"

"我妈是杨华呀，舅舅真的是我呀，妈妈她，妈妈她已经……"情急中常云啸竟然哭了出来。

"你妈怎么了？"杨东从沙发中站了起来。

"我妈去世了，我哥哥也死了。"

"什么？怎么回事。"杨东惊诧地抢前几步抓住了常云啸的肩，保镖们将枪都收了起来，退到一边。

"舅舅，来不及说那么多了，他们要杀你呀，快躲起来吧。"

"你放心吧，我都安排好了，现在那个姓沈的老窝里正打得热闹呢，恐怕已经顾及不到我这里了。小云过来坐，给我说说怎么回事？"

常云啸坐下，一五一十地对杨东讲了事情的经过。

"哎，"杨东叹了口气，"一直说把姐姐接过来享享福，这么多年了，结果最后一眼都没有看到。到时把你妈的骨灰接过来，我给她找个好地方。想不到一别那么多年，竟然无法相见。走，小云，跟我去聊聊。"

杨东站起来，有人按动了书柜的机关，书柜移开后出现了一个密道。常云啸跟着杨东等人下了密道，原来在舞厅的下面还有一个地下赌场，在这里聚集了上百的玩家。在一个包间中，杨东和常云啸抱在一起痛哭了一场。

随后两人各自介绍了自己的情况。

原来，杨东离开北京之后就去了浙江一带，"文革"期间趁乱打砸抢，捞了不少东西，"文革"后靠走私倒卖也挣到一些钱，找了个老婆算是有了生活。后来跑到Ｓ市发展，同样是倒买倒卖，生活富裕一点就出了事。在酒吧里认识了一个陪酒女郎，一来二去就熟了，本来两情相悦找点乐，谁知道那女人还跟了一位老大，事情可就大了。自己的店铺和家都让人给砸了，还逼着他掏掉了所有的积蓄。后来竟然走到了要自己老婆去陪人跳舞挣钱来供他花的地步，最后老婆也跟了别人。一气之下他入了黑道，跟了一个大哥，拼死拼活的势力发展不错，不到一年将那个欺负他的老大搞垮了，地盘也归了他。再后来大哥要去香港发展，Ｓ市的摊子就都给了他管理，从此他杨东在Ｓ市也算是个人物了。

那个风铃，名字是杨铃，是杨东自小收养的一个孤儿，后来看她很聪明又喜欢跟男孩子打架，就送去嵩山的武馆学武术，还真让一高师看上，传授一套旋风腿，毕业擂台赛上得到一个冠军算是学有所成，回到舅舅身边。

"你小子能接住她几脚，已经是反应很快的了。"杨东拍着常云啸说道。

"干爹，都自家人打自家人了，您这像是夸我吗？"杨铃不好意思的时候，竟然也会脸红，常云啸现在才感觉到她也有女孩子的一面。

"都是自家人，看看年龄吧，看你是姐姐还是妹妹。"结果是常云啸还小杨铃两岁，只好叫姐姐。

"杨铃姐这么厉害，以后我一定要好好学习才是呀。"

"这么称呼我总是很别扭，你还是叫我风铃吧，这是师父起的，听了十几年我也听惯了。"

大家正聊得投机，杨东的手机响了。杨东接完电话后淡淡地笑了。

"什么事情这么高兴，舅舅。"

"那个姓沈的，已经被丢进江里喂王八了。跟我杨东斗，他还是太小儿科了点。走，小云跟我出去吃饭。"

在汤尘酒店吃过饭，订了客房住下，杨东答应明天带常云啸看看他的事业，临走留了车钥匙，说车在停车场随时用着方便。

今天简直就像做梦，神奇的事情加上一个神奇的舅舅，还有一个神奇的姐姐。真想赶快和小雨说说。

"喂，小雨，想不想我呀？"

"死鬼，我才不想呢，这两天都没有给我打电话，干吗去了，见到舅

纸　戒

舅就不想回来了？"

前几天已经跟小雨说了见到了舅舅，现在怎么跟小雨解释呢？估计即使从头解释，她也不信，又要说我骗她了，还是等回去后再慢慢给她讲吧。

"舅舅的生意很大，这几天我光是到他的几个公司参观一下就累得不行，明天我要去参观他的外贸公司呢。"

"公司有什么好看的，我爸爸这里有好多分公司呢，我都懒得看上一眼。你不是看上哪个公司的小秘书了吧，嘻嘻。"

"讨厌的小鬼，那我给你带一个小秘回家怎么样？"

"你敢，我把你……嘻嘻我不让你上床。"

"啊，娘子饶命呀。"

杨东的生意的确不小，占据着陆家口金融区、六里生活区和张江科技区，大型的地下赌场就有七家，小型的不下十几家，大小歌舞厅又有十几家，日流水上百万，可谓生意兴隆。除去人吃马喂，上缴老大，打点地方上下关系，早可称为富豪了。

每天所做之事不过是吃喝玩乐，各场收取钱财，贿赂各方官员，为地盘打打杀杀。常云啸只是在电影中看到过这些，看的时候很羡慕，但是真的遇到了，却并不感兴趣更不想参与。

跟着舅舅转了两天，其实各场子的情况也都差不多，在灯红酒绿中不仅仅隐藏了众多的赌徒，也有卖淫和吸毒者。看着那么多少男少女每天在这里鬼混觉得有点可惜，但是想想可怜之人必有可恨之处，心里也就没什么了。反倒是想起了小雨，不知道这个时候她在做什么。

林晓雨和爸爸的关系已经又像以前一样，只是没有常云啸在身边总是觉得空荡荡的，许童也不知道每天在忙什么，好像有什么事情瞒着她，是不是她已经和唐浩好上了呢？她也不说出来，最近也开始很少回学校住，害得林晓雨憋闷的不得了。唐浩倒是没事往林家跑，父亲总是很热情地招待他。可是林晓雨还是不喜欢他，也不清楚到底为什么。所以每次只是打个招呼，不怎么说话。

每次给小云打电话，他也总是说要过两天再回来，真是讨厌的家伙。

常云啸跟杨东说了自己的想法，说想自己干一些事业但是没有资金。

"不想跟我一起干？"

"不想。"

"哦？为什么？很多人抢着想跟我干呢，可是我信不过他们。现在呀，不贴心的人不敢用哦。"

"舅舅，您……您那些生意是违法的，我还想劝您别做了呢，咱们开个正经商贸公司什么的，我出创意，您来审核投资，绝对也有声有色的。"

"哈，小子，还是很狂的呀，教导我？"杨东喝了口咖啡。香浓的咖啡加了上等的牛初乳，入口很润滑，只是味道有点怪。

"舅，我不是那个意思，我想做点自己喜欢的事情。"

"你当真不跟我做！"杨东突然将咖啡杯砸在石桌上，水花四溅，吓得四周的保镖都站了起来，风铃想上前，但是也有点胆怯，站在杨东后面给常云啸使眼色。

常云啸慢慢站起来，"我……就是不想做这些。"

在场的所有人都惊讶地看着常云啸，这时候若说句好话不就过了吗？顶在火上了？一片寂静。

杨东突然又大笑起来，"很有我们杨家人那个倔劲，我喜欢。不就是资金吗？如果给你一百万，你打算怎么做？"

常云啸愣了愣，"我要开一个酒吧，叫做蓝巾牛仔。所有服务人员都穿牛仔服，背枪带，系蓝色方巾，所以叫蓝巾牛仔。风格要像战地酒吧一样。"

"好了，不用说那么多，你既然已经有想法，就照你说的做。铃儿，明天让财务给他开个账户，划一百万进去。"

"那我能回北京投资吗？"

"钱是你的了，你愿意去哪里都行，就是记住违法的不能做，浪费最可耻，奢侈要败家。明白了？"

"我，我明白了，可是您自己……"

"不要说我，我已经走到这步了，就不可能回头了。"杨东站起来，低声对常云啸说："记住，只要做了坏人，就永远做不回好人，不要学我。"

一个星期后，常云啸决定回北京。已经订好了晚上的机票，出来一个多月了，林晓雨已经催了很多次，而且好像说最近身体总是不太舒服，常云啸想也应该回去了。想到自己马上就要有自己的事业了，也能很快见到小雨了，常云啸心里特别高兴。

中午杨东说要给他送行，定在了银桥酒店。

杨东一行十多个人在大厅落座，这个大厅能够容纳三十桌，前面有舞台，但是要到晚上才有表演。开了四瓶茅台一瓶XO，很快大家就有了一些醉意。

"说起来，我觉得很对不起你妈妈，想想当年姐姐也是为我好。有时候也很想回去看看，但是我怕她知道我的职业。总想过几年多挣点钱，带着她世界各地走走，享享福，谁知道一过就是这么多年，钱有了，姐姐没了。"杨东说着竟落了泪。

"您们当年的黑白照片还挂在我妈的床头呢，您要是这边没有什么事情了，就回北京来住吧。"

"咱们别说这些了，"风铃举杯，"云弟，祝你在北京飞黄腾达，将来我到北京玩的时候，要你全程报销。"

"风铃姐能来我高兴都来不及，当然一切费用我包了，还找个大帅哥陪着你。"常云啸其实心里挺喜欢这个姐姐的，不仅她武功好人也漂亮。

"真的呀，那还不早介绍我认识。"

"就是我呗，京城第一大帅。"

哄堂大笑。酒桌上的气氛不再死板，大家开始说笑。杨东话越来越多，给常云啸讲了自己这几年的风采，足够写连续剧的。

大厅门口忽然进来一行三十多个人，在不远的桌子坐下。在座的人都开始警觉，杨东轻声对风铃说："叫老三带五十个人赶过来。"然后又对常云啸说："架势不太对，一会儿不要离了我身边。"

接着从大厅门口进来一个人，这个人大家都认识，就是秦星，秦大哥。

"杨老板，想不到我当时用的人中有两个是你的内线，"秦星看了一眼常云啸和风铃，"你杨老板还真是好本事呀，小弟我佩服。"

"本事不本事就过奖了，忘了给你介绍，这两位一个是我干女儿一个是我亲外甥，你就叫他们大哥和大姐吧。"

秦星站在那里脸都气白了，但是还假装挤出些笑。自从老大沈老板被杨东手下干掉后，秦星他们所管辖的地下赌场已经只剩一个，势力也小得可怜，各方面的压力很大，勉强能撑住场面。每天要像孙子一样提心吊胆，生怕再得罪了哪个老大。秦星忍气吞声就是想要为沈老大报仇，今天听说杨东只带了十几个人出来吃饭，觉得机会来了，带了自己的弟兄过来。

"你老大不在了，大家这么辛苦，这顿饭要是付不起的话，记在我账上。"杨东一点也不给面子。

"姓杨的，你他妈的别太张狂了，"看的出秦星已经火冒三丈了，"老大的死，警方追查不到你，但是你一定也逃脱不了干系。"

"沈老大的死跟我可没有关系，别乱说话。不过现在你当老大了，不是更好？要不什么时候能轮到你在这里说话？你应该感激那个杀你老大的人。如果少了沈老大你混不下去，可以到我这里来，我正缺个门卫。"

"操，杨东，今天就了结吧！"秦星说着从西服中抽出了手枪。

风铃一抬手将盘子丢了过去，秦星向后一撤，啪的一声盘子打在秦星胳膊上同时子弹出膛打上了天。酒店中立刻一片混乱。双方的人拿砍刀棍子的、抄酒瓶板凳的，场面一下就热闹起来，对常云啸来说简直就是到了电影中，这比在大街上打架凶狠得多。秦星已经被风铃打倒在地，枪也不知道摔到哪里去了。常云啸手拿一把砍刀，挡在杨东身前。毕竟对方人多，要不是风铃的奋力拼杀，大家估计就等不到警察的到来了。

警察挥动着手枪将这群人团团围住，"放下武器！""蹲下！""把手放在头后！"

众人将手中的家伙放下，蹲到地上。常云啸也将砍刀放下蹲在杨东身边，秦星就在他们不到两米处瞪着眼。

手枪，常云啸忽然看到了那把手枪，就在秦星右边的桌子下，秦星也看到了。

秦星向旁一扑，伸手去抓枪，嘴里喊："姓杨的死吧！"

常云啸抄起地上的砍刀也向前扑，手起一刀正劈在秦星的右手手臂上，秦星惨叫一声鲜血飞溅出来。几个警察冲过来将常云啸按在地上。

"老实点，知道现在是严打吗？那么多警察看见你砍人，不是故意伤人是什么？"警察的脸严肃得让人恐怖。

"他要拿枪。"

"要拿枪，他拿了吗？"

"等他拿到了不是就晚了吗？"

纸 戒

"有警察呢，轮得上你吗？"

对审讯室常云啸一点也不生疏，但是这次他知道要坏事。如果这次不能算正当防卫的话，就可能算故意伤害或者持械斗殴，而且造成对方严重受伤或残疾，在严打期间，这两个罪名都不是轻的。

怎么办？林晓雨怎么办？怎么跟她说呢？刚才跟舅舅分开的时候，舅舅交代：什么都不要说，等律师来。现在怎么样了？律师怎么还不到？

一个小时之后，常云啸见到了胡律师，办理了保释手续，胡律师将他带出了拘留所，杨东在外面的车里。

"舅舅，这怎么办？"

"我已经保你十二小时。在医院没有确定姓秦的伤势之前，你跟我回家，但是要随传随到。在警察那里怎么说，胡律师会教你，咱们回去再说。"

这个夜晚对常云啸来说太痛苦了，胡律师将所有情节都重新设计，并编好了每一句话要常云啸背诵，但是就算是这样胡律师也只能保证监禁在八个月之内，考虑到杨东的能力，也许能降到六个月。

八个月？知道自己在二十四小时之后就可能要过六到八个月的监狱生活，常云啸的头像钻进了一窝马蜂嗡嗡地叫。必须给林晓雨去个电话，她应该正在等我到家，怎么说呢？当然不能说我进了监狱。

"喂，小雨吗？"

"小云你怎么还能打手机……你现在应该在飞机上呀。"

"哦小雨，是这样，舅舅有一个生意在澳大利亚，需要一个懂电脑作图的，另外我没有出过国，所以我也想……"

"你又来了，一说回来你就那么多事，你到底怎么了，什么让你那么流连忘返？"林晓雨是真的火了。

"你听我说，这次是舅舅有点困难，所以我……"对方已经挂了。

知道她生气了，但是能怎么办呢？总不能跟她说，我进监狱了，你要等几个月才能看到我，她还不急死？要是让她那个可恶的爸爸知道了，更要说我是地痞流氓了，更不可能让小雨嫁给我了。我现在已经孤苦，要是没有了小雨……

舅舅一直在书房，常云啸知道他在为自己打电话。这个别墅是这些天头一次来，很大好像也很漂亮，但是根本没有心情多看一眼。

想到后来，常云啸迷迷糊糊在沙发上睡了，直到胡律师进来告诉他，秦星的手废了，从此是个摆设动不了了。这样的话，要按故意伤害造成对方终身残疾算，对常云啸不利。

眼看天渐渐亮了，淡淡的云层之中已经开始有了红光。其实从天黑到天亮只是十几分钟的事情，当你看到太阳的时候，它已经在天空中了，哺育着它的生灵万物。阳光洒在脸上，暖暖的，这是一天的开始，多少人的期待，但是对常云啸来说却是难受的开始。眼前的花草、混乱的街道、嘈杂的车鸣、美女的衣衫都要不存在了，去一个冰冷的地方，钢铁和水泥的地方。竟然感觉到死亡一般的恐惧，常云啸不敢再想下去。

"可能要在里面待一段时间，不过你放心吧，我会找人在各方面照顾你，不会受苦的。一会儿还要送你回警察局。"杨东拍着常云啸的肩。"要不是你救我，我可能已经见阎王了。"

"别这么说，吉人自有天相。"

"一会儿过去什么都不用带，我会让风铃准备好给你送进去，里面的事情我会安排好，与外面的联络也不会成问题。"

"好，我们走吧。"常云啸对胡律师说。

7

这次很麻烦，是持刀故意伤人，造成终身残疾。其实这种打斗对杨东他们是经常的，一般情况下只要是不让警方当场抓到，大家都会说是自己碰伤的，好像已经成了各个老大之间的规矩。警察也不愿意刨根问底深查这样的事情，所以不会有什么事情，但这次常云啸是被警察当场抓住了，至少应该在三年以上监禁。好在杨东有钱铺路，最后只判了六个月。

这是第一次进监狱，常云啸甚至不相信这是真的，简直就是做梦。虽然胡律师一再告诉他，舅舅会为他想办法，使他提前出来的，但是六

纸 戒

个月呀，怎么度过这六个月。以前总是听人说到监狱去镀镀金，好像很光荣很好玩的事情，现在成真的了，根本不想去。

同车的犯人有几个，警察禁止说话，大家彼此无语。一路上看不到外面的情景，像在一个棺材里。有一个家伙晕车，呕吐了一路，车不能停只好吐在车里，搞得整个车厢一股恶心的味道，让人更想吐。

好不容易算是熬到了地方，所有人都下车，可以看到四周的高墙电网和枪楼，有持枪的看守，令人紧张和压抑。

"常云啸！"一个看上去是警官的家伙拿着名册逐个点名。

"到。"大家都是这样声音洪亮的，谁知道这里会不会有暴力。

"你站到最后。"

"都点到了吗？有没有错误的？"那个家伙看了一下大家，"带他们进去，常云啸跟我走。"

不会是因为我长得帅就想先把我打暴吧，你打别的地方我就忍了，你要是敢打我的脸，我就跟你拼命。常云啸跟着那个人进了狱长办公室。一个很胖大的人坐在那里批阅文件，看上去这个人站起来至少有一米八多，这要是给他打一顿，不死也残呀。常云啸乖乖地坐在对面的沙发上。

"你是常云啸？"

"是。"常云啸站起来回答。

"坐吧，我姓王，这里的最大领导，我不想听监狱长这个名字，他们都叫我老总。"

"是，王总。"

"杨东是你舅舅？你在这里有什么事情就来找我，有什么需求尽管放心，我来解决，包括那个。"王总用眼神向两腿之间瞄了一下。

常云啸会意一笑，"谢谢王总。我不太懂规矩，惹什么麻烦王总还多担待。"

"不用客气，你舅舅曾经救过我的命，他外甥就是我外甥。我安排你管理图书室，白天你就可以自由活动了。但是晚上还是要回去睡觉，这是规矩。"

"我知道我知道，谢谢王总照顾。"

"你跟李警官去吧，他会安排你。"王总摆摆手。

李警官带常云啸去犯人登记处登记，领了胸牌编号，换衣服，领脸盆水缸、牙刷毛巾等。然后带他看看操场，要去工作的图书室、餐厅、活动室，最后是住处也就是牢房。

　　其实监狱中住宿条件并不像常云啸想得那么糟糕，也有床有桌椅，不像电视片中那样睡在地上。房间到了，里面还有一个人，李警官说那是一个经济犯。

　　李警官将常云啸送进去锁了门，"有什么事情按墙上那个按钮。"

　　"好的，谢谢。"

　　李警官走了。常云啸看同屋的那个人，是一个有点书生气的男人，个子不高很瘦小，脸色很黄好像营养不良，戴了眼镜，看上去也就是二十五六岁。竟然是经济犯罪，想必是很厉害的人物。

　　那个人在看书，抬眼看看他，"坐，站着干什么？不是来参观的吧。"

　　"哦，我叫常云啸，头一次进来。"

　　"我是潘国峰，也是第一次进来。"他与常云啸握了一下手。"李警官亲自送进来，看来有点门路呀。"

　　常云啸把脸盆牙缸放好，"这个李警官很厉害吗？"

　　"你不知道他打犯人的厉害，要是让他不满意了，会整死你。不过他带你在监狱里这么走一下，就没有人轻易惹你了。"

　　"哦，是这样。"常云啸坐在床上。

　　"床上是不能坐的，要检查整齐卫生的，通不过是要扣分的。"

　　"哦，"常云啸赶紧坐在椅子上，"扣分是什么？"

　　潘国峰也不读书了，干脆跟常云啸聊天，"扣卫生分，这里很多都是记分的，扣了分之后下次出工的时候就要比别人做得多。"

　　"还要做工吗？做什么？"

　　"当然做工了，这里又不是疗养院，比如修路、建房、缝纫、种田等等，你以为关监狱就可以不劳而获。你为什么进来的？"潘国峰问。

　　"我是在械斗中砍了人，被警察抓住了，就送过来了。你呢？听说是经济犯罪？"

　　"我？"潘国峰笑笑，"就是诈骗呗，六千万。"

　　"多少？六千万？你那么厉害？能不能告诉我怎么骗的？"

　　"干吗？想试试？"

　　"好奇嘛，有机会试试也未尝不可。"

　　"好吧。如果比我运气好的话，你也许真可以几天之内成为富翁。你炒股吗？"

纸 戒

"不炒，其实我对股票是一点也不懂。而且我很憎恨股票，我哥哥就是因为炒股死的。"常云啸望着窗外。

"哦，真是不好意思。"

"没关系的，你继续讲。我就不信有人那么好骗。"

"那好吧，你就全当是一个故事好了。很多稍微学了一点股票分析的人，都觉得那里不是赌场，认为可以靠自己的微薄技术来分析股市的走势。直到最后才发现这里跟赌场没有区别，因为股票的运作其实全部利用了人类赌博的心理，那就是赢了的还想赢得更多，输了的就想赢回来。而且越参与胃口越大，最后就不只是动用自己的一点资金，他们会去借去骗，有一些人还会去融资。"

"融资，是什么？"

"就是你有一百万炒股票，由于人的贪心所以你想再借到五十万，让自己拥有一百五十万的资金炒，以为这样能发财更快一些。那么凭什么借给你五十万呢？你必须有足够市值股票做抵押，就是你原先的那一百万。看到你有一百万的实力后，我谈好利息借给你五十万的资金，这个过程就是简单意义上的融资。"

"哦，原来你很有钱，所以他们来找你融资？"

"我没有钱，有钱就不是骗了。当时福建的一个房地产商，我叫他杨总，有六千万的闲钱，想再融资六千万做股票，但是由于工作繁忙没有定下心来做这个事情。这事情让我知道了，然后我就把他的六千万骗到了手，然后我就进来了。"

"完了？你太省略了吧，讲仔细一点好不好。"常云啸听得津津有味。

"很简单，我找到他，说我是证券公司的，他的事情我们听说了，所以派我来筹划这个事情。我对杨总说，六千万融六千万没有问题，但是有条件，必须是现金状态来融，不可以是股票。他说没有问题，但是利息不能高于8%，当时市场融资的年利率是9%，我说要请示。"潘国峰摸出一个烟屁，点了吸上两口。虽然监狱禁令很多，但是只要有办法还是能搞到好香烟的。

"实际上我请示是假的，根本不需要请示谁，因为我根本就不是什么证券公司的。第二天我跟他说，领导说没有问题，但是为了有所保障，最好是以公司的名义开户。这正是他乐意的，他以为用公司名义开户就可以对他的资金有了安全保障。很快合作协议上的一些细节就谈好了，最后我跟他说要他的资金先到账，证券公司的钱三天内到账，他也同意了。于是我就让他尽快到证券公司开户。"

"既然你根本就不是证券公司的，那他到了证券公司你不是要穿帮了吗？"

"怎么会呢，要设计呀，老兄。我在证券公司很早就已经开有账户，我是贵宾级别客户，跟他们的员工非常熟。有时也给证券公司拉客户，也就是给证券公司做经纪人，帮人炒炒股贴庄做点老鼠仓，挣一点佣金分成，所以证券公司也同意我使用客户经理人的身份。"

"明白了，就是你在证券公司任了一个虚的职务？"

"也不是，其实目前我们说的客户经理人和客户经纪人是一个概念，说白了就像保险公司拉客户的叫做保险经纪人同时也有叫保险规划师的，名字变了但依然是拉保险的。客户经理人就等于是经纪人，与证券公司的客户部部门经理是两个概念。但是很多外行的人是不明白的，以为搞个客户经理的头衔就是证券公司的一层干部。杨总就这样认为，他到了证券营业部不认识别人，只认识我，一打听我真的是客户经理，以为我是证券公司小领导就更放心了。于是我把他请到我在证券公司的包间，跟他说这里就是他将来炒股票的地方，他还很满意呢。我说开户很复杂，要带很多东西，比如公司执照、法人证明信、法人身份证、资产证明等等。于是第二天他把一切要带的东西都带来，我请他在包间里等一下，我帮他去柜台办理开户手续，他很乐意还以为是这里的服务态度好呢。于是他的所有的开户资料我就拿到手了。现在明白了？"

"没有，不明白。"常云啸一个劲地摇头。

"你是真笨呀？"

"资料到手怎么了？你去帮他开户怎么了，再傻的人也不会把钱转到你的账户上呀，怎么也要去他自己的公司账户上吧？"

"没错，是要转到公司账户上。你听我说，所有的工作要在半个小时之内完成。我得到资料后，在街对面要求刻章的人在二十分钟之内刻两个章，一个公司章，一个法人章。我在二十分钟内写好了公司授权委托书，原来的被授权人应该是杨总但现在被授权人当然是改成我了，然后盖上公司和法人章，一份假的授权书有了。然后去柜台开户，一个公司账户必须有一个操作人或者叫代理人，这个代理人是公司授权的，这个人当然也是我了。柜台人员会按照授权书上的电话打过去查询核实，但

纸 戒

是这个电话是我已经安排好的，也就是一个假电话，请一个人在那边按我设计好的内容来回答问题就万事大吉了。于是杨总的账户开完了，被授权人和代理人却都成了我。"

潘国峰猛吸两口，然后将烟掐灭，可以看出他眼睛里流露出一种战斗的喜悦。"支票是当天下午打入账户的，杨总还修改了账户密码，以为这样就可以保险了，高高兴兴地回家等我的那六千万融资了。其实他不知道，取支票走不需要密码。"

"取支票？证券公司让你取吗？"

"我有授权书啊，按照法人授权，允许我随时调动这个账户上的任何数量的资金。证券公司规定支票进支票出，杨总是入的支票所以我只能取支票出。但是落的地方可以商量。"

"实际取出来之后落到了你的公司户头上？"

"开始聪明了。我自己的公司在期货公司开了一个账户，于是这张支票从证券公司出来就进入了期货公司，期货公司管理混乱，塞给公司老总点钱，支票进去就可以现金支票取走，于是就变成现金支票了。这张现金支票进入汇丰银行，打到广州通过地下钱庄变成美元再进银行，然后通过网络转账国外。我还要办好旅游签证，买好机票辗转飞几个航空枢纽城市，一切就成功了，世界上就消失一个我，多了一个富翁。"

"天呀，这么多事要折腾几天呀？"

"两天，只有两天时间。第三天我已经坐上了去深圳的飞机，然后去香港，再到新加坡，然后转印度去欧洲，实际上最终要到加拿大，再然后就找不到我了，让那个杨总去傻等吧。"

"厉害的设计，那你怎么被抓回来了。"

潘国峰笑着摇摇头，"问题是我没能出境。旅游签证是真的，但是护照是我找人去办的，谁知道我也遇到了一个骗子，他拿来的是假护照，我被海关查出来扣住了，然后你就知道结果了。"潘国峰的眼神暗淡下来了，像是一个战斗打完，恢复了平静。他拍了拍常云啸的肩，"老兄，记住，一定不要找大街上那些小门脸的人让他们去代办护照。"然后倒在床上，把叠得方方正正的被子压瘪了。

一个高级骗子被一个低级骗子戏弄的感觉一定不好受。常云啸不知道说什么好，索性也躺下压瘪被子，望着房顶。不过从心中对潘国峰倒是多了几分佩服，能在这么短的时间内完成一个超级骗局，倒也真是一个天才了。

　　常云啸在监狱里一点也不受累，白天只要他说去图书室整理资料，就可以出来走动了，跟看守也没有什么不同了。外出工作也不需要他动手，只给大家倒倒水就可以了。李警官跟那些人说他身体有病，不能劳累。常云啸也乐得轻松，闲的时候就帮潘国峰做工挣点分，潘国峰体弱多病，经常完不成定额，总是要加班。有常云啸的帮忙当然是解决他一大难题，还经常超额完成任务，受到奖励。其实奖励也没有什么，也就是一两包烟。

　　监狱中按说大家都是犯人，但是也分了好几拨，也明争暗斗的，或者打架。只要不把事情闹大，看守们总是多一事不如少一事，假装看不到，甚至干脆在旁边看热闹，等闹得差不多了才上来制止。

　　常云啸不想参与这些事情，多数时间都躲在图书室看书，其他人知道他和监狱领导有关系，所以也很少找他麻烦。

　　也许常云啸与他哥哥都有着天生的金融天赋，也许是受到潘国峰的影响，最近很喜欢看金融方面的书籍，不懂的地方就去问问小潘，只要一提到金融领域的问题，这个家伙好像就有说不完的话。后来才知道，证券市场上的五种资格，包括股票、期货、基金这个家伙都有，对常云啸来说这就是一个金融精英呀。潘国峰也慢慢地开始给常云啸讲一些自己以前的事情，原来潘国峰最早的时候是 S 市一个小证券公司的分析师，后来拜一个操盘手为师开始学习坐庄，也曾经名噪一时，风光到后来就出事了，老师因操纵股价被抓了。"他被抓进去之后我到处打听关在哪里了，可惜好像就这样消失了，没有一点音信。"潘国峰难过地说，"他的外号叫孤海一灯。"

　　监狱里也有一个不大的电脑室，不到十台电脑，听说是哪个大企业家搞的捐赠活动，开始活动搞得不错，后来听说那个企业家行贿被抓了，这个活动就撂下了，所以这个电脑室简易得连电脑桌椅都没有。但这里居然能上网，真是让常云啸高兴，只是网络里的东西不能下载，只能看，很多网站都打不开。在一台电脑上，他看到了股票行情，找了些书，慢慢也看懂一些。

　　这里的通信联系也很好，随时可以在王总那里向外联系。他想和林晓雨联系，但是不敢，分明自己说在澳大利亚呢，如果要让她看到电话

纸　戒

是国内的，肯定要他回北京，哪怕是照着电话打回来，事情也都会露馅。还是忍着吧，干脆连北京的哥们儿也不联系了，落个清静。

风铃来看他好几次，送了很多东西进来，都寄存在王总那里，什么时候都可以取到。所以常云啸的监狱生活，可以说比疗养也差不多，至少每天不用想太多的事情。

监狱中有一个实力最大的大哥叫大青，可能是跟他的大光头有关。整个人不算高大，但是眼神挺狠的，让人看了就感到畏惧。据说曾经当过特种兵，很厉害。总能看到他打人，别人都怕他。每天这个家伙带着几个死党在监狱里晃荡，常云啸看到他也是绕着走，在这里也不想惹什么是非。

常云啸的日子还算滋润，就这样过吧，清清静静看看书不是也挺好吗。

"怎么，又不舒服？"潘国峰的体质真的是很要命，三天两头的病，要不是经常帮他完成一些工作的话，不知道他要挨多少罚呢。

"没关系，不要紧的，只是头晕。"

"那我帮你拿饭去。"

"不用了，每次都是你帮我，今天不是什么大毛病。"潘国峰与常云啸去了食堂。

今天的菜真的很好，有红烧排骨，这是每星期一次的改善生活，每人一份，排队领取。常云啸和潘国峰排在队中。

前面看到大青和几个人加进去，大家都不想惹事，队伍向后退。

"妈的，又加塞。"常云啸小声嘀咕。

盛完饭菜，两人坐在一起，这时一个家伙端着一个饭盆走过来对潘国峰说："我们老大说了，你这么瘦不用吃这么多，你这份归老大了。"

常云啸听得火冒三丈，要不是潘国峰按着他，早就一拳打在他脸上了。眼睁睁地看着那个家伙把潘国峰的饭菜倒在自己的饭盆里，丢下一个空盆给潘国峰，然后扬扬得意地坐到不远处的一个桌子旁。常云啸看过去，正好遇到大青那凶神般的眼光。

"那，咱们吃一份。"常云啸把饭盆给潘国峰推过去。

"没关系的，你吃吧，反正我也吃不了多少，吃不吃都一样。"潘国峰又推了回来。

"什么话，不吃东西怎么行。"

正推让，又一个家伙站在了面前，"呦，都他妈不喜欢吃？那这个也充公了。"说着伸手过来拿常云啸的饭盆。

常云啸一把抓住了他的手腕，一叫劲，"啊。"那个家伙放下饭盆。常云啸慢慢站起来，那个家伙向远处的桌子望过去，常云啸也望过去，大青坐在那里静静地看着。

"算了，常云啸，算了……"

常云啸没有松手，而是慢慢绕过桌子，把那个家伙牵过来，手劲再加大，"啊，别、别。"疼的那个家伙整个身子往下缩。

常云啸一提腿，顶在他的小腹上，向外一推，那小子撑着就摔了出去。

"那边怎么回事。"两个看守跑过来。

"他打……"

"没事没事，"没等那小子说完，大青开口了，"我兄弟摔了一跤。没事吧你，过来。"

"不要违反食堂纪律。"两个看守又去别处巡逻。

常云啸坐下继续吃饭，潘国峰在旁还在唠叨："这下坏事了，那个大青不知道又打什么主意了，咱们可不能惹他呀，要不我去赔个不是吧。"

"你敢去，我就打你。"

这时，大青从那边站起来走过来，"兄弟，还会两下子。我也好久没有练手的了，有种跟我出去单挑，在操场的后面那个拐角处，我等你。"拍了拍常云啸的肩，出去了。

"你可不能去呀，去告诉李警官吧，他一定帮你的。"潘国峰轻声说。

"我的事你别管。"常云啸吃完最后一口饭，也出去了。

监狱操场的这个角是比较偏僻的，这里有一道钢筋的栅栏，对面是死犯区的操场，有时候可以看到死犯放风。大家都不愿意到这里，都说遇到死犯不吉利。常云啸到的时候，大青和几个手下已经等在那里。

"哦？是一起来吗？那就快点吧。"常云啸挥挥手。

"这么大口气，弟兄们去那面把风，我要和这个兄弟好好聊聊。"其他人都站到了一旁。

"真的想为那个小子出头？告诉你，到现在为止我只要出手就没有能

纸戒

走着回去的。"

"不是我想惹事，你可以拿走我的饭，但是不能拿走我兄弟的饭。我知道你厉害，但是厉害不是用来欺负弱小的。"

"好一个说教，那你就来吧，打倒我你就是老大，我们就都听你的。"

"不客气。"说着常云啸已经动手了，一拳扑向大青的面门，这么快的速度竟然让他抓住了。常云啸赶紧向对方小腹踢出一脚，大青左腿一磕起右腿正中常云啸小腹。一脚常云啸就趴在地上了，没有想到这么大的力气，刚才整个人好像都腾空了，豆大的汗珠立刻就从额头冒出来了。

"妈的，"常云啸爬了起来，突然一个飞脚踢过去，大青一闪到了他的身后，一拳打在他的右肋上，常云啸疼得弯腰的时候，面门被重重挨了一膝盖，同时腿被踢起再次摔在地上。血从鼻子中涌出来。

"我还以为你怎么着呢，原来这么差。"

常云啸慢慢爬起来单膝跪着，猛然像铲球一样铲过去，大青一笑，向后一蹿站在更远的地方。"刚才要不是看在你为朋友出头的面上，就踢断你的腿了，还他妈的敢放铲。我知道你跟王总有点关系，这样吧，给爷爷我磕个头，认个输我就放了你，以后谁也别犯谁。"

"狗屁，躲那么远做什么？有本事过来呀。"常云啸其实已经整个头都在嗡嗡地响了，真没有想到那个家伙这么大的力气。

"敬酒不吃，那就看好了。"大青突然冲到面前，重拳从四面八方像雨点一样打过来，常云啸连气都喘不上来，不知道挨了多少下，然后被一脚踢倒在钢筋栅栏下，只觉得头晕目眩，喉咙一阵阵发紧还带了咸味。

"会死的，"突然常云啸听到栅栏那面有人低声说话，"认输吧。"原来栅栏那面有个人。

"大哥，李警官过来了。"

"小子，筋骨很结实呀，被我重拳之后能喘上气的人不多。跟你打还多少有点意思，但是如果你打不过我，每个星期的伙食改善都要亲手送到我这儿。"大青转身走了，又回过头，"如果有一天你能打到我的脸就算你赢，要不叫声爷爷也行。"

"滚你妈的。"常云啸咬着牙。

"李警官，有人摔伤了。"大青与李警官打招呼。

常云啸坐起来，回头看刚才说话的人，栅栏那边已经没有人了。

"拿去吃，"常云啸将饭盆放在大青的面前，"老地方我等你。"转身出去了。

就这样一连四个星期。

常云啸每次都是被打倒在地，全身疼痛。大青每次都笑笑走了。而栅栏那边的人也每周定时来观看，每次都劝常云啸认输。但是常云啸一直看不清他的脸，被一块布遮着。

"常云啸，出来。"李警官站在门外。常云啸从床上爬起来，跟李警官到了王总办公室。

"小子伤的不轻吧，你舅舅把你托给我，我可不想让你死在这里。"王总看着他。

"他打不死我。"

"残疾、内伤我都不好交代。听说你连人家脸都碰不到？怎么跟人打呀。我找人跟他说说，就算了吧。"

"不能算了，每次他都要拿走别人的饭菜，这是欺负人，抢劫、恶霸。这个你都不管？"

"这是你们之间的事情，不要说到我们。你这样坚持我很不好办的。"

"不用您费心，我就不信打不到他的脸。"

"就为一口饭？"

"是为一口气。"

王总盯着他至少三十秒没有出声，"给你介绍一个人，外号花面兽，他能让你打过大青。"

"在哪儿？"

"死囚区。"

"每天晚饭后到办公室报到。不得向任何人提起。你会在体能上得到很大训练，不能承受就说出来，我们就可以中止。还有……"李警官带着常云啸一路给他讲。

常云啸被带进一个监牢，很宽敞但是没有摆设，四面都是墙，地上是青石砖，有两个铁栅栏门，常云啸看着对面的栅栏门，心看得有点紧张。听说那个花面兽是一个职业杀手，曾经杀死近二百人，其中最多一次杀死了三十几个。警方始终不能抓到他，但是突然有一天他自首了，好像是因为他老婆死了。

终于有人出现了，用布遮了头，看来是不想让人知道。

纸 戒

"您好，我是……"

"我们见过了，你就是那个每次都被打倒的笨蛋。"

"你是栅栏后面的那个人？"

"是。"他将遮头的布拿掉，是一张恐怖的脸，坑坑洼洼的，很吓人。"怕了？"

"不，不，没有。"

"是硫酸烫的。别说废话了，你过来打我，让我看看你的实力，要全力。"

想试试我？常云啸一拳打过去，正中花面兽的面门，"啊？"常云啸很诧异，他怎么不躲开。

花面兽擦了一下嘴角流下的血，"你平时锻炼吗？这么无力的拳头能打人吗？"

常云啸才注意到，这个人连地方都没有移动，要是别人早倒了。而且刚才好像打在墙上一样，自己的手很疼。

"看好，"花面兽突然一拳打在地上，青石砖竟然碎了。突然他一跃到了常云啸面前，速度惊人的快，同时在常云啸的肩上打出一拳，常云啸还没有反应就摔倒在地，爬起来的时候发现左臂动不了了。

"脱臼了，看来你再练两年也不一定能赢他。"说着握住常云啸的胳膊，一拉一托就安上了。

"我真的那么差吗？"常云啸揉着胳膊，不服气地说。

"没错，今天不练了，回去养胳膊。"

"能叫你师父吗？我都不知道您姓什么。"

"不用知道了，就叫师父吧。"

"师父，听说你以前……"

"好了，你回去吧，训练项目在李警官那里，他知道怎么做。"师父向门口走去，"还有，在没有我允许之前不要再和他打。"

痛苦的生活开始了。常云啸每天被迫跑步、跳绳、单手俯卧撑、倒挂仰卧起坐、打沙包然后是让沙包撞击……晚上更多的时间是和师父休息，师父会给他按摩，让全身都是伤的他得到放松。

师父说得不多，但是慢慢的常云啸也知道了师父的故事。

师父是个孤儿，被一个团伙收养，用硫酸烫了脸，然后教他如何生存，如何冷血，如何杀人，在一起的一共有五十几个孩子，在魔鬼训练中生活，到大家十七八岁的时候只剩十二个人，称十二星宿。然后他们每天做的就是执行任务，去杀人或盗取情报。到三十岁只剩了两个人，他和他的女人，那个时候女人已经瘫在床上。原本说好三十岁就还给他自由，但是团伙利用他的女人威胁他，他只好继续执行任务。直到有一天团伙命令新的杀手们杀掉他们两个。他背着女人向森林里跑了三天，但还是被发现了行踪，一天他出去找水回来，女人已经奄奄一息，最后只说了一句：以后不要杀人。他说：给我三天，三天后我不再杀人。第三天的晚上，组织被消灭了，一共死了三十七个人。然后他爬到警察局自首，仅刀伤就有四十几处。

"你，干吗要自首？也许……"

"我一生罪孽深重，她是我唯一的寄托，我已经四十岁了，原本以为可以安安静静地陪着她，既然她不在了，我还是赎罪吧，欠的总是要还的。"

一个月后，常云啸适应了每天的强化训练，师父开始教他武功，咏春拳的快打、擒拿手的凶猛、摔角的爆发、太极的刚柔。

每次看到大青得意的样子，挖苦的声音，常云啸咬紧牙，不吱一声，白天在王总办公室的后院训练，晚上在练功房学习。

这样过了快两个月，直到有一天，王总叫他过来："有两个事情，一个好一个坏。"

"您先说坏的吧。"

"你师父要行刑了。"

常云啸站在那里半天没有说话，"什么时候？"

"后天，今天你可以见他最后一面，明天晚上就送走了。"王总顿了顿，"好消息是，你服刑期减到四个月了，也就是说，你还有一个月就可以出去了。"

常云啸没有吱声，王总知道他现在根本听不进什么好消息，拍着他的肩，"晚上给你们准备了些酒菜，你们好好说说话。"

还是这间监房，还是那么空旷，只是今天安静了许多。地上多了四盘菜一碗汤，两副碗筷和用塑料瓶装的啤酒。两个人围坐在那里。

"师父，刚才是作为徒弟敬您，现在我还要敬您，您是我最敬佩

纸 戒

的人。"

"哦，呵呵。佩服什么？"

"不知道有几个人能在知道自己就要死去的时候，还能像您这样安静地微笑。其实您那个时候要是不自首，可能他们永远也抓不到您。"

"小子，我们认识这么长时间，彼此还不知叫什么名字，但是我们彼此已经相知，这就是缘分，因为缘分我见到了你，教你练拳，也因为缘分我才愿意跟你多说些我的一生体会。"师父喝口酒，抬头看着房顶的栅栏，今天的月光很好，天上看不到云和星星。

"我是一个杀手，但是我不喜欢杀人，所以我不是一个好杀手。做好杀手就要执著，为了一个目标不惜牺牲一切。但是执著的结果是要付出巨大代价的，很多事情退后一步更可以观其全貌海阔天空。直到她死的时候我才知道，她一直在内疚和负罪中生活了那么多年，她觉得那些人死去是因为她的存活。其实放下屠刀就是她最大的快乐，哪怕一天，就算早死几年又能怎样。所以做人做事，不可太执著，一定顺势而为。

"你和那个家伙也是这样，说是为争口气，实际就是好胜。打架的时候更是这样，何必要执著地打到他的脸呢，有时绕个弯子也会更早到达目的地。

"想知道我为什么会自首吗？其实人总是要为自己所做负责的，无论你想不想这样做。我可以逃走，但是我后半生会谴责自己，是我夺去了很多人的幸福，很多家庭的幸福，也夺去了我最爱的人的幸福。与其要我在黑暗中躲避，挣扎在痛苦回忆中，还不如站出来。当你把最脆弱的地方暴露出来的时候，你要么是个傻瓜，要么是个天才。我想我不是傻瓜。"

"谢谢师父教导，徒弟我……"

"为我送行吧，干杯。"

在操场的角落里，常云啸靠在墙上，大青站在那里冷冷地笑。有点风吹过面颊，常云啸竟然流了一滴眼泪。

"喂，打不过就求饶嘛，不用哭吧。"

常云啸笑了，擦掉眼泪，"我说我们还是别打了，就为一口饭不是很可笑吗？如果你需要，我的伙食改善都给你不就行了。"

"呦，今天这是怎么了，痛快啊。"大青一副扬扬得意的笑容。"不是教你怎么认输了吗，喊我什么来着。"

"我只是不想打架，今天我的老师要离开了，我没有心情。"说着想要离开。

"想走？"大青说着一个侧踹过来。

常云啸顺着他的劲伸右臂托他脚向外一带，左手一把抓在他的腿弯的大筋上，同时抬脚正中他大腿根。

大青啊地一声摔了出去，瘸着一条腿站起来，"这些天你学了什么？混蛋，被你偷袭了。"

"我不想和你打了，算谁偷袭你？我知道不是你对手，你只是耍我开心罢了。"

"就耍你了，怎么着。还没有打到我的脸，就不算你赢，我就不会罢休。"说着又冲上来。

人的潜力真的是很大，短短两个月的训练，竟能让人改变很多。反应速度、身手敏捷、承受能力等等都有了惊人的变化，连常云啸自己都感到惊讶。

大青更是吃惊不小，原本对他来说打架是一种快乐，现在竟然是一种痛苦了。刚才受伤的腿非常碍事，对手好像也看出了这点，总是对这条腿攻击，又挨了几脚后，很快这个腿就不听使唤了。

"好像不太舒服？"常云啸问。

有汗珠从大青头上落下来，腿上剧痛得像是断裂了一样。"小子，你还是没有赢呢。要不是你伤了我的腿，你占不到便宜的。"

常云啸笑了，压低声音"你真想丢面子？现在你的腿动不了，你觉得谁的胜算大？真想趴在地上？"

大青不说话，只是咬牙，看来疼得不轻。

常云啸放大了声音："大哥，我真的不敢跟您作对，其实我也只是为朋友争口饭吃。"

"行，够仗义，我就佩服你这样的。"大青知道是给自己一个台阶，赶紧下吧，"弟兄们听着，从今儿常云啸就是好兄弟，谁要是跟他过不去，就是和我过不去，听清没有？"

"听清了。"弟兄们回答。

大青瘸着上来拍拍常云啸的胳膊，"谢谢给留个面子，不然只能拼死了。"

纸 戒

花面兽戴了手铐，被押出牢房，王总亲自站在操场上送他。

"他们还是打了，但是没有输赢，大青最后称他好兄弟。"王总晃着大脑袋。

花面兽笑笑。

"现在你满意了？去吧。"

花面兽点点头，看了最后一眼监狱上了警车。上了这辆车就离死亡很近了。就这样开走远去，没有一点留恋和不安。

8

从那天起，常云啸可以安安静静地坐在那里看股市了。潘国峰告诉他，哥哥的账户不可能赔得一分不剩，应该还有资金，而且事情发生得太蹊跷一定有什么原因。

"我听说是因为一个叫香正基金的股票。"

"香正基金吗？不是股票，是基金。我知道它，那个基金是有问题的。"

"你也炒过它？"

"不是，那个时候我已经在这里了，但是我在网络上看到过它，如果我没有感觉错，这只基金背后一定有人操纵，而且应该存在黑幕交易。"

常云啸点点头，"我信你。我一定要好好学学，看他们中间到底有什么猫腻，看看到底什么人害了我全家，你要教我。"

"没问题。"

金融就好像是在玩一种游戏，游戏的中心思想就是如何让资金升值。而为了这个升值，很可能要让很多人付出代价，甚至牺牲。金融市场更像是一个战场，没有枪炮，一样斗智斗勇，并足以让对手死亡。

在网络上看了很多股市黑幕、基金暗箱等等文章，常云啸更加相信哥哥的死一定跟什么阴谋有关，一定有。

在潘国峰的指导下，常云啸开始学习和研究股市的运行规律。其实哥哥以前就说过，万事万物都有自身的规律，但是很多人不善于观察和总结。中国古人最经典的总结万物规律的著作算是《易经》，可是就连《道德经》也没有多少人看过。

　　学习的日子过得很快，转眼常云啸就刑满了。王总让李警官在办公室准备了一桌饭菜，常云啸叫了潘国峰和大青，这种场合看守们是不便参与的，所以王总外出，李警官放风，办公室倒成了他们三个的天地。

　　没有酒，就以茶代酒，三人也算投缘，商量好将来出去一定要一起干番事业。

　　舅舅亲自开车过来接他，风铃也来了，这段时间都是风铃给他送过来需要的东西，常云啸觉得那就像姐姐一般。

　　"我的东西都带来了吗？"

　　风铃笑，她的笑可以说很迷人，但是在外人面前很少笑，所以很多人都觉得她是个冷酷的女孩，常云啸就很喜欢她的笑。"你是想要你的手机吧。"说着从包里找出来，"按你说的一直都关机，昨天刚充了电，现在应该能用。"

　　常云啸接过手机，开机。第一个就是打给林晓雨，对方手机关机，有点失望。这时有短信进来，很多，一个接一个，手机能存二百条短信竟然很快被发满了。这一定全是林晓雨的问候。

　　常云啸忽然想哭，强忍住，不敢打开信息，怕自己控制不了眼泪。风铃递过来一张湿巾，常云啸笑笑擦了一把脸。

　　回到别墅，舅舅已经安排了休息室，常云啸赶紧把手机打开。多是林晓雨的信息，也夹杂了北京哥们儿的。小雨的手机还是没有开机。常云啸开始读这些信息，读到小雨的思念、小雨的无奈、小雨的痛苦、小雨的焦急、小雨的愤怒、小雨的无助和流泪。常云啸也跟着落了泪，他决定明日坐飞机回北京。

　　舅舅知道他是回去见女友，也就不留他，派人买了机票。

　　"这么着急就走了？不知道什么时候能回来。"风铃开车送常云啸到了机场。

　　"我回去看看。"常云啸听出风铃的语气中有点异样的感觉，"也欢迎

纸　戒

你和舅舅什么时候到北京来玩。"

"她真幸福，有人这样惦记她。"

常云啸笑笑不语。

下了飞机就开始打电话，对方还是关机，从昨天到现在这个手机就没有开过，常云啸也留了言，相信只要她开机就能看到。常云啸的心很乱，总觉得有什么事情发生。

下了出租车就一路狂跑进了自己的小窝，"小雨，小雨。"

无人……

常云啸给学校宿舍打了电话，女生宿舍的总机说很长时间没有看到林晓雨了，而且大四学生都已经开始各自找工作了，很少有人回到宿舍。

出事了吗？不会是找不到我就……有点太偏激，不至于那么傻吧，这个想法有点可笑，那是怎么了呢？想了想还是给朋友们打个电话问问吧。

"驼子，是我。"

"你怎么才出现呀，这么长时间哪去了？听林晓雨说你去了S市，后来又去了澳大利亚，怎么不打声招呼呀。后来我们给你打电话还总是关机，你玩什么呢？我们都以为……"

"好了好了，听我说，"常云啸打断了他的话，"你知道林晓雨哪里去了，我怎么找不到她？"

"啊，林晓雨她，那个她，我……"驼子很结巴。

"到底怎么了，你说呀，告诉我出了什么事。"常云啸急了，一定是出大事情了，不可能是想不开吧，难道是车祸？大病？抢劫？一瞬间很多的念头出现在他脑海里。

"这样吧，我在七里村等你，见面跟你说。"

"好，我马上去。"

这个时候酒吧里几乎没有人，显得比往常来的时候冷清。

驼子和梅子都到了，驼子一脸犯难的样子一点也没有掩饰住，坐在那里怀里抱着一卷报纸。梅子看着常云啸，眼神有点惋惜也有爱怜，说不清楚。常云啸憋住气，不先开口，好像不愿意因为自己的开口引出伤心和痛苦。只是自己可以感觉到，触摸啤酒杯的手指有点发僵发抖。

"那个，梅子还是你说吧。"驼子推推她，小声说。

梅子看着常云啸，好像在确认他是否能承受。常云啸点点头，示意她快说。梅子从驼子怀中抽出报纸，"还是你自己看吧，第三版。"

一份早报，常云啸赶紧打开找到第三版，赫然标题：

"富豪千金与金融新秀"

常云啸用眼睛飞快地扫了一遍，头就嗡地一声，大概意思是：富豪林文之女林晓雨，与鸿雁投资基金公司的基金经理、新起之秀唐浩喜结良缘，在王府饭店举行隆重婚礼，到场嘉宾多达五百人，耗资百万，随后二人远渡澳大利亚，开始蜜月之旅。后面还有各种评论。常云啸觉得手抖得可以让人看出来了，干脆把手放到了桌子下面。

"云啸，我也不会说什么，就是，就是别太伤心。"驼子说，"这种事情谁也不能预料。"

"是呀，这也是没有想到的，感情的事情嘛可能会变的，你也不能怪她的。"梅子劝他。

"我不怪她，没关系的，你们看我有事吗？"常云啸笑。

"那我们先走了，你自己好好待会儿吧。"梅子站起来，驼子还想说什么，梅子拉着他走了。

常云啸的眼泪慢慢地流下来，趴在桌上呜呜地哭了。有人站在了身边，抬头竟然是梅子又回来了。

"想哭就好好的哭吧。"梅子轻轻抱住他的头，让常云啸在她面前痛哭了一场。

常云啸坐在家里发愣，看着曾经欢爱过的床，看着她梳妆的地方，看着她听歌曲也能跳起来的地方。常云啸闭了眼，突然又想起了什么，冲到梳妆台前上上下下地翻找，终于找到了那个代表他和她爱情的红色糖盒，但是里面已经没有了那两枚纸戒，是她把它们带走了还是毁掉了？林晓雨走的时候什么都没带，甚至她的衣物。走得这么匆忙，新爱真的就有这样大的力量？可以没有迟疑、没有等待、没有停顿、没有留恋？那她还把那两枚纸戒带走做什么呢？

始终不能明白这是为什么，没有道理的，她可以为我与父亲反目，为我可以不要富贵和别墅跑车，怎么现在……难道爱情变化得这样快？从她发过来的最后一个手机短信的时间到结婚不过短短的一个多月，一

纸　戒

个月就爱上了别人？不可思议，不可理解！

我的小雨不是这样的，不是这样的，不是这样的！

爱情真的没有等待吗？四个月的时间都没有吗？为什么，是上天在捉弄我吗？四个月，每天每天我都在想你，想能快快地回到你的身边。所有的希望就在瞬间破灭，太残酷了。

常云啸拿起了笔，不知道写的是什么，只知道要写：

你知道吗？爱你，已经深深地印在我的灵魂深处。

因为每当精神闲暇的时候，自然而然地就会想起你。

想你的额头，想你的长发，想你噘起的嘴和圆圆的鼻子，

也想你光洁的身体，和你的美丽。

没有人提醒我，应该什么时候想你，

你的影子自然会出现在眼前。

然后，就会有很多的回忆和很多的幻想。

回忆一起的日子，就像人老了的时候，

静静地想起很多往事。

幻想这一切都是梦境，

实际上你不曾离开或者会突然回来。

时间就这样过去，我倒是很希望它停下来，

停下来听听我的心声，听听我的诉说。

就算它不能说话，至少可以听，

总比一个人空坐着强。

所有的事情都结束了，

没有了监狱，也没有了爱人。

但是很累，

没有了幸福的我靠思念来打发所剩的时间。

我倒是越来越羡慕那些生活在虚幻中的人，

至少在那里我是主人，我可以随意修改剧本。

没有毁灭，没有伤痛，没有月缺，也没有分离，

也可以找我的爱人回来。

写到这里，常云啸闭上眼，让泪水流出来。趴在桌子上慢慢地睡了，

竟然有梦，看到小雨穿了那身熟悉的白色连衣裙走过来叫他起床，原来一切都不是真的，都是假的，是一个梦，就是一个梦，一个梦中的梦。

还是56号酒吧，一个女孩在台上轻轻的哼唱许若英的那首《后来》。

梅子坐在对面吸着烟，"你，往后你怎么打算？"

"能怎么办，我找不到她，就是找到了能怎么样，我能打那个叫唐浩的家伙吗？我能把婚姻拆散？我能说什么吗？除了祝福的话。"

"其实你也不用太难过了哦，好女孩不是多着吗？"

"怎么？怕我想不开？放心吧，我又不是那种人。"常云啸喝酒。

"我想你好好的，找个爱你的女孩成个家，好好过日子，别像现在这样混。"

"别说我了，说说你吧，你和驼子……"常云啸岔开话题。

"我和驼子，我们想结婚了。"

常云啸一顿，"哦，那好事呀。你和驼子终于成了，祝福你们，来，碰杯。"

"小云，其实我……"

"梅子，别说那么多，我祝福你们，你们的婚礼我可能赶不上，我要回S市。"

"这么快又要走？"

"是，那边还有点急事。再干一杯。"

梅子突然哭了，常云啸知道她为什么哭，只是慢慢地喝酒。至少她还有个爱她的人在身边马上就要结婚，自己呢？爱人已经没了踪迹，去了海外度蜜月。一个脆弱的爱情，禁不起考验，哪怕如此的短暂，不知道哪一天才会见面，也许永远不会见面。

想着，常云啸也流下了眼泪。

几天后，常云啸起程回S市，因为北京已经没有自己的亲人，至少S市还有个舅舅。这个星期去哥哥开户的证券营业部查了查，哥哥的账户上的确还有钱，而且是将近30万。其实这些钱很多人要挣一辈子，哥哥又何苦……也许钱的多少真的不是衡量一个人生与死的尺度。

常云啸把房子借给了驼子，"你和梅子结婚没有地方住，就在我那里吧，虽然不好，但是过日子够用，总比向父母伸手好。"

纸 戒

"我和梅子真不知道怎么感谢你。"

"说什么呢，是哥们儿吗？对了，梅子没事的时候帮我收拾收拾我妈的房子。"常云啸索性把房子钥匙也给了梅子，自己可能很长时间不会回来了。

"以后等你发达了，不要忘了咱哥们儿呀。"每天嬉皮笑脸的竿狼竟然也哭了。

"干吗干吗？我又不是去刑场。大家都好好干，我们还年轻，能干出大出息的。"

飞机在轰鸣声中离开了北京，渐渐地看不到了城市的繁华，随后连块状的绿地也不见了，只能看到白色的空气和云在身边流过。这一离开，不知道什么时候才能回到这里了，因为这里不再有留恋的人和事，物是人非事事休。

刚到 S 市常云啸就病倒了，发烧躺在床上迷迷糊糊地不省人事。医生给他打了点滴，风铃日夜照顾着他，帮他换吊瓶。一连躺了三天，常云啸才醒过来，风铃靠在沙发上已经睡着了，看来很累了。

常云啸发现自己什么也没有穿，估计是为了上厕所的时候方便，但是这几日都是昏沉沉的，也不知道风铃是怎么摆弄他的。自己穿了睡衣去厕所，然后下楼去厨房找了面包，坐下来吃。风铃醒后跟了下来。

"怎么起来了，刚刚好点儿，还是回去休息吧。"

"不用了，我怕总躺着生锈了。"

"你一直都在发烧，真的挺吓人的。"风铃给常云啸热了一杯牛奶。"然后总在念一个人的名字。"

常云啸一振，一定是小雨。他抬头看看风铃，其实风铃应该算是很漂亮的了，只是有时候看上去冷冰冰的，还有点凶。

风铃看他没说话，也不好问什么，"这次回来是不是就不回北京了？想做点什么？"

"是要做点什么，舅舅回来了吗？"

"没有，现在应该在场子里呢。这几天设大赌局，要看场子。"

"好吧，我去找他，哪个场子？"

常云啸很不喜欢赌场的气氛，人的贪婪和侥幸都充分地表现在这昏暗的灯光下。而那几个超级豪华的包房里，人们都在挥金如土，几十万几百万一笑而过，这相当于多少小老百姓的血汗？又有多少孩子等待着哪怕是一点点的救济？

常云啸在监控室找到了舅舅。这个屋子是整个赌场的监控中心。这个"监"字呢，当然是观看各个角落的赌博秩序，比如有没有出老千的。至于这个"控"字嘛，其实是控制各个赌台的情绪，比如哪个赌台场内庄家应该放放水了，或者哪个老虎机应该出点钱激发大家的兴奋。

"病好点没有？"杨东靠在躺椅里，旁边的茶几上放着一杯红酒。

"好了，舅舅，我想跟你商量点事。"

"好啊，你坐。"杨东示意手下人搬沙发过来，"想跟我说一下你的未来打算？"

"舅舅真是料事如神。"

"其实我已经帮你想过了，你是我姐姐的孩子，那就是我的孩子，以后你就跟着我，这些赌场我一个人根本就忙不过来，你帮我打理，我就省心了。一会儿有一个三千万的赌局，带你开开眼。"

"舅舅，我还是不想跟您一起干，我想自己开创事业。而且我决定要搬出去自己找地方住，因为我不想因为依靠您自己变懒惰了。"

"怎么，你要走？你做什么事情都可以，跟搬家有什么关系？"

"每天有吃有喝，我怕我就变懒了，只知道依靠不退化成废物了吗？"

杨东喝了一口酒，看看他，"既然你决定了，我就不管了。至少告诉我你想做什么事业吧，看我怎么帮你。"

"舅舅，我还真需要您帮我，我想学做股票。"

"哦，这个东西我也在炒，国内的股市不是太景气我被套着好长时间了，想想几年前的大牛市那是很有赚头啊，你学一学也好，以后可以帮我管理一下资金。金融界的朋友我还认识几个，改日给你介绍认识。"

"不用，老师的人选我已经找到了，只是他现在还在监狱，我想把他弄出来。您给了我发展一百万本金，我愿意全部拿出来，算我的第一个投资。希望您能从中想想办法。"

杨东笑，"你这个投资倒是大方，全部家当赌一个人？"想了想，"事情倒也不难，既然是你的投资，那么你的账户我收回九十万，至于他出来之后，能不能帮你捞回本钱我可就管不到了。想不到你小子还真有赌性呀，是个成大器的料。"

纸 戒

潘国峰走出监狱的时候，常云啸已经在外面等了很久。潘国峰激动地拥抱他。

"好了，别肉麻了，咱们先去吃顿饭。"常云啸买了一辆小奥拓，带着潘国峰离开了这个全是铁丝网和栅栏的地方。

潘国峰看着面前的海鲜竟然哭了，那叫一个伤心，邻桌人直看过来。

"怎么了你？没事吧？"常云啸推他。

"我是高兴呀，好久没有吃到这么好的东西了。"

"嗨，瞧你这点出息，大青还欺负你？"

"后来没有，你走后对我也很不错。从今天起你就是我大哥，你花钱把我捞出来，以后我就是你的人了，你说向东就向东，你说向西就向西，小弟我听你的吩咐。"

"让你出去打架，就你这身子骨，还不够当补丁的，其实我有一件事求你。"

"大哥别说求字，"潘国峰嘴里吃着大海蟹，"你只管吩咐。"

"你别大哥大哥的称呼，我不习惯，我想跟你学炒股。"

潘国峰愣了愣，"你在里面不是已经学过了吗？"

"不是那么简单的那种，我想当股市里的老大。"常云啸倒是兴致勃勃。

"怎么，想当庄家？想操作股票？"

"是呀，就是那个操盘手，你不是说你也曾经在证券公司工作，也拜过师傅学做过操盘手吗？"

潘国峰一笑："就是想当操盘手呀，那好办，就先去练练打字吧。"

"什么，我不是开玩笑。"常云啸一脸严肃。

潘国峰擦了擦嘴，"我想吃鲍鱼。"

"行，只要你答应教我，吃什么都行。小姐点菜。"

"我是怕教了你，我海鲜就吃不上了。"

"什么意思？"

"操盘手的训练很苦，想做到顶级的操盘手谈何容易。以你现在的情况是很难训练出来的，因为生活太优越。就算训练出来你，你也会恨我，哪能请我吃海鲜呀。"

常云啸不在意，"什么苦我没有吃过？我也不是那种认输的人。你只管教，吐血我都不怕。"

"这么大决心？"

常云啸喝了一口酒，"跟你说实话吧，出狱后我发现女朋友被一个炒股票的基金经理抢走了，我哥哥和妈妈又是因为股票而去的。可以说股票让我家破人亡了，所以，你一定教会我。"

潘国峰打量他，"原来这样，好，我教你。"

于是潘国峰就和常云啸住进了一套半地下室，不管怎样也算是三居呢，一人一间，剩一间潘国峰说以后做操盘室。

常云啸打算就在这里开始学习，开始发展他的事业了。记得一年前哥哥说到股票时，常云啸还一点兴趣都没有，而今却要当做一种事业去学习。人的变化总是这样大，谁知道明日又是怎样的一个天地呢。潘国峰说想学习就要找一个监督人，需要比较铁面的那种，常云啸想了想就是风铃比较合适。

于是三人坐在客厅里开会。

"我曾经也想当一个好的操盘手，但是太辛苦了，以至于后来我不想学了，所以我就半瓶子晃荡。"潘国峰还是不停地抽烟。

"我的师傅将操盘手分为四种，第一种就是交易员，是真正意义上的手，不用有脑子只动手就可以，当然也要写市场分析报告。第二种是职业操盘，统筹某只股票的涨跌，运用反面技术使股民低位抛出，高位买进，实现自己的收益目标。而我也就学到这个阶段。"

"难道不是有钱就行了？自己低价买的股票，做高了卖出去嘛，反正自己是庄家，就你说了算。"常云啸插嘴。

"做梦，你拉高的成本呢？再说那么大的筹码给谁？能安全出货吗？"潘国峰不屑地笑了一下，接下去说，"第三层次就不仅仅是统筹一只股票了，而是要设计好某个上市公司的一段时间的发展过程，利用上市公司的一些消息达到低吸高抛，从股民中获取利益。实际上是虚拟意义上公司的股东，能力却不亚于公司的真正股东，长线投资甚至会运作五六年最终获得超大利润。我的老师就是这个层次了。"说完后好像略有所思。

"那第四层次呢？"常云啸等得着急。

"我也不知道，老师说最高层次就是统帅整个股市，运筹帷幄，就是股神了。"

"股神？要是能成为股神多威风。那你就从第二层次就是你那个层次

纸 戒

教我吧。"

"就你?"潘国峰用鼻子哼着冷笑道,"你连第一层都不到,先从小股民学起吧,去感受一下股市最基层的人们。"

"说了半天要我来做什么呢?"风铃突然问。

潘国峰笑了,"你是来监督这个事情的。如果真想学就不是开玩笑,这种严格的训练从精神到肉体都会受到打击,很少人能够坚持下来。可能到后来我也不忍心看他受苦。"潘国峰看着常云啸,"毕竟是他救出来的,所以请你来就是帮助我监督他。"

"有这么严重?"风铃转向常云啸,"我看你还是别学了。"

"说什么呢?"常云啸很正经地站起来,"我对天发誓,我一定可以学好的,你们谁也不许对我心软,只要能学好,刀山火海我都闯。"

"好,那我就尽心地教,可能别的老师会教的比较轻松,但由于我的老师是很残酷地教我,所以我也只能这样对你。"潘国峰也严肃起来。

"那我也不例外,常云啸我可是最严厉的监督,你不会有一点空隙的。"风铃说。

对常云啸来说,一生中都没有认认真真地学过什么,这次他是下了决心的。亲人不再有,恋人离去了,这个时候他才真正感觉到自己的一无是处,才想到应该去寻找自己的事业,自己的道路。

潘国峰深深地吸了一口气,看上去要做什么决定,"风铃,没收常云啸所有现金、储蓄卡、手表、手机和身上所有值钱的东西。我给你已经开了一个五万元的账户,从明天起你去证券营业部做一个小散民,也是从明天开始,常云啸你一个月只有三百元,一天十元,想花钱就要炒股去挣,账户比五万多的时候我给你提出来。资金每下跌百分之十,你就从卧室向外搬两米,直到搬出大门。"

"啊?"常云啸莫名其妙地看着他,"为什么没收我的财产?"

"啊什么啊?我现在就是权威,你有不同意见那我们就休息。如果想学从现在起你就只有执行我的命令,风铃会监督你。除非你不想继续学了,我们都省事。选择了操盘就不要想有退路,稍微的放松就前功尽弃,你所参与的是一个危险的行业,如果你身上揣着几十万零花钱你还会玩命地在股票中挣取生活费吗?你会一次次地原谅自己的错误,不会有半点长进,最后依然是一个废物。"

"是,明白了。"常云啸开始隐约觉察到这将是一个非常残酷的训练。

"每天做盘后日记，记录国家大事、政策导向、经济状况、行业变化和你每天的感受。什么时候能看懂大盘走势并开始连续赢利的时候，你就可以来找我学下一层了。对了，还有每天上涨超过7％的股票，要手绘前后各两周的K线图，一个都不能少。"

"可是你不教我怎么炒股，我怎么能炒赢呀？"常云啸不解。

"你赢不赢不管我的事，我要你做的就必须完成，不然你就放弃。股市很大，老师有很多，你也可以跟他们学。风铃怎么还不执行命令，没收他所有资产。从明天起，每天只能发他十元基本生活费。"

"至于这么严重吗？再说十元怎么够用，饭都吃不饱。"风铃有点犹豫。

"我说过选择了操盘就没有退路，如果你不想让他学扎实，你可以多给他一些，不关我的事。"潘国峰说完拿了两本书，一本《证券市场基础知识》，一本《证券投资技巧》扔给了常云啸。

这家证券营业部很是气派，粗壮的梁柱，落地的大玻璃墙，可以看到里面人来人往。常云啸已经进去了。

风铃和潘国峰在对面楼上的咖啡厅靠窗户坐下，不约而同地看着营业部那扇厚重的大门。走进那扇门的人都相信自己是进了一个天堂，进去之后才知道，这扇门也与地狱相通。在这个门里你可以从一个打工仔变成一个老板，也可以将你的养老金赔得不够买菜，更多的人是在天堂和地狱之间往返，始终不明白天堂和地狱不过一步之遥，并且乐此不疲。

"一定要这样严格吗？"风铃要了一杯柠檬汁，潘国峰要了杯咖啡。

"我不知道别人是怎样学的，但是我的老师是这样教我的。"潘国峰看着窗外似乎有所回忆，"其实这只是要让他牢牢地记住手中的每一分钱都至关重要，每一个计划都要精心不可以随意或者马虎，每一个结果都要负责无论是赢还是输，这样在他将来指挥亿万资金的时候才不会疏忽大意。你可知道运用资金好比打仗，经常是一个小小的疏忽就要付出惨痛的代价，甚至血本无归。"潘国峰看着风铃笑了，"另外，让他知道散民是怎样的一种投机心理，这对他以后当操盘手坐庄是很有用处的，做到知己知彼嘛。你是不是很心疼他，难道你对他……"

"再多说别怪我不客气。"说话的时候脸上飞了一层红晕。

"好，不说了。希望他能坚持下去。"

纸 戒

风铃不屑道，"你不要小瞧了他，我相信他一定能坚持下去。"她想了想然后问，"你后来为什么不做操盘，却去……那个。"

"什么这个那个，直接说诈骗嘛。后来我老师在一次坐庄后就被抓了，下落不明。其实师傅留下不少关系，完全够我用的，但是我没有动用，我想等我师傅出来。可是后来有人说他已经被秘密枪毙了，这让我心灰意冷，就想骗钱去国外了。"

"不好意思啊，我只是让你能好好教他。"

"放心吧，我是他从监狱捞出来的，不然我要等很多年呢。骗谁我也不能骗他，只要他能坚持，我会多少他就能学到多少。"潘国峰把剩下的咖啡一口喝干，"喝些咖啡可以清醒头脑。"

9

常云啸在散户大厅中游荡，这里的人没有以前跟哥哥去营业部的时候多，但是依然热闹得很。很快他就找到了几个股民中的核心人物，总是有很多人在问他们几个，好像他们就是权威似的。常云啸自然不会放过这样的人物，没话找话也要搭上腔，很快也就混熟了。其实股市中很多人是很好聊天的，只要你跟他聊，他很乐意的告诉你他的经验和经典的收益记录。当然失败的惨痛一般就不跟你说了。

像常云啸这样的能说会侃的人，跟上这几个老师，就是一群活宝。

白天他在散户大厅中晃，晚上写报告、看书、做日记，一干就是很晚。每天十元钱刚刚够吃饭的，更不用说买东西了，住那个屋子里除了桌椅和床以外也是什么都没有，为了看晚间新闻，还要到大街上的小买部门口去看人家的电视。虽然很辛苦，但是他觉得过得津津有味。

潘国峰每天都要检查常云啸的报告，每天都要电话查询他在交易所交易的情况，奇怪的是常云啸根本就没有交易。这样过了一个月潘国峰先绷不住了。

"你每天在营业部都做些什么？"

"聊天呀。"常云啸将酱豆腐抹在馒头上。

"聊天？你到股市不参与买卖股票吗？"

"机会永远有，但是机会是给有能力的人的，在没有能力前我不会盲目的去投资，这样至少我不赔钱。我去营业部了，晚上见。"常云啸吃完早饭走了。

等常云啸一出门，潘国峰哈哈大笑。

风铃莫名其妙地看着他，"怎么了你？"

"不愧是常云啸，真和常人不一样。我用了半年才知道的事情，他竟然一开始就明白。懂得珍惜资金的人，才能更好的运用资金，才能成为资金的主宰。他比我强。"

当晚常云啸在他的桌子上看到一张纸，是潘国峰写的：

第一条原则：千万不要亏损。

第二条原则：千万不要忘记第一条。

——巴菲特

常云啸把它贴在了床头。这是老师送他的第一样东西，当然要珍惜。

学习两个月，常云啸突然把潘国峰和风铃叫到一起，说自己可以通过第一关了。风铃说，真是这样的话，她愿意在肥牛火锅城请客，潘国峰也同意。

常云啸要了好几盘羊肉，这段时间里他天天吃糠咽菜，简直快馋疯了。潘国峰等他吃完了两盘羊肉之后才开始问他。

"你不是说你已经可以通过第一关了吗？我的第一关要求是看懂市场走势，进而能够预测市场方向。你能在两个月就理解了？而且你一次投资的记录都没有。"

常云啸不以为然，"天才是不需要用时间来衡量成绩的。其实你让我跟散民去学习，是另有目的。并不是要我去学习他们是怎样成功的，而是要我知道他们是怎样失败的，对吗？"

"小潘最开始的时候就是这样告诉我的。"风铃高兴地说。

"叫我什么？"

"潘老师。他说要你了解散民的心理其实就是为你以后坐庄打基础的。"

"那就对了，"常云啸继续大吃，"我渐渐地发现散民的投资方式基本

纸 戒

上是错误的。他们没有一个固定的投资方式，也没有自己的原则，多数靠道听途说在炒股，虽然也有人看指标，但是很少有人仔细研究，并且他们会不断地更换指标。而众多指标创建时的参数可能符合当时的环境，但是不一定适用于任何情况。"

"那么你在这两个月做了什么？我看你的日记中没有记录什么东西呀？"

"老师你看看这本笔记，这才是我研究指标的记录。我进股市听到的第一个指标是黄金分割理论。我用黄金分割的 1.618 的开方，可以得到八层系数，而运用这些系数就正好能算出指数下一个上升和调整的幅度。有很多人使用的是 1.618 除以 2、4、6、8，也的确可以分析一些情况，但是准确率远远低于开方。"

潘国峰笑了笑，记得当年师傅跟他说用黄金分割计算市场规律的时候，他足足用了半年才发现中国股市与黄金分割的开方参数的关系，从 1.618 连续开方得到 1.272，1.127、1.063、1.032……共八个参数，又分为小、中、大三个级别，以此来计算市场不同级别上涨和下跌的支撑和压力位置。例如中国著名的井喷行情 "5.19" 指数从 1048 点开始上涨，乘以参数 1.618 得到 1695 点，而在 6 月指数收盘在 1690 点然后开始调整，以当月高点 1756 点除以参数 1.272 得到预测支撑位置 1381 点，指数在 6 个月后收盘 1367 点，而从这之后又是牛市的上涨。以此类推，就可以计算出后来 2170 点的大顶和 1380 点的底部，以及 2004 年 1737 点上方出现的顶部大调整和 2005 年 1101 点的强力支撑。同样可以预测中国股市在落大底后会出现三年上涨行情，而上涨中 2564 点、3860 点和 5530 点将成为重要阻力，其原因都因黄金分割。

常云啸的日记中竟然是在一个月的时间里计算了这些东西，莫非我潘国峰遇到了一个股市的奇才？

潘国峰把笔记合上，"写了这么多我也没有时间看，不过别为这点小成绩就沾沾自喜了？还搞明白了什么？"

常云啸见得不到潘国峰的赞扬，干脆转向风铃说，"我还发现，散民所看的很多用来炒股的参考依据，都是骗人的。比如成交方向、买卖盘的大小、内盘外盘的计算等等都有漏洞，都是可以做假的，至少我都能想到做假的方法。如果庄家在这些数字上做假，散户的很多理解或者叫理论就背道而驰，可以说他们的理论基础是建立在一些虚假信息上。"

风铃听得聚精会神，潘国峰也暗自点头，但是嘴上依然说："聪明人都知道股市上的信息是假的，要不大家不就都挣钱了吗？所以进股市之前你就应该明白这点。"

　　"我还发现，任何指标的根本在于研究人类的心理问题。如果世界上的财富是二、八分的话，那么人类的心理也是如此，有80%的人是正常心理获得了20%的获胜机率，却被20%的逆向心理拿走了80%的获胜机率，所以如果你的心理和正常人相同，那么你获胜的机会就只有20%了。再有K线的组合与美术的图形组合有很大的联系，就像在画一个图，按照美学的原理……"

　　潘国峰真后悔自己怎么没有学过美术，也许真的可以帮助自己对K线走势图的理解。"好了，别说那么多了，还是先吃饭吧。风铃呀，你来决定吧，看他是不是能通过第一阶段学习。"

　　"我看呀，还可以吧，还算是挺认真的，我看就算过关了吧。"

　　"既然风铃这么说，就算你勉强过了第一阶段，当然你的记录我还要看看如果不合格还要从头开始，我还没有考你背下来多少K线实战图呢，算你运气了。那么第二阶段，我要求你掌握个股的投资方法，你想怎么做？"

　　常云啸一副胸有成竹的劲头，"我要开始投资了，你就看好吧。是不是你说如果我挣到钱，就可以提出来花掉？"

　　"是。但是你也要记得，如果本金损失10%你就向外搬两米，你睡觉的地方距离大门只有五米，也就是说下跌30%的时候你就只能睡在门外了。"

　　常云啸知道潘国峰嘴上不说，但是心里已经认可了他的分析方法。他用从饭里省出来的钱和在对面公司收报纸卖的钱买了几本股市方面的书，潘国峰看了很高兴，竟然买了一台笔记本电脑给他，可以通过无线上网看到股市和其他金融市场的走势。常云啸如获至宝，因为很多指标和图形要一点一点地去研究，平时只能在证券公司跟别人抢电脑用，现在终于可以随时观察股市走势。

　　风铃每天在舅舅那边晃晃，没有什么事情就过来看看。潘国峰知道风铃喜欢常云啸，他也不管什么，因为他知道女人在一定程度上对男人有激励作用。这个世界虽然说是男人创造的，但是创造出来还不是为了

纸 戒

女人享受的？就像女人为什么要打扮漂亮一样，漂亮还不是为男人看着舒服而打扮的？所以这个世界男人和女人是分不开的，相互依赖，相互激励和制约。

经过几天的分析，常云啸决定投资了，第一个看中的股票是山东机械，在平台出现了成交量逐步放大，价格并没有立刻上涨，应该是一个平台准备突破的走势。利用指数分时走势中的多空指标，判断出一个低点，买进，动用了50％的资金。静静地等待了两天，终于有了收益，平台突破后价格迅速上涨。上涨了13％的时候，常云啸卖出了。结果连续几天竟然上涨到21％，令他着实很后悔。

回来后，春风得意地给风铃讲这次投资的经历，并要求潘国峰不要把赢利的资金提出来，愿意做更大的投资。

"是不是他真的学得很好了?"风铃问潘国峰，在她的心目中，常云啸越来越伟大了。

潘国峰看看常云啸那屋关闭了的房门，有灯光从门下透出来，这段日子那个灯光总是很晚很晚才熄灭，的确是很辛苦在学习着。

"他的苦日子即将开始，下一只股票他会全仓买入，一旦出现亏损就会像那些散民一样成了赌徒。这是每个投资者必定要经历的阶段，只是一般人可以不长记性，但是他想成为操盘手，就要牢记这难忘的打击。我的话你不要跟他说，你不要想帮他，现在帮他就是害了他，他必须自己去体会，去牢记这些教训。"

"好，我不会说的。我相信他会很快明白过来的。"

虹桥机场的走势是标准的 W 底突破，形成完美的上升通道。常云啸在价格跌到通道下轨时全仓买进，第二天就从下轨开始反弹，两天得到7％的收益。常云啸淡淡一笑，炒股不过如此，准备在通道上轨卖出就可以了。为了奖励自己，还买了点猪头肉，晚上卷大饼吃。

但是价格没有按想象的直冲上轨，而是在第三天就突然下跌了5.2％，常云啸有点慌了，应该不会有问题吧，毕竟是上升通道，再等等看吧。谁想第四天就向下跌穿了通道的下轨，而后连续几日就下跌了11％。每天常云啸都在想应该反弹了，但是每天都不像他想象的那样发展，最后当他发现想再挽回损失已经晚了的时候，才不情愿地割肉跑掉。幻想，人们总是生活在幻想中，股民更是如此，多数的股民是没有纪律可言的，虽然他们在买入股票的时候会看技术分析会看基本面分析，但是一旦持有股票就变成了感情用事。要知道，人类的感情是最不可依赖的，所以才需要纪律去约束。

潘国峰站在门厅里，"常云啸，不用我说什么了吧？"

常云啸不吱声，搬了被褥睡在门厅里。第二天早晨风铃来给他发十元钱的时候，他已经去营业部了。

"真的睡地上了？"风铃看着地上的铺盖。

潘国峰点点头，"我说过，他的苦日子就要开始了。接下来他会像赌徒一样了，疯狂地换股票，失败的次数也要增加了，我相信很快他就要睡在楼道里。"

"啊，你真的要让他……"

"这就是教训，做赌徒的教训。我记得他说他哥哥跟他讲过，炒股是一种艺术而不是赌博。他哥哥说得没错，但艺术只适合于投资大师，对股民来说永远都只是赌场。对常云啸来说必须从普通的股民心理中走出来，他的目标是要做大事，应该去体会股市的艺术。为了让他牢牢记住这些教训，让他受点刺激是值得的。常云啸那么要强，不知道能不能承受。"

风铃点点头，出去了。

风铃犹豫了很久，最后还是决定去营业部看看。在散户大厅中转了一圈并没有看到常云啸，有些失望。出大门的时候看到常云啸原来坐在一辆自行车上抽烟。

"你什么时候抽烟了？"风铃把烟抢了过去。"你不在里面在这做什么？"

"又下跌了 4％，我全卖了，听别人说东方科技不错，就进去了，现在也不知道怎么样了，听天由命吧。"

"什么叫听天由命呀，你不是要靠分析吗？"

常云啸苦笑，"他潘国峰上下嘴皮一碰教我什么了？就教我怎么记日记吗？小学老师都会，我要学的是精华，跟这些股民我能学出什么？"

"那你自己也要好好学呀。"

"我自己学，都已经睡门厅了，我还要去跟谁学？"

常云啸的眼睛里都是血丝，很显然昨天晚上就没有怎么睡。

纸戒

"你要是想放弃，去跟潘国峰说不学了大家都好过。另外，不许你再抽烟。"风铃狠狠地说。

　　"你算我什么人，管我？"常云啸从兜中掏出一包烟，一甩手丢到了地上，自己气呼呼进了营业部。

　　风铃站在那里，感觉眼泪就要流出来了，赶紧戴了墨镜，坐进车里。眼泪扑簌簌地从墨镜后落下来。是呀，我算他什么人，干吗要这样关心他。每天总是想看看他，虽然见到他也不知道说点什么好，却总想听到他的声音，即使他说话从来没有温柔过。

　　潘国峰的判断没有错误，常云啸连续地换股票，资产也在不断地下降。坚持了一个多月，常云啸终于抱着电脑和被子站在了门外。门在身后关上，常云啸突然有一种很失落的感觉。按照潘国峰的性格是不会开门的，现在已经是黑夜，常云啸把被子放在门口，背了电脑包从地下室来到地面，天上看不到星星也看不清月亮，好像有云在空中。

　　常云啸坐在楼群中的花坛上，花坛中开着不知名的小花，还有很高的杂草，好像许久没有人整理了。身边有情侣走过，很依偎的样子，窃窃私语着。也有中年妇女牵着狗，往汽车轮胎上撒尿。

　　不知道为什么，很想哭。为哥哥、为妈妈、为林晓雨还是为自己？说不清楚。一切生活是那么平静，在瞬间就毁灭了。毁灭的根源是股票，要是哥哥当年不去炒股……而现在呢，自己却也在步哥哥的后尘，而且输得很惨，只能睡在门外。

　　为什么？为什么自己要承担这些？就为了给哥哥报仇，找出操纵股市的内幕？还是因为林晓雨嫁给了一个基金经理？我可以跟着舅舅闯荡江湖，每天大把的钞票，尽情地挥霍。为什么自己却要睡楼道，全身上下不过四十元钱，还是用了三个月积攒的。为什么自己要选择一条最艰苦的道路。股票是什么，不过是一张纸，一个数字，一个符号，难道要把自己的生命卖给股票？所有的失去在于执著，执著的背后就是迷茫，难道我是被股票蒙蔽了？

　　天气温和，但是常云啸感觉到一丝寒意。潘国峰是师傅，但是从来也没有告诉我应该怎样做，全靠我自己体会，结果还不是头破血流。而现在是骑虎难下，说了决不放弃，又怎能开口说停止。

　　常云啸咬了咬嘴唇，今天的市场分析还没有完成，既然自己选择了股票，就一定要做好。到地下室，发现被子上有一张纸条，是潘国峰写的：

1. 心浮气躁跟赌徒有什么区别？
2. 5万资金炒6只股票，这样能规避或分散风险吗？
3. 全仓买进之后你的后续资金在哪里？
4. 投资的时候没有分析报告，你是在学操盘吗？
5. 做个股却忽视整体市场趋势，每天的分析报告起什么作用？
6. 做错的时候没有详细记录，何时才能长一智？

明天清仓，市场要开始调整，大概有半个月的时间，这期间，你就好好在外面反省。

常云啸坐在那里发呆，潘国峰说的一点都没有错，虽然以前总结了一些方法，但是现在自己炒股票一点章法都没有了。第一个投资失误之后，就开始混乱，而下一个股票买点的错误就使自己处于被动，更是手忙脚乱。为了急于追回自己的损失，像赌徒一样不停地换股，使得投资没有分析没有观察。而错误的增加会导致心态变差，侥幸心理严重膨胀。自己甚至去向散户打听小道消息，想以此来翻身。是呀，我怎么会犯这样的低级错误，总觉得自己会比散户高明，看来我也没有逃过散户的心理。潘国峰的观察还是很厉害的。

常云啸把纸条收好，找楼道的角落靠墙上把被子盖在身上，虽然是秋天，但是还不算太冷。迷迷糊糊地睡了，不知道过了多久，恍惚中有人碰他。睁眼没有看到人，低头看竟然是耗子。这下把他吓得不轻，耗子跑了，睡意也没了。他想想干脆去一楼睡，地下室毕竟潮湿阴暗，谁知道一会儿还会有什么。上到一层才发现外面下雨了，小风从楼门吹进来还有点寒意。

常云啸裹着被子靠墙边坐下，有点冷，再蜷缩一点，胳膊上起了鸡皮疙瘩，要用手不停地搓才能感觉暖点。刚才出来的时候没有想到会下雨，现在潘国峰大概也睡了。听着外面的雨点声，不觉中又想哭。是承认错误还是觉得委屈？大概这就是秋天的心情吧。

忽然外面传来急促的脚步声，踩在雨地上啪啪地响。常云啸赶紧站起来，这样让人看见很丢人呀，但是马上又坐下了，现在也没有地方躲，还不如把被子蒙头上呢。

纸 戒

于是蒙了头，向墙角团了团。脚步声进了楼门，在他前面停下。常云啸明白了，是风铃。慢慢地站起来，拉下被子，风铃站在面前，身上已经湿了，有雨珠正从秀发上落下来。

被子拿下更加觉得冷了，常云啸倒吸了一口气，"你来干什么？笑话我？"

风铃盯着常云啸，突然落泪了。

"你，你怎么了？"常云啸慌了神，不知道该做点什么。风铃比常云啸大，总是像姐姐一样照顾着他，很细致很体贴。常云啸也知道风铃对他好，但是不知道为什么总是喜欢气她，冷嘲一下、拿她开个玩笑，或者埋怨两句。男人真是贱，越是对自己好的女人越是不当回事，而越是得不到的女人越觉得珍贵。但是当风铃的眼泪落下的时候，常云啸后悔了，他知道风铃分明是关心他，知道他睡在外面又看到下雨了才这么晚赶过来，自己却用那样一种口气。

"我，我知道你怕我冻着，所以……我错了，你别哭了，是我不好，我只是想开个玩笑，其实……"常云啸抬手想帮她擦擦。

风铃一把抓住常云啸的手就往外走，常云啸叫她，她也不回答。两人穿过雨地，进了她的大别克吉普，风铃一把抱住常云啸，常云啸被这突然的一幕搞呆住了。风铃启动了车，两人什么话也没有说。

常云啸其实早就知道风铃喜欢自己，风铃的确是个好女孩，可能是因为自小就是孤儿的缘故，她很会体贴人，长得漂亮，身材好，还有一身的好功夫。走在大街上回头率是相当高的。但是在他的心里，她更像是个姐姐，而且他的心里还有一个人，就是林晓雨。

林晓雨，你会在哪里？现在的你是不是已靠在别人的怀抱里，静静地睡着。在梦中有没有我的身影，有没有我的声音，知道我在呼唤你吗，已经千百遍。

车到了风铃住的花园小区，直接进了地下车场，然后两人乘电梯上楼。一路上都是风铃在前，常云啸在后面跟着，两人默默地走。

风铃住的地方很宽敞，四居室，看上去应该有二百多平方米。门厅很大，至少有六十平方米，屋内的摆设很简洁，感觉很明快，很像风铃的性格。雨好像更大了，可以听见打在窗户上的声音。

风铃从厨房出来，端了一壶热咖啡，给常云啸倒上一杯，自己喝一杯。两人还是什么也没有说。

一壶咖啡都喝完了，风铃站起来，"你睡那间吧。"

"哦。"常云啸站起来，向那屋走去。

走到门口的时候，风铃突然从后面抱住了他，把脸贴在他的后背上。常云啸不知道应该说什么，只发现自己的心跳在加快。

"你真的不知道我对你的感情？"风铃的声音在哭。

常云啸慢慢地转过身，坚强的风铃，一个晚上常云啸竟然看到她两次流泪。

"你在监狱的时候，我就开始喜欢上你了，每天我都在想你会缺少什么，每次去探视我都是第一个到那里等着，就是想早点看到你。我不知道自己为什么这样。你现在学炒股票，被潘国峰搞得那么惨，却偏偏要我做监督，你知道每天我的心是怎样难过吗？看着你慢慢地瘦下去，看着你被赶出家门……"风铃靠在常云啸的胸前哭泣道。

"我知道，但是我有，我有……"

"你有女朋友是吗？她走了，你还不明白吗？她已经嫁给别人了。"

对啊，她已经嫁人了，嫁给一个投资公司的经理。四个月，短暂的四个月，就结束了本以为可以永恒的爱情，而这份爱情又是那么刻骨铭心，以至于在它离开的时候留下了深深的血痕。常云啸鼻子一酸，泪水流了下来。

风铃抱住他，用舌尖轻轻地舔掉他流到腮下的泪珠。常云啸心中一颤，低下头看见风铃闭了眼，红唇微启，泪痕还在，让人泛起一阵爱怜。常云啸吻住了她，让双唇相依，让口舌纠缠。彼此可以感觉到心跳，感觉到呼吸，感觉到温暖的手的抚摩。

风铃推着常云啸退到床边，两人相互脱去上衣，然后继续热吻，对方的耳鬓、面颊、脖颈、锁骨、胸口。风铃将常云啸推倒在床上，解去腰带，把头埋了下去。常云啸轻轻地哼了一声。

膨胀，男人特有的占领欲望在膨胀。常云啸把风铃拉起来，想把她压在下面，但是风铃又一次将他推倒，自己压了上去。

疯狂，女人幸福中的一种无法形容的疯狂。美丽的曲线在空中颤抖，秀发伴随愉快的呻吟飞舞起来，是那样优美。风铃的身材实在是没得说，由于练武几乎没有赘肉，皮肤微黑显得非常健康。常云啸抚摩着她的身体，慢慢闭了眼，感受着暴雨般的激情。

纸 戒

风铃躺在常云啸的胸口上，一只手指挑逗着常云啸的乳头，"你，是不是觉得我很疯？"

常云啸轻轻亲她一下，"没有。"

"也许你不喜欢我，但我不在乎，让我慢慢地爱你吧。"

"我，我会对你负责的。"说完了常云啸自己暗自嘲笑，负责，负什么责？怎么负责？男人总以为自己能把握一切，总以为自己可以去保护别人，但是实际上呢，能决定什么，能担负什么？多少人曾经说过爱你一生，但是携手到白头而依然爱恋的有多少？说出一句负责，真的知道什么是男人该承担的责任吗？

风铃听了还是很满意地笑了，在常云啸的脸上蹭蹭。

"其实你不用去学什么股票了，你不是想过开酒吧吗？我可以出钱你来开，我和你一起经营不是挺好的吗？学股票搞成现在这个样子。"

"我不会半途而废，我不能让哥哥和妈妈死得不明不白，我一定要比那个唐浩强。"

"潘国峰他教你什么了？这样的师傅我也能当，就是让你自己总结呗，跟你自学有什么区别？"

常云啸停了停，显然是不知道说什么好，"这个我也不知道，其实我也没有看过他做股票。"

"你可别忘了，他以前可是诈骗，你说会不会……"

"应该不会……不过我哥以前账户上的三十万都由他掌管呢，只划过来五万给我做股票，你说……"常云啸也开始有点犹豫。

风铃欠起身，"结果你在那里吃馒头咸菜，睡楼道，他没准在那里花天酒地呢。"

"那倒没有，至少我每次回家的时候他都在家，好像他很少出门，吃得最多的也是方便面。当然我跟他说了，没钱就在那几十万里花。"

"干脆明天把钱要回来，咱们不学了，做点买卖都行。"

"这个……我还是想学……"

就这样两个人嘀咕了半宿也没有搞个结果，看看早已经后半夜，决定过几天再说。两人相拥着睡了。

第二天上午，风铃送常云啸回去，竟看到潘国峰靠在楼前的长椅上晒太阳。怀中抱了一个文件夹，戴了墨镜跷着二郎腿躺靠在椅背上，一副悠然自得的模样。由于昨晚下过雨，现在的空气很新鲜，天上没有了云，可以看见蓝蓝的天空，阳光暖洋洋地晒在身上。

常云啸让风铃先走了。然后自己走过来，"师傅，我……"

"风铃走了？别站着，坐。"

常云啸坐下，不知道说点什么好。还是潘国峰先开口，"其实你已经不想叫我师傅了，你还是来做我大哥吧。"

"不是，我没有这个意思。"常云啸被人猜到了心里。

"你会想，潘国峰教我什么了，所有的东西还不是我自己学的？"潘国峰叹了一口气，"当年我也是这样恨我师傅的。但是后来我知道了，这段开发自我的经历对后来的我是多么的重要。我可以告诉你一种方法，但是运用方法的时候，根据你的理解就会演变出不同的变式。就像武侠小说一样，教你一招，你可以变换出很多招式，依靠的就是理解。孔子徒弟三千，得意的不是就七十二个吗，同样是教书，就有学出名的也有学不好的，不是老师有差异而是不同的学生有不同的理解，悟性高的学生就学得好一些，悟性不同的学生得到结果也不同罢了。而你，现在就是在积累你的理解，开发你的悟性。其实我也不想体罚你，但是一个痛苦的环境可以使人记忆得更加深刻，太舒适的环境只能埋没人的斗志。"

"师傅，我没有不想学下去，昨天我……"

潘国峰抬起手阻止了常云啸的话，"是你叫我师傅，还是我叫你大哥，你看过这个之后再决定。"说着把文件夹递过来。

常云啸打开，里面是厚厚的一沓股市流水对账单。常云啸翻了翻，突然看到了香正基金的名字，"这是什么？"

"看看用户名，这是鸿雁公司参与香正基金炒作的证据。鸿雁公司你知道吧？"

"我，好像听着特耳熟。"

"耳熟？只是耳熟吗？公司投资经理叫唐浩，不久前在澳大利亚度蜜月吧！"

常云啸的头嗡的一下，唐浩！怎么会是他！夺去了心爱的林晓雨，夺去了他的希望和憧憬。竟然又是唐浩！鸿雁投资公司炒作香正基金，投资经理就是唐浩，那哥哥的死就跟他有着不可推卸的关系！

常云啸把牙咬得咯咯响，双眼瞪着那些对账单，就像要把它吃下去似的，从牙缝里狠狠地挤了两个字："唐浩！"

纸　戒

潘国峰拍拍他的腿，"你让我帮你查香正基金，我算给你个交代。至于你学不学操盘……"

"我学！你别说了，再苦再累我认了。"常云啸将手中的档案重重地摔在潘国峰手中，自己回地下室了。

潘国峰扶了扶墨镜，靠回椅子中，仰头躺在椅背上，让阳光照在脸上。透过眼皮，可以看到一片血色的红光。他知道，在常云啸的心中也有一片血色的红光，并且带了血腥的味道。很多人见了血色之后会产生兴奋，潘国峰相信，常云啸也不例外，这个血色留在心中，将是最优质的兴奋剂，会激发出人体最强大的力量。

潘国峰深深吸了一口气，嘴角泛出一点笑意，为常云啸？为自己？还是为了什么？

从那天开始常云啸更加刻苦地学习，与其说是学习不如说是自己磨炼自己。

每个金融政策的出台都要累读多家分析，然后自己写出分析报告；每个指标的测算理解都要有上百只股票的验证；而每个指标的参数都要经历上百次的模拟测试。在短短的两个月内，他得到了很多有价值的方法和数字。甚至让潘国峰都觉得惊讶，不禁也用这些方法进行了偷偷的测算。例如：21、68、123日均线的支撑压力运用；TRIX参数9在基金炒作中的重要作用；MACD中DIF线过0轴的运用；PSY参数5与17在数值0与100间的风险防范；跌停板成交量的研究等等。很多人炒股一辈子大概都不知道去测算点什么东西，很多人想要得到一些经典数字，研究多年也不一定有收获。但是常云啸做到了。

常云啸将哥哥当年留下的日记本翻阅了无数遍，那是哥哥的操作记录，记载了每一次买卖的原因，分析了成功与失败的各种因素，计算了每种方法的平均收益和成功率。这是哥哥留给他的财富，也是动力。每次看到这本日记，常云啸都感到哥哥就站在身边，都感到自己所从事的不是一个爱好、一个冲动，而将是一个事业，是一个不可推卸的责任。

天气已经很冷了，进入冬天的S市可不比北京暖和，潘国峰叫常云啸住到屋里，常云啸说死也不回去，说自己一定要尽快完成第二阶段进入第三阶段。风铃也来试过，好说歹说生气掉眼泪什么高招都用上了就是不能让常云啸回到房间里。常云啸索性在楼道的角落里用大纸盒垒了一个窝，自己就躲在里面。

一天，风铃发现常云啸脸上有血，询问才知道竟然晚上有人过来抢东西打架。如果一个衣衫破旧蓬头垢面只吃馒头咸菜的家伙，竟然还抱着一个笔记本电脑，被抢劫好像真的不是什么新鲜事。这下还真急坏了潘国峰和风铃，商量了一下，唯一的办法就是尽快让常云啸进入第三阶段的学习，开始坐庄！

10

有人碰纸箱，常云啸下意识地握住了木棍，同时摸了摸笔记本电脑。

外面传来潘国峰的声音，"快出来吧，今天有大事要做。"

常云啸从纸箱堆里爬出来，"今天是周日，股市应该休息才对，什么好事，请我吃饭呀？"

"还真要请你吃饭。进屋，今天有重要的事情去办。"

重要事情？常云啸抱了电脑，跟进屋，迎面就是一桌丰盛的早餐。风铃坐在那里，正笑眯眯地看着他。"哇，这么丰盛，算你们请客，我可出不起钱。"

"别贫了，快去洗手吃饭，然后洗个澡，你的屋里有一身西装穿上，出去把头发剪剪，中午可以睡一觉，下午一点我们要出去办正事。"潘国峰催他。

"哦。"常云啸也不洗手了，坐下就吃，说真的，好长时间都没有吃过这么好的东西了。

"你忙什么，慢点。"风铃说。

潘国峰也坐下，"你从明天起进入第三阶段的学习，就是开始跟我坐庄。这并不代表你第二阶段的学习过关了，但是考虑到出去办事要体面要有精神，所以从今天起你搬回屋住。风铃你把没收他的手机信用卡什么的还给他，可以解冻了。"

"真的！要开始坐庄了？"

"嗯，不过学习还没有完，白天你跟着我，晚上要照常完成第二阶段的练习，你现在对个股的走势还没有感觉呢。"

"是，师傅。"

吃饭洗澡理发后的常云啸站在风铃面前，真的让她心动。她将常云啸拉进屋，一把搂住他的脖子。

"你想我没有？"

常云啸双手揽住她的腰，"想，我怎么不想。从今天起我不是又自由了吗？我们就可以在一起了。"

风铃把脸深深埋在他怀里，闭上眼感受他的心跳和胸口的热量。

常云啸看着对面的镜子，里面的自己好像有点茫然，我在做什么？我和风铃算是恋人吗？真的爱她吗？如果不是那又算是什么呢？是一种生理的需要，还是林晓雨的替代品？这对风铃是公平的吗？从风铃那天晚上的表现看，她并不是纯洁的那种，知道的比我还多，那么她的过去是什么样呢？她对我究竟是什么态度，对爱情又是什么态度？现在的她可能说是爱我的，那么明天呢？我们是要共同建立一个家庭，还是在为各自的生活添加色彩，弥补空缺？

"好了，我们准备出发。"潘国峰看了看大家的装扮，很满意，"今天我们去谈生意，也很可能是抢生意，如果抢到，我们就可以坐庄了，而且收入是个天文数字，所以你们两个必须完全听我的。第一，你们的身份是司机和秘书，谈不下来咱们就动手抢。第二，你们什么话都不要说，听我一个人的就够了。"

常云啸和风铃都点头同意。三人走出地下室。虽然天气已经冷了，但是在阳光下依然是很舒服的。

也许在冬天结束之前，我能真正学会坐庄，常云啸想。

今天天气不错，阳光充足，照在高楼上都显得有点耀眼。也不知道是不是心情的缘故，常云啸总觉得前些天一直是阴天，而今天才出太阳。租的是一辆奥迪，擦得乌黑瓦亮，常云啸现在穿了西服戴上墨镜开着车，好久都没有这样威风了，几个月以来自己好像就在地狱中生活一样，今天总算见到了天日。

风铃坐在旁边，穿了一身红色的职业装，戴墨镜的样子很酷。常云啸看了觉得很好玩。这段日子里，风铃对他的体贴他是能够体会到，谁又能想到这个很强硬的女孩也有很温柔很温柔的那一面呢。虽然对他要求很严格，一丝不苟地执行着潘国峰残忍的训练计划，但是每一个细小的环节她都安排得很妥当。还有那个晚上……谁又会想到她会是那么需要激情的一个女人呢？而现在她的脸上看不出一丝表情。

潘国峰坐在后座上闭目养神。他穿得很随便，是一身深蓝色运动服。闭了眼，鬼晓得又在想什么事情，常云啸觉得他的大脑中好像随时都在算计着什么似的。在他的大脑中保存和产生的物质，不知道要用"智慧"来形容还是用"阴谋"来形容更好些。

车到富甲大厦停下来。有礼仪小姐等在那里，三个人由礼仪小姐带着坐进了恒安投资公司的会议室。一个年轻人已经在那里等候。

"潘先生，好久不见，请坐，我们李总马上就到，小姐倒茶。"说完年轻人出去，很快带了一个老总样子的人进来，看来是那个李总。

"哎呀，小潘，"这个李总好像和潘国峰很熟，哈哈笑着走上来握住潘国峰的手，还很不愿意松开，上下不停地晃。"快坐，快坐。"

潘国峰坐下，常云啸和风铃站在他后面。李总看了看他两个，好像有点犹豫，有话没有说。

"没有关系，李总，这两个人是我的司机和秘书，自己人，您有什么事情尽管放心说。"

"哦，其实你从里面一出来，大家就有耳闻了，听说是杨东使的劲，你小子真是神通广大呀，要不是一直事情很忙，我早就登门拜访了。不知道你现在在哪里高就呀。"

"既然李总知道我和杨东的关系，还要问那么多？"潘国峰喝着茶连眼皮都没抬。"李总，我们还是说正事吧。也许您不好意思说，那么我来说说，您看看对不对。

"恒安投资公司这几年在投资领域中过得不错，去年在东方贸易、航天科学、华北油气、山西供电四只股票上得到了巨大的利润，然后又暗地吞并了其他几个小投资公司，现在您这里的资产应该在三十到五十个亿吧？从个股的持股股东上看，我统计出目前您至少有五只股票投资在流通股的10％以上。而其中一个你用不同的投资公司买入合计应该达到……"潘国峰抬眼看着李总，伸了伸手指。

"你是说超过了7％？"李总很专注地看着他。

纸 戒

潘国峰笑了，"李总呀，我人都到这里了你还想跟我打马虎眼，我们怎么合作呀？70％左右，猜对了吗？"

李总坐在那里不出声，潘国峰也不继续说，又端起茶杯慢慢地喝。会议室里静静的，除了墙上大摆钟的摆动声音，就是潘国峰喝茶的吮吸声。常云啸觉得呼吸都要轻声了。

李总有点熬不住了，干咳一声，"咳，看来潘老弟对我们还是比较了解的，做过一些调查哦。这次我是想请你做 S 市地区的投资经理，负责区域操盘，你看如何？"

"我才不做你的什么狗屁区域经理呢，我只关心这只股票，要做就做这只票的总操盘，其他我不感兴趣。"

"潘老弟的胃口很大呀，一上来就想要我的老底。你觉得我会给你吗？胃口太大可是要消化不良的呀。"

潘国峰轻轻叹了一口气，将茶杯放在桌上，"李总，是不是最近这两年挣钱多了使你的脑子出现问题了？"

李总的脸一下就沉了。

潘国峰并不在意，继续说："你在这只银丰发展投下去的资金大概占你总控制资金的近25％吧，价格已经在三十三元了，你能告诉我你现在怎么出货吗？出不去了，因为你剩下的资金全都在其他股票上占用了，你已经拉升不动了，可惜的是你不拉升就没有散户跟，你告诉我你想怎么出货？"

李总满不在乎地笑笑，"你对这个票如此了解，我真的很佩服你。但是要我找到现金还是有办法的，我可以拿其他股票去抵押贷款，也可以直接将银丰发展转卖给其他投资机构。"

"一般抵押是一半，花十个亿就抵押给你五个亿。但是三十三元的价格，业绩不到两分钱，您觉得哪个金融机构愿意抵押呢？总不能找高利贷吧？就算某个典当愿意抵押出三个亿，您把价格推到四十，那又能怎样，有多少跟风？不是依然出不了货吗？如果没有猜错，您手上应该将近四千万股的数量，成本在十五元左右，您怎么整体转卖？谁买过去都要考虑获利和出货，二十元转卖都不一定有机构愿意买，就算有人买，你耗时近两年做的股票就挣五元，才 30％ 不到，算上其他成本费用，银行利息您就没多少收益了吧。劳累半天收益个两三万，您不怕给同行当笑柄？"

"好，好，潘老弟就是厉害。那么这样，聘你做我公司投资部副总经理，专管银丰发展这个票，怎么样？"

潘国峰摇摇头，"我说了不做你的什么职务，那样我就得不到我需要的报酬了。我们的关系简单一点，我做总操盘，我给你创造利润，你给我利润抽头。"

"你能给我的利润是……"

"你现在全卖掉预计可以收益六个亿，但那是个数字，卖不出去那就永远是一个空的数字。我可以让你在半年之内真真实实地收获十个亿。"潘国峰自信地说，常云啸在一旁暗自咋舌。

"那么你的抽头是……"

"不多算，八千万。"

"不可能！"李总大笑着站了起来，"我是看得上你，让你来帮个忙，像你这样狮子大开口我还是头一次见到，请回吧。"

潘国峰并不站起来，慢悠悠地从衣服里掏出一个小录音机，"您还就要用我了，您说这个录音机要是在证监会里出现会是什么结果呢？受审查？交易冻结？股票恐慌下跌？利润出现漏洞？即便没有查出操作违规，等允许你交易的时候，亏损已经成为事实，为了弥补漏洞会抽调其他股票的资金，而参与的其他股票也会连带下跌，证监会会再来查。记者得到这个录音会写什么呢？黑庄还是黑幕？您这个总经理的位置……"潘国峰晃了晃手中的录音机，放回到兜里。

"你……保安，给我抢！"李总真的是恼羞成怒了，先一步扑了上来，门口的两个保安和身边的小伙子也随着扑上来。

常云啸一拳将李总打倒，站半天了也该活动活动了，迎着保安上去没两下已经将他们摔到桌子后面爬不起来了，风铃踢翻了那个随从，将李总按在桌上。

潘国峰这才站起来，坐到李总面前，"要不是当年我师傅给你打下江山，你现在也不会这样风光吧，结果我师傅去坐牢你却踏踏实实的在这里享清福。我并不是怪你，人各有命富贵在天嘛。但是这件事，本来你吃肉我喝汤大家都赚钱的事情，干吗非要搞得这么狼狈？这里有我起草的合同，签上字，明天我就给你打工。不签也不勉强，出了这个门我就去证管办，然后也许能在监狱大门口等到您。"

"好好好，我们都冷静一下好吧。"

纸　戒

潘国峰示意风铃将李总放开，扶起一把椅子，李总重重地坐到椅子上。

合同摆在面前，李总看了看笑了笑，有点像哭，一边的脸还有点肿。然后在西服中掏，没掏到笔。潘国峰从地上捡起一支笔给他，李总在合同上签了字。

"我这次算是什么？引狼入室？"李总的脸色很不好。

"您可不要这么说，十个亿，我想换别人可给你拿不回来，我不需要您增加一分钱，半年您的十个亿就到手了，谁能实现？我的劳动所得不应该吗？好了，我走了，明天早上我要看到分仓情况和联系名单。改天见。"潘国峰向常云啸招招手，向外走。

"那个录音……"李总站起身。

"您放心，我的目的是挣钱，断了您的财路就等于断了我的，等我对您的承诺和您对我的承诺都实现之后，这个录音自然还给您。"

出了富甲大厦的大门，坐进车里，潘国峰长长地出了口气。

"师傅，这，这是真的吗？八千万？"常云啸小心地问。

潘国峰笑笑，"开车，去金海岸度假中心。"

上了源深路，消失在错综的车流中。

十个亿呀，还有八千万是我们的！常云啸兴奋得整个晚上都没有睡好，这简直就是在做梦呀。听说三千万人民币如果都是百元新票的话，就是一吨，八千万那就是两吨重呀！十个亿，要用集装箱了。

潘国峰虽然比我小，但是绝对可以做我师傅，那智慧，那气势，看来金融诈骗犯也不是吃干饭的，真有两下子，真敢干呀。这次我也终于是开了一次眼，以前打架没有任何意义，今天这一打就是八千万。不过听谈话，这个庄家也不是好当的，不知道潘国峰想出了什么妙计。我这次一定要好好跟师傅学学，绝对是高手出招呀。

常云啸翻来覆去这通折腾，一直到天都亮了，才迷迷糊糊地睡了。刚睡着就被叫起来，让去李总那里拿联络名单和分仓情况。另外还要请原先全面指挥这只股票的人吃饭。

事情不难办，不到十一点，就跟那个人定好了在汤臣大酒店。

常云啸他们先到，点了菜，等了一会儿潘国峰按时赶到。

"这位是张英杰张经理，主管这只股票。"常云啸站起来介绍。张英杰也站起来。

"你好，英杰老哥看上去有四十？"三个人都落了座，潘国峰客套起来。服务小姐赶紧开始倒酒上菜。

"有，有，今年四十二了。"

"那应该是我们的老前辈了。来，我敬您，先干一杯。"说着站起来。

"不敢不敢，应该我敬你才对呀，这么年轻就能指挥全局。"大家站起来喝了第一杯。

重新落座，潘国峰继续说，"这次我去你们李总那里争取点权力和利益，也是生活所迫，您别怪罪。李总那里对您如何安排？"

"让我带薪休假。"张英杰的语气中有点气愤，"哪里比得了你们风光啊。"

"是这样吗，如果您不想休假的话，您就继续指挥大局如何？大方案我来制定，具体操作您来指挥，总酬劳四十万从我的收益中扣除，我去和李总谈。如果您休假，我觉得没有人能胜任了。"

"啊？"张英杰愣了至少二十秒。"我怎么会想休假呢？这个票毕竟是我培育了那么长时间，让我离开我还不舍得，多少也了解情况呀。"从语气中看，这个人已经被四十万打动了。人啊，再有气，也不会跟钱过不去。

"好，为了大家的合作，再干一杯。"

回到家里，潘国峰和常云啸两个人统计了一下所掌握的数据：

股票名称：银丰发展

参与时间：一年七个月

参与地区：分布在六个省市

参与公司：十一个证券营业部，其中四家为主

账户数量：共 312 个

期出总资产：72000 万元

目前现金：3000 万元

平均成本：16.7 元

总共持股：43113000 股，占流通股的 63.4％

当前价格：32.6 元

当前市值：140551 万元，赢利 68551 万元

纸戒

基本情况：银丰发展，省级企业，主营房地产、生态农业、生态保健医药等，总股本 2.1 亿股，流通 A 股 6800 万股，净资产 2.4 元，公积金 0.43 元，收益 0.02 元。高位横盘已经一个多月。

"光这些还是不够的，常云啸你跑一趟上海证券交易所找一个叫刘芳的，是个经理，具体什么官我也记不住。你把这封信交给她，她会给你东西，然后把这个给她。"说着拿出一个信封和两万元。

"另外，我想跟你商量一下，我已经花掉你十万了，但是现在还有需要钱的地方，能不能再借我十万？我会加倍还的。"

常云啸笑了，"这有什么？你自己提出来就是，密码你也知道。看来股市中的豪侠也穷困呀。"

"不成功，哪里有钱？我们这样的人就是这样，可能一天就富甲天下，也可能就沿街乞讨。想做操盘就要有这样的心理准备，你不是也睡过露天吗。"

下午就见到刘芳了，是一个四十多岁的女人，看完信后跟常云啸说要到五点左右数据清算之后才能有结果。常云啸溜达了一圈，五点多的时候又回来见到她，她将一个信封交给常云啸，然后带走了常云啸的信封。

常云啸赶紧回家把信封交给潘国峰。

"知道是什么吗？"潘国峰拆开信封。

常云啸摇头。

"自己看吧。"

常云啸拿起来仔细观看，竟然是银丰发展的持股人，所有持有五万股之上的股东都按持股量从大到小排列在上面。惊奇的是，在每个人后面都打印了所在的省市和证券营业部的名称、家庭住址、联系电话等等，几乎所有在开户时填写的内容都在上面。

"我们要这个做什么？"

"所有二十万股以上的人我们都要了如指掌，五十万股以上的人我们要电话沟通，一百万股以上的人我们要熟识。这个资料是我们制胜的重要情报，懂吗？以后你每周要到交易所去拿这种单子。你把张英杰给的资料拿过来对照一下，把那些老鼠仓的关系户挑出来。"

"挑这些人做什么？这些老鼠仓不就是跟着庄家挣钱的吗？其实干吗我们费力挣钱还要有他们一份？"

"这些人你可不要小看，一般都是一些政府官员或合作对象，都是用得着的人。每个庄都有一批这样的老鼠仓，没有办法哦，因为股市是最好送礼的地方，从这里给个消息永远不会被人查到行贿受贿，投资嘛，有赔有赚。所以也是黑钱最爱出没的地方。"

"哦，知道了。"常云啸想起在证券营业部的时候，听几个大户说过，自己一买就跌一卖就涨，原来庄家对他自己盘中的事情知道得很清楚，购买几十万股已经进入了庄家的名册，随时看着你呢。

"喂，张英杰吗?"潘国峰拿起了电话，"我这里有一张持股名单，你一会儿过来拿。持股一百万以上的人都要跟他们联系，表示希望他们跟我们合作，共同利益，统一阵线。好，那你一会儿过来吧。"

"别的庄家都是这样做的吗?"常云啸问。

"至少我师傅是这样教我的，知己知彼百战不殆，我想别家也都大同小异。"

接手银丰发展这个股票已经一个星期了，潘国峰不是喝小酒就是睡觉。本来自己身体就不好总是咳嗽，还又喝酒又抽烟的，最近咳得更厉害。李总来了两次电话，问有没有新的指挥方案，潘国峰说还要全面了解。只是告诉张英杰说每天控制好盘面不要大波动就可以。

常云啸也有点等不及了，都一个星期了，每天无所事事地晃，一点都不像想象中或电视中的庄家，简直无聊透顶。

这天常云啸在屋子里转了好几圈，终于忍不住了，敲开了潘国峰的门，看到他正坐在电脑前看股票，这可是一个星期以来第一次看他摸电脑。

"坐吧，我知道你们都着急了，坐不住了是吗?"

"都一个星期了，你总说让我当操盘当庄家，我这哪里像坐庄呀，一次股票都没有买卖过。"常云啸拉了把椅子坐下。

"好的操盘手要做到：尸居而龙见，渊默而雷声，神动而天岁，从容无为而万物炊累。就是说坐在那里不动已经显露龙马精神，沉默不语已经如雷声大作，精神一动天地相随，沉静中已知万物繁衍生息。将军不用亲自冲锋陷阵，但是他的作用远远大于一个拼命的士兵。因为他有战略思维，而一个正确的战略思维要胜过千军万马。你不要总想着去买卖多少股票，那是小兵的事情，你要成为的是将军，不是跑腿的勤务员。

纸　戒

当然会有机会让你买卖股票的，我还怕你那个时候忙不过来喊累呢。"

"可是我怎么能够成为一个将军呢？"

潘国峰站起来，从书柜中拿了一个紫砂茶壶两个茶碗，用开水冲一遍，然后从茶桶中倒些茶块进去，开水冲泡，最后倒入碗中。"老子云，俗人昭昭，我独昏昏，俗人察察，我独闷闷，众人皆有以，而我独顽且鄙。来，这是上好的普洱，可以清理体内毒素，多喝点。"

茶水的颜色呈砖红色，喝上去更像在喝一种树干熬的药水，只是比药水清淡一些，常云啸觉得不好喝，放在了一旁。

潘国峰喝下一杯，自己又续上，"你不是已经盯了好几天银丰发展吗？有什么感想？"

"师傅，现在市场正出现小反弹，我们借此机会也拉升一把，然后出货不是就可以了？"常云啸指着电脑说。

"你不是也做过散民吗，用你的大脑想想好吗？目前的市场平均价格在13元左右，30元的股票绝对处于高价股，而其他高价股的走势又很不理想，贵州茅台都已经下到35元，你觉得继续拉升会有人跟吗？"潘国峰看着他。常云啸摇头。

"而且要多少钱来推上去，你计算过吗？现在创的是历史新高，大量的获利盘都等着出货，那些老鼠仓们很多但不一定很听话，现在收益已经很大，随时都可能成为一个地雷。"潘国峰说完，品一口茶，点着烟，"所以一定要一个高明的做法才可以，你真的一点想法都没有？"

屋子里静了下来，挂钟嗒嗒地走着，潘国峰慢慢吐着烟圈，然后伸手捅破它。常云啸盲目地翻着电脑屏幕，看着红红绿绿的 K 线图心里琢磨好久也不知道答案。

"看来是白让你去散户大厅学习了。"潘国峰弹掉烟灰。

"我，我不太明白。"

"物极则必反，否极则泰来，你做过散民，散民喜欢什么？抄底，对吗？既然他们不想做平台突破，那么为何不让他们去抄底呢？"

常云啸看着潘国峰，半天才说话："你是说下跌让他们抄底？那不是他们都赚了而我们赔钱吗？"

"先赔后赚嘛，得失二字就是有得必有失，失而才复得，少掉一个字就没有存在的意义。"

"可是，我们赔了拿什么钱交给那个李总呢？"

"哈哈，这是战略后退，而后退的目的是更猛烈地进攻。"

常云啸自己干笑笑，"好像，我还是不太明白。"

潘国峰站起来，穿了外衣，"走，跟我去看看李总，我也要给他一个答复了，去了你就明白了。"

潘国峰带了常云啸再次到了富甲大厦的会议室，张英杰前后脚地也到了，显然是得到了通知。还是上次那个年轻人接待他们，看了常云啸有点怯怯的，看来是上次被打怕了。

李总火急火燎地进来，"小潘呀小潘，你都急死我了。到底怎么做，你说句话呀。"

潘国峰笑笑，"我有一个很好的想法，但是怕说出来您很不满意呀，所以就一直在想怎么跟您说合适。"

"我们都这样合作了，还有什么不好说的呢？看在八千万的面子上有什么你就说，是还有什么困难吗？只要是能挣钱，有好想法我们应该及时沟通嘛。"

"对对对，我今天就是来讲一下我的战略方案。你们这里有没有黑板？"潘国峰对那个年轻人说。

"有。"年轻人很快地找了一块黑板，退出去，屋里只剩下潘国峰、常云啸、李总和张英杰四个人。

潘国峰走过去拿起粉笔，看看大家，"我希望在我讲解的过程中不要打断，如果有不同意见的话请在我讲完之后提出，好吗？"大家点头，潘国峰继续说，"目前在这个高位是挣到很多，但是，那是虚拟的数字，不是银子。可是要在这个高位想出货几乎是不可能的，目前市场并不配合，敢于高位追买的人不多，所以拉高只能是费力不讨好。那么战略只能是压低出货……"

"那可不行，我这……"李总一听就坐不住了。

"我说了，我讲解中不要打断我！"看李总不出声了，潘国峰继续，"我的计划是这样的：

"第一步：拥有此股票在100万股以上的人一共是3个，拥有300多万股，20万股以上也有20个，拥有400多万股。这可是一个强敌，如果其中几个开始突然出货，那么势必在盘中引发巨大抛压，何况我们还有接近10%的老鼠仓。想骗过整个市场，我们就要先骗过他们。只有牵着他们的鼻子走，我们这个庄才能稳定。

纸 戒

"第二步：银丰发展公司既然有生物医药的项目，我们就放出消息，说公司将与 A 国某某生物制药公司有合作意向。这样我们的前期虚造声势工作就做好了。

"第三步：用我们剩下的资金推动上涨再创新高，预计可以推高到 38 元，同时要出货，能出多少是多少，尽量出掉 10%，收回资金。

"第四步：从 38 元开始下跌，需要连续跌停到 18 附近。在这个跌停过程中我们要做到出货 5%，然后打开跌停上涨到 22 左右，要在近一个月内反复出货 25%。而后在跌停到 13 元附近开始打开跌停，从 13 元到 10 元之间要出货 30%，最终要到 6 元附近起稳，这个时候我们的筹码要控制在 20%。然后让它自由落体，我们到 2 元附近再重新介入，以 20% 的筹码应该可以控制住盘面，新庄又不可能及时进场，基金公司更不可能去买一个低收益股。这样我们再从 2 元到 6 元来回做两到三次，我们就可以快乐地回家了。"

下面的三个人听得面面相觑，像听了一本天书，又像在云中漫步，根本就没明白潘国峰在说什么。

李总的表情实在夸张，大大地张着嘴，下巴快掉在桌子上了，"这个，这，不是要赔死我了？我这个老总的位置都赔给你了。"

"李总，你还是你的老总，赔钱挣钱我计算一下你就知道了，您看：现在价格是……"潘国峰在黑板上迅速地计算着，常云啸感觉自己的思维有点跟不上。"……最后的结果就是这样了。"

李总一连哦了好几声，从眼神上来看好像还是没有太明白，但是已经对结果是挣钱比较认同了，只是有点含糊。

"李总，您觉得怎么样？"

"哦，看来这个事情还就是要你来办了，别人还真搞不好。但是这样的结果会有很多麻烦呀，交易所的、证监会的都会开始查这个事情。"

潘国峰坐回到坐椅中，点着烟，"那就要看您老的面子有多大了。又要挣钱又要无风险，这样的馅饼可没有地方找呀。这边挣钱的事情我来做，逃避和应付检查的事情还都要靠您来了。"

"这个，风险是不是太大了？"李总的眉头皱得很紧。

"难到有钱不挣？还是说您还有后续资金？想想吧李总，您的后续资金没有了，一旦几个大户开始抛出股票，股价会一路下跌，您又能怎么办？抛出吗？会跌得更狠，也许一两年的心血都白费，保本都不一定。

之后您怎么去向董事会交代？"

会议室安静了，常云啸看着这三个人都在抽烟。青色的烟雾从李总的头发上升起，就像要着火一样，让常云啸感到很好笑。潘国峰根本不看别人，自己朝着窗户坐着，看外面的风景。张英杰拿笔算来算去，不时把纸给李总看看，李总一会儿点头一会儿发呆。常云啸不抽烟，被烟呛得厉害，干咳了一声。三个人立刻都看过来，搞得他很不好意思。

"好吧，"李总狠狠地吸了两口，将烟重重地戳在烟灰缸里。"就这样吧，我来处理监管问题，你就好好地把钱挣过来。老张啊，以后你要全力配合小潘的工作，我就全拜托在大家身上了。"

李总说完，站起来给大家深深鞠了一个躬。从李总带有血丝的眼睛里可以看出，如果这次不成功的话，他真的要拿菜刀砍人了。

散会前，强调了保密纪律，签订了保密协议。很多人觉得这样的协议没有意义，其实这一方面是行业中的信誉问题，另外也是将来出事后，法律的依据和请黑道朋友帮忙的证据。所以大家就绑在一起了，谁也跑不掉，不成功则成仁。

从李总那里出来，潘国峰、常云啸和张英杰三个人布置了一下工作。潘国峰要大家全体休息三天，三天之后开始按计划行事，潘国峰指挥这个盘子的节奏和方向，主要操盘由常云啸执行，张英杰负责其他账户的统一调动。

这三天将是最后的清闲，潘国峰在这三天要准备一个详细的计划，张英杰要把这个地下室改装成一个操作室，并联系那些大户，而常云啸没有什么事情，他想到风铃那里去转转，也许马上就要忙好一段时间呢。

11

整整休息了三天。

这个早上并不是很冷。跟着潘国峰吃油条喝豆浆，常云啸买了份

纸 戒

《大众电影》，平时他是不看这种杂志的，现在买来其实只是想让自己有点事干，心情能平静一下，不要太慌神。

两个人坐在楼群中花园里的长凳上，常云啸翻杂志，潘国峰晒太阳。说天气不冷，也毕竟是进入了冬天，早上出来锻炼身体的人都开始吐着白气。树木已经没有了叶子，像光杆司令那样站着。有群麻雀在上面唧唧地吵着，也许只为了几个米粒。一切还都是那么平静，没有什么事情发生。但是常云啸的心里早就是上下翻腾了，今天，一会儿，九点二十五分开始，他就要亲自上手操盘银丰发展了。而且这将是一个十亿收入的战斗。常云啸甚至觉得刚刚跑步过去的那个人都多看了自己两眼。

世界是平静的，世界是不平静的。原因是被不同的人看到。

潘国峰抽了根烟，干咳了一阵，最近他的咳嗽越来越重了，但他很不愿意去医院，说怕打针，常云啸也不好说什么。

这三天常云啸都是在风铃那里度过的，风铃跟舅舅说自己有点不舒服，在家里休息。舅舅最近正忙着开新的场子布赌局，也顾不上很多，只是说好好养病，就挂了电话。

常云啸就陪着风铃白天逛商场、美容健身、游泳桑拿，晚上就泡酒吧、蹦迪，回到家里风铃会主动地跟常云啸摩肩擦鬓，最后云雨一场。风铃的欲望特别强，一晚上能要三次，估计要不是心疼常云啸，这一晚上就不用睡觉了。可是一到白天，连腰都不让常云啸搂。

还有一件事，在风铃的乳房和大腿上，常云啸看到了青紫，问她她说是自己弄的。常云啸觉得有点蹊跷，但是也不好问。毕竟谁也没有说彼此是什么关系，只是心里总觉得很难过，他不希望风铃跟别人有什么关系，更不相信她是那样的人。

潘国峰拍拍常云啸的肩，"是不是有点紧张？"

"是，想到一会儿将要操纵那么大的资金，市场价格就随自己的手指上上下下，真的有点兴奋。"

"这种想法不可以有的，心浮气躁是要失败的，而且价格不会被你随心所欲，对手是无形的，很可能在某一个角落会突然袭击你，一点点的放松就可能让你变成散财童子，血本无归呀。"潘国峰对他笑笑，隐约让人看出了笑容背后的苦涩。"以后你会懂得我说的意思。"

"好了，我们进去吧，一切就要开始，你应该为此感到自豪。"潘国峰回到地下室，常云啸跟在后面。

其中一个房间已经被张英杰改造过，里面有七台电脑，四部电话，一台打印机，一台传真机，一个电视，另外还立了一块黑板。看看挂钟，现在是8：30，股市的又一奇迹将在这里出现，常云啸紧张得手心出了汗，深深吸口气，告诉自己一切都很正常。

潘国峰递过来一个对账单，上面有十个账户的股东代码、持股数量、资金余额。"熟悉一下吧，这十个账户就是你的武器了，奇迹将出现在这里面。"

潘国峰拿起电话，挂了耳麦，"老张，准备好了没有？……这里也一切正常。已经跟多少大户联系过了？……哦！那就已经很好了，这些就够用。……没关系他们不合作也没有关系，但是还要联系，对对对，就这么说。……一会儿要竞价了，竞价这部分你来打，给我封住上下四毛钱，上面的单子给我留下空间，今天我要高开四毛。……对，封完之后你就不用管了，交给我吧。嗯，好，保持联系。"

潘国峰放下电话泡了一杯茶。

"封住上下四毛钱是要做什么？"常云啸问。

"其实集合竞价的价格多数都是各个庄家自己定的，银丰已经被严重控盘，当然要由我们来定开盘价格。一会儿你会看到，开盘之后，上下各四毛钱内的买卖双方都已经挂好的单子，感觉上交易欲望活跃，其实那都是我们自己挂的单子。而且保证了我们对盘面的控制，不至于哪个大家伙突然改变我们的盘面价格，让我们措手不及。"

"噢？买卖的每个单子都是我们的吗？"

"9：25的时候看到的单子，至少绝大多数是我们的，这样我们才能控制开盘价格。"

常云啸撇撇嘴，没有想到开盘价格是这样出来的。常云啸想了想，还是鼓足了勇气问了出来，"师傅，其实我一直都没有搞太清楚，您这个计划是怎么挣到钱的，上次你计算了一遍，我其实根本就没看明白，能不能再给我讲一遍？"

"哈，再讲一遍？这样吧，我每做一个阶段的事情，就在这个黑板上给你写出来，然后你自己计算结果，最后你就明白了。"

"好，这样更清晰。"常云啸赶紧把黑板擦干净。

纸　戒

潘国峰拿起粉笔，在上面写了下来：

第一阶段：拉高出货，平均价格 36 元，出货比例 10%。

9：25，开盘价格出现了 31.7 元，果然高开 0.4 元，买卖单子比较平均。

"好了，该我们显示神通了。"潘国峰又带上耳麦，示意常云啸打开交易系统。

"老张，我要你温和地补上这个跳空缺口然后再下跌四毛，时间一小时，成交量不放大，明白吗？好。"

常云啸看着潘国峰等待他的命令。

"看我做什么？现在还不是你出场的时候，好好盯着盘面，有什么异动叫我。"说完，上网聊天去了。

盘面价格在一点点地下跌，半个小时之后已经看不到什么大单了，成交稀少。一个小时的时间已经变成下跌 0.45 元。常云啸提醒了他。

"老张，再推回到开盘位置，在那里压单震荡，不要放量，时间一小时。"潘国峰继续网上聊天。

常云啸很无聊地又看了一个小时，价格回升到了开盘的 31.66 元，上面出现了上百手的压单。股价在这里徘徊不前。就这样中午休市了。吃饭的时候常云啸没有说话，潘国峰看看他，暗自笑了笑也没有理他。

下午开盘后，常云啸继续闷闷地坐在那里，心里不知道为什么竟然想起了风铃。这两天一直在一起，突然不在身边就觉得缺了点什么。人大概都有一个习惯性问题，当你习惯了某种事情的时候就不愿意改变了，而改变这个习惯的时候就会觉得很难受。所以日久生情这个词也就不难理解了。

"嘿，做什么梦呢？我喊你好几声了。"潘国峰不得不捅了他一下。

"啊，什么？"常云啸才回过神来。

"老张，在 31.70 元上面开始封千，我这边会跟上的。常云啸，准备挂买单。"潘国峰不知什么时候关闭了游戏。

"什么封千？"常云啸问。

"别打岔，一会儿你就明白了。常，现在开始向上买，十个账户尽量分配均匀，每笔不要超过二百股，每分钟两笔，不要破坏价格。……老张，封单太少增到两千以上。"

盘面开始出现了变化，卖一卖二卖三的单子开始增加都达到了千位，相对的买单少得可怜，常云啸终于得到指令，很认真地每分钟两笔的小心挂着。在31.67—31.69元上下不时地会出现一些上百的卖单，但是价格稍微下跌一点，就被常云啸的单子吃掉了。

　　就这样僵局了一个多小时，还有不到一个小时的时间就收市了，价格基本上没有变化，但是常云啸手中的资金却越来越少。

　　"师傅，你总是让老张在上面压着，我这怎么涨呀？"

　　"你想今天涨多点？"

　　"这样一点都不过瘾呀，他压着卖然后我买，不是自己和自己过不去吗？"

　　"我看也差不多了。老张注意，现在压千撤百，注意我这里开始向上买入，每一毛钱左右你挂大单。常云啸开始加大买入，控制在每单五百，每分钟三笔。开始。"

　　常云啸开始增加买单，31.70元上的压单很快就被消化了，随后31.72、31.73元也很顺利地被吃掉，每向上一毛钱都会受到一定阻力，但是很快价格也就突破了，就这样到收市的时候价格已经上涨了1.46元，现价32.96元。

　　"好了收市了，什么感觉？"潘国峰笑笑地问。

　　"没什么感觉，好像很无聊，与电视剧中的不符，没有什么激情或者叫激动人心的事情，至少也要轰轰烈烈一些吧。"

　　"那是你不知道今天都发生了什么，所以你觉得没有意思。电视剧是为了短期吸引观众的，所以要热闹才行。"

　　"哦？"这倒吸引了常云啸的好奇心，"那你告诉我今天发生了什么事情？"

　　"早盘的高开和上午先跌后涨的过程中，没有别人来影响股价，说明投资者是观望态度，也说明我们有着绝对的控制权。下午在31.70元上面压制不让你的价格向上，你发现了什么？"

　　"没有发现什么。应该发现什么？"

　　"够笨的，其实在31.70元之下的卖单已经不是老张的行为了，有几个上百的卖单是一些大户所为。那是一些不稳定客户，在真正拉升前我们要让这些不稳定家伙离场。你想想，老张在31.70元到32元之间挂了上万的卖单，如果你持有股票，你有什么感觉？"

纸　戒

"价格要下跌，至少不会上涨。"

"答对，那么你担心价格下跌的时候会考虑卖出，而前面排了上万的卖单你会在什么价格卖出呢？"

"当然是低于 31.70 元了。"

"又答对，就这样那些不稳定的家伙就急忙出局了，这也正是我们需要的。然后我们开始上涨，你又发现什么？"

"我发现了，好像不用我买多少，价格自然就被推高了，而且到后来几乎不用我买，价格就快速地上涨，我需要不停地向上追高才可以。"

"这也是我们的目的，很多的大户得到了我们的通知，在头脑中已经被误导为价格要上涨，而这个消息会很快被散发出去，但是在价格没有上涨之前，一般人只是关注，等价格真的开始大涨，人们才确定这个消息的可靠，会蜂拥追涨，而这个时候其实老张的很多卖单就被这些跟风盘吃掉了。"

"这么说，我们已经在出货了？就这么平静地出货？"

"对呀，就这么平静。这个阶段就叫拉高出货，只是不到最后的疯狂，精彩还在后面。"潘国峰笑着，突然咳嗽了起来，但是还在笑，像一个胜利的将军。

"但是我们这样拉升吸引他们跟进能够持续多少天呢？我这里已经动用了很多钱了。"

"说你笨你真的笨成这样？你买的股票是老张卖的呀，老张那里不是就有钱了？明天你们的角色再调换过来，你卖他买不是就可以了？其实庄家的资金远远不是你看到的表面数字，比如说早上你有的现金一百万，同时你和老张都有价值一千万市值的筹码，那么先是你买老张卖，这时候老张就有钱了，然后老张买你卖，然后再你买老张卖，如此循环下去，一直循环到你最后的一百万股被买走的时候，你已经动用过一千万的资金，但是你的账户上股票数量没有变，同样老张也动用了一千万的资金，股票数量没有变。看，就这样在没有别的因素的干扰下，我们只有一百万却一天动用过两千万的资金，而控股权没有改变，这就是庄家。"

"哦，对了这就是 T＋1 制度下的 T＋0 交易。让你这样一讲，我才感觉到坐庄的确是很有意思的事情。没有想到这样平静的过程中，竟然经历了那么多的斗争，和那么多的心理变化。"常云啸回想着一天的事情，在不知不觉中原来已经经历这么多，心中越来越觉得潘国峰是一个值得佩服的人。

"这就是金融，在金融战争中没有枪炮，但是杀人会更狠。而且为了最后的胜利往往会不择手段。可以杀掉一个人，一批人，一个地区甚至一个国家。"潘国峰看他略有所思，"好了，快去交易所把王姐的单子拿来。如果我没有猜错的话，有些大户开始增仓了。"

果然不出潘国峰所料，成交对账单显示股东的持股数量在增加，而且中大户增仓的人较多。按照潘国峰的命令，整整一个交易周，股价连续上涨，显然已经成为了市场中的一个明星。同时老张还安排人员不断地恳请那些大户，将银丰转让过来，而转让的价格已经上涨到市价再加5％，但是越这样恳求越没有几个人同意转让，因为每天很轻松的就可以上涨5％，谁又会贪图这点小利呢？周五收盘的价格已经到了 37.3 元，出货的比例超过 10％。

周五晚上潘国峰请常云啸和张英杰吃饭。大家真的是紧张了整整一周，常云啸终于也感觉到了坐庄的辛苦，每天都要算计别人的想法，这让他很头疼，但是潘国峰说这才是庄家，想做好庄家就要算得别人多。

"大家都辛苦了一周，后面我们还要继续努力呀，来小弟，我先敬二位一杯。"潘国峰一饮而尽。

老张开始汇报工作，"目前跟风的数量已经开始减少，而同意我们转让协议的人开始增加了，我看要想想办法了。而且银丰公司已经发出公告说没有应公布而未公布的公司重大事项，股价上涨属市场行为。"

"嗯，我也发现盘中别人的抛盘越来越大，上涨的控制力远不如周初了。"常云啸跟着说。

"那么我们就宣告第一阶段的出货结束吧。老张你记一下，放出消息说银丰发展将与 A 国克尔生物医药集团合作开发治疗艾滋病的新药，来解决对人类的威胁，合作在秘密中洽谈，双方已经签署备忘录，只等待资金到位，这次合作双方将出资四亿人民币，由于克尔公司的技术已经基本成型，所以银丰公司预计在一年内产品就可以投入市场，而赢利将剧增……"潘国峰滔滔不绝地说着，好像正在说着一件真实的事情，老张就在一旁飞快地记着，好像是记者在做新闻采访。

"大概的意思就是这样吧，你回去再好好组织一下语言。"潘国峰终于把这个故事讲完了。

纸戒

"精彩，师傅真够厉害的，就像发生了一个真事似的。"常云啸真正地从心眼里开始佩服。

潘国峰笑笑，"等你做多了你也是这样的，金融市场跟战场没有什么两样，战场上有兵不厌诈，金融市场也是一样有迷魂弹。对了，老张，这个消息你要在今天晚上就放出去。第一，告知我们在各个地区营业部的交易人员，这些人在当地的营业部都是被关注的对象。第二，找几个电视股评家，以传闻的形式放出去。第三，利用网络。同时把转让的利润比例提高到7％，通知那些大户，语气要强硬些。"潘国峰长长吸了一口气，"这样这个消息就可以迅速扩散，等到上市公司出来辟谣的时候，我们已经结束了最后的拉高出货。"

晚饭在很愉快的气氛中结束了，大家都喝得略有醉意。站在酒店门口潘国峰还在侃侃而谈，讲述他当年跟师傅一起坐庄的故事。站了好久，直到觉察到了冬天的凉意，常云啸才和潘国峰回了家。就在那么一个不起眼的酒店里，三个不起眼的人，却制造了一个让股民上当的骗局，谁又能想到呢？

其实很多的事情都在不起眼和不经意中悄悄地发生着，没有波澜壮阔，也没有惊天动地，平静得像隔壁飘来的红烧肉的味道，但是在这样的平静中，又存在着什么？更多的人不清楚，只有少数人在梦中也是笑的。今天晚上的这三个人就是这样的。

接下来的事情不说也能猜到，周六的股评在评述这只连续一周上涨的股票时，加入了市场传闻部分；各大网络的证券版都开始证实这个传闻，甚至有人写文章试图来证明这个传闻的可信度；大户中没有人愿意这个时候转让自己的股票，并有人声明如果再骚扰他们就要报警；各地的交易员通过不同的途径向外扩散着这个消息，包括亲属、朋友、亲属的朋友、朋友的朋友……

周一开盘就上涨6％，根本就不用潘国峰使劲，价格很快地就被推高到了涨停的位置，老张在不停地出货，涨停板被打开三次之后，潘国峰命令减少出货数量，价格很快就在涨停上封住。

"常云啸你封住涨停，记住封涨停的单子要分开挂，每单要在五千股左右，间隔在三到五分钟，封到八万股的时候告诉我。"

"明白。"封单开始增加，开始还偶有数百的大单卖出，后来就变得很小了，最后卖单就都成了几十手的小单。封单已经超过八万，常云啸请求指示。

潘国峰喝着他的茶，突然问他，"让你每个单子间隔三到五分钟，是做什么用处？"

"看看形势。"常云啸不假思索地说。

"有病呀，如果你是股民想买这个股票，而庄家一下在涨停上封了八万股，你还能买到吗？你排队会排在八万之后对吗？"

"哦，我明白了，我这样挂单目的是让想买股票的股民穿插在我的时间间隔中。"常云啸看着潘国峰。等待他的认同。

"那么我现在想让老张把股票卖给这些股民，你应该怎么做？当然前提是封单不能大量减少。"

常云啸明白了，"我就开始撤单，让股民排在前面，然后我再挂买单排在后面，连续的撤单之后再挂单，股民就全跑到了前面，而封涨停的单子却没有减少。"

"不错，够聪明，那就不要等了，开始吧。老张，你那里控制一下出货的速度，我想今天应该是我们最后一天的上涨了，明天如果早盘不顺利的话就很难继续涨停……对对……晚上看消息吧。"

潘国峰靠在坐椅里，闭了眼养神。只要是在开盘时间，他的耳麦是永远不摘的。耳边总是哗啦的响个不停，备受折磨。常云啸有一搭没一搭的撤单、挂单，看来操盘坐庄也是件没有意思的机械运动，除去核心首脑的计划以外，大家全部是动手不动脑。

"师傅，你说，咱们这样坐庄不就是纯粹地骗人吗？"

"算骗人吗？挣钱取之有道，大家都靠技术，我们也靠技术，只是散民的技术不过硬，怎么能算我们骗人呢？你要记住，在金融这个圈子里，只要你能赚到钱，同行是不会笑话你的，只能佩服你手段高明。金融市场是富者为王，大鱼吃小鱼，你不骗别人别人就会骗你。战场上用的所有卑劣手段都是为了保全自己杀死对方，金融也是战场，而不是游戏，如果你心慈手软狼性不足，不是一个勇士的话，千万不要参与到这里面。"潘国峰没有睁眼。

"那还有这么多人疯狂的参与股市，分明知道这里到处是陷阱，还要纵身火海？"

"那是因为很多人把这里当做了赌场，都知道十赌九输但还是希望自

纸 戒

己可以是那唯一取得胜利的人。这就像伊拉克的民兵和Ａ国的军队抗衡一样，的确可以靠偷袭打死一两个Ａ国士兵，就以为自己得到了多大的胜利，结果呢，自己死的人是Ａ国的几倍。原因就是大家不是在一个起跑线上，所以衡量胜利和失败的标准不同，对大资金来说可以损失局部利益获取最后胜利，但是对于散民，他们经常喜悦于局部的胜利，而忽视了整体的赢利。这两天你也看到了，资金的运用是不平等的，信息的传递是不平等的，买单和卖单是做假的，放量上涨是骗人的，你来看，"潘国峰走到电脑面前，"成交回报中买单后面会有红色向上的箭头，卖单是绿的。好像很透明，但是我们依然可以作假。做这些东西的目的是什么呢？就是迷惑对手心理，金融市场较量的是一种心理变化，古人说：人心排下而进上，上下囚杀。意思是说人心受到压抑就会无故消沉，受到促进就会好高骛远，心志的起伏之间就已经将自己的思想囚禁和封杀了。做一名好的操盘手就是要能控制股民的心理变化。股民越是相信的东西，就越是我们需要作假的东西，因为股民不会想到他最坚信的技术分析却骗他最深。这就像朋友一样，最可信的人很可能骗我们更深，所以谁也不能过分相信。"

常云啸愣愣地看着他，在潘国峰的身上让人感觉到一种恐惧，一切的一切好像都不真实。"包括你吗？"常云啸突然问。

潘国峰怔了一下，点点头，"包括。"

第二天价格依然是涨停现在的价格已经到了 39.89 元，成交量巨大，按潘国峰的命令老张继续出货，常云啸做配合。

"已经两个涨停，我想银丰发展该有所反应了，很可能今天晚上董秘就会出来辟谣，明天就会见报。"潘国峰依然挂着耳麦，闭着眼。

晚上看完对账单之后，潘国峰的脸上闪过淡淡的笑容，站起身来伸了一个懒腰。

其实坐庄的生活真的是很无聊，至少对常云啸来说是这样的。从开市前到闭市后，眼睛看的脑子想的都是这样一只股票，晚上还要统计好当天的交易情况以及股东的对账单，没有鲜花没有掌声也没有出去吃饭，多数的娱乐就是上网看看新闻顺便看几眼美女照片。总是觉得这和想象中有点差距，但是想象中的操盘应该是什么样子的，常云啸也说不好。

"你说，明天我们应该怎样做呢？"潘国峰问常云啸。

又是讨论这只股票，真头疼，"继续上涨呗，现在整个局势已经被我们完全控制住，价格又能上涨又能出货，多好的事情，干吗不继续。"

"后面不是我们想继续涨就能继续的，我们编造了一个谣传，两天的时间，银丰发展应该有反应了，相信明天早上就应该能看到辟谣。然后会有大量的卖盘涌出，还有可能到跌停呢。"

"那怎么办？"常云啸顺着问。

潘国峰走到黑板前，拿起粉笔对板书进行了修改：

第一阶段：拉高出货，平均价格 37.6 元，实际出货比例 18%，流动资金 29102.4 万元。

第二阶段：压低价格，目标 19 元，预计出货 5%。

"跌停也正合我意，是计划中的一步，"潘国峰放下粉笔，拿起电话，"喂，老张吧，注意明天早上的信息，如果有辟谣的话就进入第二阶段操作，连续跌停。"

果真第二天的上海证券报和中国证券报同时刊登了银丰发展董秘的辟谣，称公司没有跟任何 A 国公司有秘密的商业来往。

潘国峰并不控制开盘价格，开盘就已经下跌了 5.6%，接着就出现了大量的卖盘。潘国峰一个命令，老张就把价格砸到了跌停 35.90 元，上百万股压在跌停价格上纹丝不动。

"常云啸，你可以轻松几天，这几天都是下跌，没有什么好看的。但是每天早晚都要向我报到，至少让我能随时找到你，我们随时可能打开跌停。"

"好的，师傅。我也想去看看舅舅了。"

出了楼门，常云啸就给风铃打了一个电话，看舅舅是假，想见风铃是真。对风铃的感觉总是怪怪的，把她当姐姐却又已经发生了关系，把她当恋人，她又总是有一种家长的作风。另外，他们两个人的关系风铃总是不让跟任何人讲，所以到现在为止，常云啸也不知道应该把她放在什么位置上，是姐姐？是爱人？是搭档？还是一时的冲动？

风铃很快就开车过来，先是带常云啸去舅舅那里转转。舅舅很高兴，好像是最近又多赚了些钱，听说常云啸现在已经开始学习坐庄更是高兴。

"好好学，以后舅舅出钱，你也给舅舅坐庄，多搞它点以后咱们去 A 国开赌场，去挣美元。"

纸 戒

"好的舅舅，您放心，我会用心学的。"

"我在股市上也有一个多亿呢，找了几个什么狗屁分析师帮我理财，这群笨蛋就会赔钱。现在你们做什么股票呢？告诉舅舅，让我也挣点。"

"可是舅舅，我是发过誓不说出去的，所以我……哪怕对舅舅……"

"嗯，守信誉好，在咱们这个道上就叫讲义气。没义气的人根本站不住脚的。好，云啸你就好好学，学会了咱自己坐庄，不跟着别人跑。"

从歌厅出来，风铃带常云啸回了自己的小别墅。

"这些天你想我了吗？"风铃进屋就靠到了常云啸的怀里，平时冷酷的面孔上带了些妩媚。

真是一个奇怪的女人，常云啸抚摩着她的长发，"怎么不想？你又美丽又温柔，还那么性感。"

其实每个男人都有占有的欲望，别人都得不到而自己能够得到，就会有一种莫名的自豪。风铃就让常云啸有这种自豪，白天身边的男人见了她都向后退让，而在这里，常云啸就是主宰。

"好几天了你一个电话都没有给我打，还说想人家。"

"坐庄真的很忙。这不我攒着劲来跟你一起说。"常云啸坏坏地说。

两个人纠缠在一起热吻，彼此开始脱去衣衫。

价格从 39.89 元一路跌停，连续七个跌停，价格已经到了 19.08 元，引起股市多方面的注意，报纸开始刊登文章，有介绍银丰发展的发展前景的，有分析行业变迁的，有对公司提出质疑的；网络上更是热闹，骂庄家的，骂公司的，骂监管部门的什么都有。

"中国股市有一些神奇数字，你知道吧。"潘国峰把面包掰碎了泡在牛奶里。

常云啸点点头，"就是 5、8、13、21 等等。"

"我们已经连续七个跌停，出货不到 3%，今天是第八天，我要让大家抢反弹。我告诉你，人们的心理就像一根琴弦，如果不停地收紧很快就断了，但是如果收一收放一点，再收再放，结果比一直收紧要拉长得多。"

"你的比喻可能还不是太恰当，应该用我们现在的电价做例子，每次涨一点大家都没有反应，要是一次涨到位肯定有人就不干了。"

"嗯，比较形象。"

潘国峰在黑板上记录着。

第一阶段：拉高出货，平均价格 37.6 元，实际出货比例 18％，流动资金 29102.4 万元。

第二阶段：迅速压低价格，目标 19 元，平均价格 23 元，实际出货 4％，流动资金 3910 万元。

第三阶段：缓和下跌速度，目标 23 元，预计出货 25％。

银丰发展的价格从早盘的 18.10 元，被极大的买单接住一路上涨，很快就上到了 20 元，市场开始还有大卖单出现，但是很快就变成了更多的买单。在巨大的买单推动下，下午价格已经上到涨停的 20.99 元，并没有着急封住涨停，常云啸知道是为了让老张那边更多的出货。尾市突然出现一些大单打压，全部抛给下面的买家，最后由常云啸用几笔小单快速拉升将价格放在 20.80 元收盘。

晚上收回的统计显示，仅一天就出货 2％点多。随后的近半个月按计划横盘上下震荡，一直出货了 8％。然后在常云啸和老张的努力下，价格慢慢向上拉升，价格推高到 21 元多，做出底部反弹的姿势。跟进的买单开始增加，很快价格就推到了 22 元开始震荡，在这里需要按计划停留一个星期，完成 25％ 的出货。

时间一天天过去，银丰发展的股票还在按计划下跌，市场好像已经对这样的下跌习以为常了，没有人再费口舌评论这只股票了。

看看春节都已经过了，万物开始复苏，过了中国特有的两会，颁布了一些好的政策，股市也开始有了一些新的生气。但是银丰发展还是按照固有的姿势连续不断地下跌着。

潘国峰每天坐在电脑前，人越发的消瘦了，咳嗽比以前更加厉害。当然也忘不了在黑板上做着记录。

第一阶段：拉高出货，平均价格 37.6 元，实际出货比例 18％，流动资金 29102.4 万元。

第二阶段：迅速压低价格，目标 19 元，平均价格 23 元，实际出货 4％，流动资金 3910 万。

第三阶段：缓和下跌速度，目标 23 元，平均价格 22.2 元，实际出货 21％，流动资金 20099.3 万元。

第四阶段：快速下跌，目标 11 元，平均价格 12.8 元，实际出货

纸　戒

33%，流动资金 18210.9 万元。

第五阶段：慢跌到 6 元附近，平均价格 8.46 元，实际出货 15%，流动资金 5471 万元。

第六阶段：用 2% 的仓位压到 4 元附近，开始收集，准备反攻。

"目前我们的流动现金是 77216 万元，持仓 301 万股，也就是说总资产将近 78423.2 万元，和最初的 78000 万元等于不赔不挣。但是价格收下来了，我们挣钱的机会也出现了，目前市场的平均股价在 8 元附近，我们现在只有 4 元，很好的机会。我们要在 4 元到 5 元间震荡一个月，收集 15% 以上筹码。"潘国峰向李总解释着。

李总这几个月也消瘦了很多，四面的压力真的很大呀，一方面要应付监管部门的检查，一方面还要向董事会做出合理解释，"小潘呀，你不知道，现在上面盯得已经很紧了，现在我们可以不赔不赚就已经很好了，至少我的这个位置不用担心了。我看后面的就不要做了，我给你二千万算了结这件事情好不？"

"李总，我们辛辛苦苦制造了这样一个赚钱的机会，一旦撤出，多少人会蜂拥而上，您就忍心让给别人？想想公司对您的个人提成吧，5% 对吗？我说过我可以给你挣到十个亿，那样你就可以得到五千万，想想吧五千万，这只是提成还没有算奖金吧？"潘国峰好像有点着急。

"我想，"李总慢条斯理道，"我现在需要的是稳当一些，就这样吧，我不想再出事端，监察部门的压力很大的，你体会不到，我怕钱没有挣到命都没有了！"

整整一个小时的谈判，李总始终不松口，常云啸在旁边也不敢插嘴，只能看着潘国峰。潘国峰坐在那里沉思。屋里全都是烟雾，大家谁也不说话，老张也替潘国峰着急，分明曙光就在眼前，怎么能说不干就不干了呢？这可是将近两年的心血呀。

"那么这样吧，"潘国峰开口了，"你先给我开一千万，我继续将价格推高到 8 元，如果监管部门查得紧我们就立刻结束，不紧我们就继续涨上去，多少让你李总赚点，也好向公司交代，您看这样可以吧？我想只要开始上涨，股民那里就没有那么多怨言了，监管部门的压力也就小了，民不举官不纠嘛。"

李总不语，狠狠地抽了几口烟，"好吧，下午你的钱到账。老张你把账户都收管好，做盘的思路还是听潘国峰的，具体操作你要全权负责。

今后做盘要更加小心谨慎，每天向我做盘后汇报。好吧，就这样吧。小潘，你看呢？"

"嗯，好吧，我看这样行。"

回到家里，潘国峰闷闷不乐，其实谁都明白，常云啸手上的主账户汇合到老张那里，就等于把潘国峰的指挥废除了，人家可以按你说的做也可以不做。潘国峰在自己的房间里关了两个多小时，然后出来对常云啸说：

"看来我们坐庄的学习过程就要结束，希望你能学到一些东西。后面我们就不用再那么费力了，你也可以轻松了。今天下午钱一到账，我就给你划三百万过去，是酬劳你也是报你的出狱之恩。"说完径自出去，一直到晚上睡觉的时候都没有回来。

第二天再见到他的时候，发现他已经不那么闷闷不乐了，可能是想开了，像往常一样有说有笑。同时常云啸得到一个账户，上有三百万人民币，这让他也同样兴奋起来。

从那天起，银丰发展股票在 4～5 元间震荡了足足两个月，这超出了大家的想象，按照潘国峰的性格是不应该的。随后开始发力上攻，到八月份的时候股价已经上到了 8 元多，再进入平台震荡。

虽然开着空调但是地下室的气味还是让人不舒服。潘国峰躺在摇椅中闭目，常云啸早就开始恢复了学习，现在正在学习期货。去年证券从业人员资格考试已经放开，社会人员也可以报名参加，所以今年常云啸就报了名，拿个证书没有什么不好的。

"常云啸，其实说起来你还是我的大哥，是你把我从监狱中救出来，要不我还有好多年呢。"潘国峰突然说。

"你呀，还是做我师傅吧，我还没有学完呢，再说我现在也叫顺嘴了。"

"我上次进去的时候，发现了警察的一个弱点。"

"哦？警察也有弱点？"常云啸感兴趣。

"其实只要你不坦白，他就拿你没有办法，警察办案需要证据，你什么都不说，警察很多时候就拿不到足够的证据，尤其是一些比如知情人已经死亡或者逃跑，那么只要所有一切都推到那人身上就什么罪过都没有了。"

"你今天怎么突然想起这段了？不是都过去了吗？那段生活其实没什么好回忆的，对了，也不知道大青现在怎样。以后呀，我就跟着你学，你走到哪里我就去哪里。"

"坐庄是什么好事？只怕你将来还有要恨我的时候呢。"没说完潘国峰又开始剧烈地咳嗽。

其实恨不恨又能怎样？有些人你就是想恨他也不一定恨的起来，因为他没想害你，潘国峰就是这样。从第二天清晨起，常云啸就再也没有找到他。人就这样消失了，只在电脑前留下了一盘录音带，就是潘国峰和李总的所有谈话。

潘国峰逃跑了！

后面的事情不很乐观，李总被证券监管机构调查，司法部门很快就介入开始立案了，李总所在的恒安投资公司也在调查之中，老张和常云啸也涉及在内，被警方拘留突击审讯。

这个时候常云啸才明白那天潘国峰说话的意思，于是他给了警方暗示，让警方在搜查住所的时候很容易就找到了那盘录音带。常云啸早就听过了这盘带子，那里有多次会议和讨论的记录，由于潘国峰不允许常云啸说话，所以这些记录中没有常云啸的声音。后面的审讯中，常云啸保持什么都不懂什么都不知道的态度，一切的一切都是潘国峰所为，自己只是跑腿为了混饭吃，其他一概不知情，统统问我的律师。

这个时候，舅舅和风铃也不闲着，四处游说。当常云啸走出拘留所的时候，听说李总这次是彻底栽了，有领导批示："此案由于涉及金额巨大、人员众多，造成后果极其严重，使广大投资者蒙受巨大损失。有关部门曾三令五申保护中小投资者利益，此案必须从速从严依法办理。"老张也没有逃过去，常云啸由于不知情无罪释放，重大嫌犯潘国峰在逃。

阳光从窗帘的缝隙中射进来，在地上留了一条光影。风铃趴在常云啸的胸口上，轻轻咬他的乳头。常云啸笑着抚摩她的秀发。

"其实我一直都没有搞明白，是潘国峰告的密吗？那他告密有什么好处？股价上涨了，还可以从李总那里再多分点利润，难道连钱都不要就跑了？而且李总说要给他两千万，他却只要一千万，不可思议。"

"他能不要钱？那么爱钱如命。"风铃手又不老实地在常云啸身上乱摸。

"你是知道一些事情吧，告诉我。好了，别玩了。"常云啸把她按住。

"好好好，我告诉你。潘国峰的师傅当年坐庄给李总打天下，没有得到一点好处，后来出事了，姓李的不但不帮忙还嫁祸给他，使得他的师傅就这样进了监狱。潘国峰这次就是要报这个仇的，所以他不仅告发了李总，还让他所在的公司支付了两亿多的罚款。"

"那钱呢？你不是说他拿到钱了吗？一千万他还给了我三百万，自己剩七百万。"

"加这七百万的话，他一共得到五千七百万。"

"什么？"常云啸惊讶地瞪大了眼睛。

风铃离开了床，拉开窗帘让阳光整个照在她美丽结实的裸体上。然后在小吧台上取了一个高脚杯，倒了牛奶进去，"你太小看他了，李总也小看了他，以为用点钱就能拉拢潘国峰为他做事。潘国峰找过你舅舅，你知道吗？"

常云啸摇头。

风铃继续说，"在银丰发展四块钱的时候，他找到了舅舅，得到了一亿五千万的资金，然后全部买入银丰发展。然后用李总的钱将股价抬到九元，再将舅舅的股票都倒给了李总，让舅舅赚了近一亿七，然后按协议得到五千万的酬劳。又得了钱，又搞垮了李总。"

"高，实在是高。"常云啸这才明白为什么银丰发展在四至五元的价位反复震荡，竟然是给舅舅进场的机会，原来自己一直被蒙在鼓里。但是不得不佩服潘国峰，发生这么多事，竟然可以不露声色就能办得如此完美，想让进监狱的人都进去了，不想让进去的不仅能不进去而且有钱赚。

"其实，他要是踏踏实实跟着李总不是能得到更多吗？"

风铃笑出了声，"李总那样的狐狸能给他八千万吗？李总本来是想把潘国峰的权利收回后，自己坐庄挣钱，因为从四块钱向上炒对他们来说还不是太难的事情。那样少了潘国峰的分成，他们可以分更多一些嘛。"

"你怎么知道得那么详细？"

"潘国峰临走的时候跟舅舅谈过，要舅舅随时准备保你出来，同时告诉了这些。前两天是舅舅告诉我了。"

纸　戒

常云啸点点头，近一年来大家一起坐庄的点滴事情出现在眼前，平时大家那么投机，没有想到其中隐藏了这么多的暗礁。

连续几天常云啸都没睡好，有时候梦见潘国峰，有时候梦见林晓雨，有时候梦见北京的哥们儿，还有风铃，有的时候他自己也不知道梦到什么，从黑夜中惊醒。人生真是变化无常，最心爱的人突然走掉，最敬佩的人一夜逃亡，究竟是谁背叛了谁？也许谁也没有错，都是追逐自己的理想，只是在理想的背后往往是别人的痛苦。

最亲近的人都可以为你设计一个陷阱，那么其他人呢？潘国峰说过，股市上自己以外的人都是敌人。这句话让他听着心寒，但是有什么不对吗？生活中不也是如此，没有利益关系的幼儿时代，人们没有矛盾，从知道区分什么是你的什么是我的的时候，人们就开始挣扎在各种特定的斗争中，最后谁是你最亲的人？

常云啸哭了，不知道为了什么，只是觉得心中好难受，很难受。也许只有泪水才能让人的心灵冲刷得洁净一些。

常云啸决定休息一段时间，回北京看看哥们儿。

临走的时候，风铃一再嘱咐，记得给她打电话。常云啸点头，经过了这许多事情，他对这个姐姐的依赖好像更加强烈了。

12

盛夏的北京其实一点都不比中国著名的四大火炉凉快。常云啸回到自己北京的小窝，竟然用钥匙打不开房门，突然想起来房子借给梅子和驼子结婚用了，一定是换了门锁。只好去了妈妈留下的房子，里面很干净，摆设没有动过，看来梅子经常过这里来打扫打扫，托付给她是一定没有问题的。稍微休息了一下，就开始打哥们儿的电话，只有梅子的手机还打通，别人的不是停机就是关机。跟梅子约好了，去她那里看看。

梅子和驼子结婚之后，开了一个小水果店，生意不好做，紧紧巴巴的，但是多少还算是能维持下来。其实小店并不远，就在常云啸的小窝附近，常云啸找到水果店，真的很小，也就不到三米宽的门脸，有十平方米？梅子和驼子高兴地站在门口等他呢。三人在小店门口坐下来。

原来，响炮去了俄罗斯倒皮衣，竿狼在北关村一家电脑公司打工，牛皮在汽车城卖汽车，蝈蝈做建材生意赔了钱在家闲逛，只有老猫还在搞音乐，在酒店里弹钢琴。

"我们日子过的还行，多少够糊口，攒点钱以后自己好买房子。"梅子看上去已经不像两年前那样一股疯劲，现在像个贤妻良母了。

"我们一直住你的房子，还没有给房租呢。"驼子还是那么实在。

"说什么呢，"常云啸打断他，"谁管你要房租了？你再提房租，我就去把那房子烧了。我现在S市工作，北京的房子空着也是浪费。"

"空着还能租出去呢。"驼子又说。

"你还说！"两人相视笑了。

常云啸前后看了看这个小水果店，最多十几平方米。前面是玻璃门，后面没窗户，冬天没暖气夏天没空调。"这叫什么破地方？一年还要交不少房租吧，干脆别干了。"

梅子笑了，"不干这个你给饭吃呀。"

"别说，我还真有好想法。咱们能回家说去吗？这里热都热死了，就这么一个电扇还不够吹热风的。"

关了店铺，三人回到常云啸的小窝，现在被梅子重新布置之后，比以前看上去舒服多了。

常云啸点点头，"你还是那么手巧，有点艺术细胞。"

"什么艺术细胞呀，她也就捯饬捯饬家还行。"驼子说。

常云啸忽然看到梳妆台那个曾经熟悉的红色心形糖盒，急忙走过去打开，里面的海绵垫上只是一些女人用的首饰。他为自己的行为笑了笑，那里怎么可能还有他一年前的记忆，上次在这里就已经找不到纸戒，没有了爱的约定，现在又怎么可能有想要的东西。

梅子看着他，"我看到这个盒子很好看就拿它做首饰盒了，怎么了？"

"没什么。这个盒子以前是我妈妈的，看到它让我想起一些事情，能不能我带走？"

"本来就是你的嘛，还能不能的。我再找一个盒子就是了。"

"你喜欢捯饬家，我想应该让你们捯饬一个大的。"

纸戒

"什么意思?"梅子好奇地问。

　　常云啸告诉他们想开一个酒吧,自己投资两百万做董事长,聘梅子为总经理,驼子为副经理,把哥们儿都找回来,一起开这个酒吧。

　　梅子听完连声称好。"你哪里来这么多钱?常云啸,歪门邪道的咱们可不能做。"

　　"说什么呢。记得我跟你提起的那个做股票的师傅吗,我们做了一次股票,靠本事挣的钱哦。这样以后我在北京也算是有个落脚点。"常云啸这么说。

　　"你是正的我是副的,怎么总是你管我呀?"驼子朝梅子开玩笑。

　　"我管你怎么了?别人我还不稀罕管呢?"说着就去掐驼子的胳膊,"让管不,你让管不?"

　　"好好,让管让管。"驼子求饶。

　　看着人家两个人亲亲热热的,常云啸竟然感到一丝伤感。两年前在这个屋子里传出的欢笑,已经不再存在,而今灯火依旧,只是伊人不在。

　　除了响炮在俄罗斯联系不上,大家都到齐了,讨论了几次,这件事就算是定了,毕竟两百万开一个小酒吧还是绰绰有余的,所以只要分好工,应该不成问题。大家在梅子的指挥下开始分工,各自去为酒吧的事情奔波。常云啸倒是没有什么事情,他要做的就是准备资金。于是常云啸就住进妈妈的房子,开始自学金融知识,一个月后参加了证券从业资格考试,拿到了证券期货的从业资格证书。

　　时间过得不慢,三个月过去了,在冬天没有到来之前,这个酒吧就已经开张了。酒吧名字叫:蓝巾牛仔。由于常云啸的创意非常好,酒吧一开张就生意兴隆,梅子带着大家每天忙前忙后,倒是也都快乐。

　　常云啸时常偷偷打听林晓雨的消息,听说她新买了别墅,生了一个女儿,每天在家里带小孩,很少出门。她老公唐浩已经不在鸿雁投资公司,进入了文武集团做副总经理。有很多次,常云啸开了车在别墅外悄悄等待,希望能看到林晓雨一眼。

　　其实看到又能怎样,说什么吗?还是做什么?不知道。只是想看看。但是只有一次看到她坐了唐浩的车出来,常云啸很想开车跟上去,车子已经发动但是后来还是停下来了。

　　接下来的冬天,常云啸专心的在家里学习金融。知识这个东西就像画一个圆圈,知识少的时候圆圈小,而圆圈外接触的无知空间也小;当知识多了的时候圆圈变大，就会发现自己接触的无知空间更大了。所以越是博学的人，才越知道自己的无知。常云啸就发现自己在金融方面相当无知。一直到第二年春天，常云啸还在知识的海洋里遨游，风铃想着常云啸，春节的时候过来住了几天然后又匆匆地回了S市。

蓝巾牛仔的经营还真的不错，几个朋友把这里打理得井井有条，像模像样的。几个月后已经可以盈亏持平，能一点点的回收成本了。高兴的时候，大家把以前乐队的家伙器搬出来，在酒吧里唱唱，回想一些往事，生活也其乐无穷。

但是九月的一天，麻烦的事情又来了。

这天风铃给常云啸打电话，说舅舅出大事了，要常云啸赶紧回S市，电话里说不清。常云啸到酒吧里跟大家匆匆告别就奔了飞机场。下了虹桥机场一刻也不敢耽搁就去了舅舅的别墅。毕竟这个人已经是常云啸在这个世界上最后一个亲人了，如果他再出点什么事情，常云啸就真的觉得这个世上无所依靠了。

能是什么事情呢？常云啸一路在想，凭舅舅在S市的关系，一般也不可能有人能动他，难道他不小心得罪了什么官员或领导？一路乱想着进了舅舅的别墅。

舅舅正坐在太师椅上闭目，前面坐了几个人，看上去好像各赌场的掌柜和管事。风铃站在舅舅后面，胡律师坐在下手。看来是在开会，风铃示意常云啸拉了把凳子坐在一旁。听了一会儿才明白，原来这些赌场都出现了资金困难，甚至有些赌场已经开不下去了。

杨东摆摆手，示意散会。几个人不是摇头无奈，就是面面相觑地走了。

杨东的声音有点沙哑，"小云回来了，坐吧。"

"出了什么事，好好的怎么经营不下去了？"常云啸着急地问。

"是这样……"胡律师接过话题。原来，舅舅自从上次潘国峰给他两个多月就挣了一个多亿之后，发现金融市场是一个好地方，就加大了金融的投资。有人介绍说巴西的股市刚刚兴起不久，正是赚钱的好机会，于是杨东就参与了巴西圣保罗股市的交易。开始真的是一帆风顺，资金迅速地扩大，杨东的投资也跟着扩大了。谁知拉美诸国突然出现了金融危机，由墨西哥开始迅速扩展到整个拉美，巴西自然也逃脱不了，股市大面积缩水。由于杨东投资金额巨大，没有办法迅速撤离股市，遭到了极其严重的打击。更糟糕的就是杨东大量动用了赌场的流动资金，这样股市一赔下来，赌场那边就没有了流动现金，几个赌场和歌厅都处于关门的境地了。

"树倒猢狲散，墙倒众人推呀。现在几个贷款开的歌城，银行突然要紧急收回贷款。原先参股投资的人，也要撤回资金或者赎回兑现。小云，你觉得我应该怎么做？"杨东憔悴了很多，眼睛布满了血丝。

常云啸想了想，"也许要卖掉小的歌厅和赌场还债，重点保存几个大的，留得青山在吧。"

"我也这么想的，胡律师你和财务去算算，如果逐个卖掉小场子还钱，我最后能剩下多少场子。好了去吧，晚上来见我。"杨东转向常云啸，"还有大量的资金在巴西的股市上，我叫他们把账户里的数据统计出来了，你学过股票，帮我看看用什么方法减少损失。"

"可是外国股市我从来没有接触过。"

"都是股市，外国的也和中国的差不到哪里去。在这个时候，你要不帮舅舅，舅舅我还能找谁呀！"杨东说着眼圈都红了。

常云啸赶紧说，"好，那您让他们把资料给我，我摸索着看看，这个东西不好说，尽力吧。"

"不要有什么后顾之忧，我大头都赔掉了，这点零头其实也只是一点心理安慰，就算是彻底赔掉也和现在的情形基本相同。"

"您别着急，股票那边我多看看。"

"努力吧，"杨东看看风铃，"你们也都下去吧，让我一个人静静。"

三个人出来，胡律师耸耸肩无奈地走了。风铃把常云啸带到其他房间。

"怎么会这样？"常云啸问。

"我怎么知道？反正现在都已经这样了，十几个亿那么瞬间就赔掉了，给他的打击很大。我劝他给他的大哥打电话，也不知道他打了没有。"

常云啸眨眨眼，"他的大哥？"

"是呀，干爹原先也是跟他大哥起家的，后来那个大哥去了香港，S市的这些场子就交给舅舅打理。"

"希望能够渡过难关，他是我最后的亲戚了。"常云啸自语道。

"那我呢？我不算你亲戚？"

常云啸愣了愣，"你是我的宝贝。"

拉美地区的股市联动性很大，墨西哥由于比索的升值，使得对外贸易不断出现赤字，巨大的外债最终导致了金融危机。糟糕的是，墨西哥比索的下跌引起了巴西雷亚尔的下跌，接着就出现了资金外逃，从而又导致了整个拉美地区股市的下跌。其中巴西遭受的打击是最大的，虽然巴西央行马特里克斯银行声称，有办法抑制雷亚尔的贬值，但是拉美地区的五大股市：圣保罗、利马、墨西哥城、圣地亚哥、布宜诺斯艾利斯都还在不顾一切地下跌着。

这可头疼坏了常云啸，外面的股市对他来说还是太深奥了，刚刚觉得自己懂一些中国股市的他瞪大了眼睛也看不清世界的复杂变化。常云啸彻夜学习了近一个星期，但是金融这个东西不是说临时抱佛脚可以搞明白的，就像数学，如果你不懂 $1+1=2$，那么怎样给你讲二元二次方程你都会听不懂。

最后常云啸还是决定放弃了，相关的书籍还没有看完两本，资产就又有了巨大损失。常云啸决定立即止损，收回所剩资金。

"看来也只有这样了。"杨东点点头。

"舅舅，我真的是没有用处，一点忙也帮不上。"

"不能怪你，"杨东拍拍常云啸的手，"我听说这个星期你基本没有睡觉，一直在为我这个事忙，辛苦了。回去好好睡个觉。还有你应该有所总结，书到用时方恨少呀，这个我年轻的时候就知道了，但是现在这个岁数已经不能后悔了。"

"舅舅我明白，我学习得很不够。"

"好了，看看我们最后能剩下多少银子。我已经安排他们给场子找买主，很快那些狼一样的老大们就会蜂拥而上，现在我们就是待宰的羊羔，让他们撕咬，只能乞求留下一身骨头。"

说话的时候语音有点沉。这些歌厅、赌场，哪一个不是在他眼前一点点成长起来的？后来大哥洪天泽去了香港，S市这边的事情更是杨东一手打理，哪个场子不是费尽心机得到，然后辛辛苦苦经营才有的今天。没有想到，最后全给外国人做了贡献，到头来沦落到卖场子还债，怎么能不心痛？

纸　戒

杨东卖掉了大部分场子，从资金上看是弥补了欠缺的款项，但是事情并不像想象的那么简单。由于势力缩小了，很多人或多或少的不像以前那样溜须着杨东了，甚至有时候还要甩个脸子。就这样白道上的人给脸色，黑道上的人使绊子，杨东的日子不好过，勉强维持着度过了两个月。一天，他把常云啸和风铃叫过来。

"我给洪大哥打过电话了，他的指示是，"杨东在这里顿住了，好像很不情愿往下说，"要我们卖掉剩下的场子，带了钱去香港与他会合。"

"舍得吗？"风铃问。

"不舍得怎样？"杨东叹气，"这些摊子其实还是老大创下来的。现在他说卖掉，去跟他做生意，我能不听吗？只是毕竟自己经营了许多年，就这么卖了心里很不是滋味。"

"卖了钱干吗还找他？咱们自己做点正事有什么不好？"常云啸还想劝舅舅从事正经投资。

"做人讲个义字，当年我那么惨，他收留了我。几个老场子我没有掏过一分钱，现在经营不善，投资失败，人家要收回自己的成本也是正常的。好了，铃儿，去找胡律师叫他来吃晚饭，一起商量这件事。"

"好的。"

晚饭之后，胡律师和杨东私自坐了一会儿，然后走了。一个星期之后，所有的场子都转让了，连杨东的别墅都卖掉了，他搬到了风铃住的地方处理后面的扫尾工作。

眼看快到年底了，杨东把所有的事情都安排好，便带了风铃和常云啸去香港见他大哥——洪天泽。

从S市经深圳到香港，温度越来越高，现在是年底，在这里穿短袖也没有问题。三个人穿得像是旅游度假，其实心里总是有一种逃难的感觉。虽然出来的时候杨东查点了自己的资产，还有两亿多，但是心中总有一种让人挤出S市的别扭，心里很是压抑。

到了香港，杨东并不急于去见大哥，而是带着常云啸和风铃在九龙玩了几天。很多人习惯把九龙和香港放在一起，感觉就是一个地方似的，其实这两个地方中间隔了维多利亚港湾。九龙还算是与新界相连的半岛，而香港才真真正正的被称为香港岛。

三人在半岛酒店住下，对面就是香港太空馆、文化中心和艺术馆。

由酒店向东就是香港新世界 New World Store。到了香港总是不太习惯，他们的作息时间对内地人有点奇怪，比如那个世界最先进的太空馆，每天下午才开放，休息时间是周二；而艺术馆要周四休息。害得三个人浪费了不少时间修改旅游计划。

十二月底，三人上了香港岛。夜晚的太平山是香港最著名的游览胜地之一，站在凌霄阁上，很清楚地看到九龙半岛和维多利亚港灿烂而绚丽的灯火。黑色的天空和黑色的海洋，在这里是如此美丽。灯火如星光一般，密布在黑暗的天海中，让人感觉到人类的伟大，创造了天海也为之炫目的奇观。

"真是好地方呀，"杨东说，"我想我们在这里应该大有作为才是呀。"

"干爹，凭您的本事我们怕什么。"风铃挽着杨东的胳膊。

常云啸挺看不惯风铃这样做，可能是心里多少有点忌妒，男人的独占欲望嘛，没有办法。

"好，我们就在这里买房子住下，以后看看怎么能搞他一个香港公民证，多少也算半个外国人。"杨东的情绪这几天比刚出 S 市的时候好多了。

杨东说做就做，两天后在湾仔的赛马会公园旁边买下一栋小别墅，虽然比不上在 S 市的气派，但是也算是舒适漂亮，毕竟香港的土地是寸土寸金。别墅门前就是很著名的 QUEENS ROAD EAST 皇后大道东。说是赛马会公园，其实要看赛马还要去跑马地，那里的黄泥涌赛马场长年赛事不断。从皇后大道东再向东就是跑马地，很近的。三个人去了几次，押上几注，赢不赢钱也都无所谓，只是要体验那种刺激。

元旦的欢喜气氛过了之后，大街小巷又开始准备春节的热闹。香港人对春节的热情好像比北京人还高。也许是因为严禁放鞭炮，北京的春节已经和休假差不多。杨东决定在春节前去见大哥洪天泽。

洪天泽住的地方位于香港南部，英文名字应该是 AP LEI CHAU，也许翻译成鸭脷洲更好理解，鬼晓得最初是怎样翻译出这样一个名字的。其实这个洲是一座小岛，与香港岛隔了一条叫深湾的海湾，两个岛之间由鸭脷洲大桥连接。这个洲上有一座玉桂山，海拔只有 196 米，风景很优美，三面临海。

上了鸭脷洲，早已经有一辆奔驰等他们，直奔玉桂山。

这个坐落在玉桂山上的"福海听风"应该不算是别墅了，说是庄园

纸　戒

可能也差不多，要不叫花园、公园什么的都可以。常云啸进了这个地方觉得不是来拜访什么人，而是来游玩。从"福海听风"的大门进来，车至少行驶了五分钟才看到住宅区，那是一片最高四层的别墅群，前面有一组巨大的喷泉，别墅群的左边是一湖水，是山水还是人工湖，不清楚，别墅群的右边是一片树林。别墅的后面可以看到的就是青天白云。车在喷泉边的停车场停下，三人下来，一股潮热的海洋空气扑面而来，并夹杂了海水的味道，从这里可以直接眺望大海。

有侍从过来，带了三个人进入别墅主建筑。这片别墅从装修和装饰上都很古朴，并没有金碧辉煌的感觉，使人觉得很舒适而并不豪华。穿过走廊到了别墅的后面，这里被一张巨大的遮阳棚遮住，看得出这个遮阳棚是可以收放的。遮阳棚下是一个游泳池，有女人在里面游泳。泳池里竟然还设计了升降台，看来这里可能还有水上表演。往远处看越过花丛能看到海洋。泳池旁设了吧台和十几把阳伞，有侍从站在那里。

其中一把阳伞下坐了一个人，老远就向杨东挥手，"老杨，这里。"

杨东赶紧挥手致意，并低声对后面的两个人说："洪天泽。"

杨东快步来到洪天泽面前，伸手握住了他的手，"大哥，可算是见到你了。"

"老杨，快两年多没见了吧，从前就跟你说不要叫我大哥，你比我还大呢，叫我洪兄弟就比什么都好，来，坐下说。那两个是谁？"

"你对我有救命之恩，而且叫大哥也已经顺嘴了，你就别难为我了。这个是我外甥常云啸，这是我收养的干女儿风铃。"

"一起坐，别客气。老杨我们一起出生入死亲如兄弟，大家都是自己人，不要客气，坐。"洪天泽看上去并没有很大派头。

常云啸和风铃坐下，侍从端来三杯果茶，散发出淡淡的果香。常云啸从进入这个地区之后就一直被这里的美丽风景和古朴装潢所吸引着。现在才定下神来看看这位舅舅的大哥。

看上去洪天泽年岁不大，大概也就四十岁，刚才他说比舅舅小，那么最多也就四十一二。头发很整齐的背在脑后面，下巴上有很明显的一道疤痕，穿泰式花纹的衬衫和短裤，穿一双白球鞋，简单而不炫耀。说话也很柔和，如果不说他是大哥的话，大概谁也不会想象他就是老大，连门口的保卫都比他酷百倍。

杨东和洪天泽谈起来 S 市方面的事情，讲述了近两年的发展情况和最近金融市场的风波。洪天泽一直不吱声，认真地听着。

等杨东都讲完了之后，他才开口，"没关系的，你也是想为咱们帮会多搞些利润嘛。只是这次丢掉了Ｓ市的地盘有点可惜，我本来想先发展了香港、广东和浙江之后再重回Ｓ市……你知道这次几个元老对你都有很大意见呀，这些人当年跟着我父亲打天下的时候缩头缩脑，要不是你和我那么拼命哪里有他们的现在。结果呢？现在大家挣钱了，有势力了，就一个个以老臣自居，动不动就指东道西。你这次回来正好帮我整理整理，我很需要你呀。"

"可惜了Ｓ市那边，当年咱们费了那么大劲打下的局面。"杨东还在想他的Ｓ市。

洪天泽拍拍他，"Ｓ市，我们有一天会夺回来的。攘外必先安内，我们处理好这里的事情，Ｓ市很容易，我知道你舍不得那里，到时候你还回你的Ｓ市做老大。"

俩人会心的大笑。

忽然洪天泽转向了常云啸，"刚才说到你会炒股票？"

"啊？"常云啸没有想到他会跟自己说话，"我，我……"

"他曾经坐庄很厉害的。"风铃插话说。

"坐庄？像电视里一样？"洪天泽问。

"操作起来比电视里略微复杂一些。"常云啸赶紧说。

"哦，不错不错，好好干，年轻有为。"而后洪天泽又转向了杨东，两人继续说起了很多往事。

晚上洪天泽邀请三人留下住在这个别墅里，并为他们开了一个小宴会。宴会说起来并没有什么人，杨东一行三人、洪天泽和他的情人贾丽丽。这是一个妖艳的女人，一条低胸的黑色吊带短裙紧紧地包裹了她丰满诱人的身材。外面罩了一件透明丝制的黑色长袍，使白皙的皮肤变得隐隐约约。其实从手指的纹路上来看，这个女人应该不到三十岁，但是已经完全拥有了成熟女人的气质和谈笑。女人成熟也是一种诱惑。

其实这个贾丽丽读者已经见过面了，那个时候她还在Ｓ市。记得常云啸刚到Ｓ市住在丁香园旅馆的时候吗？在那个倒霉的沈老板的房中有一个穿一身黑纱的半裸女人，当时她叫黑玫。只不过当时秦星进到里屋，常云啸是坐在门厅没有看到她罢了。在沈老板被杨东干掉之后，这个叫黑玫的女人，摇身一变成了贾丽丽，竟然出现在了洪天泽的身边，算是

纸 戒

一个有本事，不可小看的女人。

两天后，洪天泽给了常云啸和风铃各二十万，算做见面礼，让他们自己在香港多走走看看，而杨东则留下商量帮会里的事情。

常云啸想去大屿山看看天坛大佛，两人从鸡笼湾乘豪华小艇到大屿山的梅窝，买了一辆车去昂坪。两人一路亲亲热热，风铃像换了一个人似的，在S市白天出去她从来不拉常云啸的手，现在竟也敢挎着常云啸走路了，甚至在没有人注意的时候还偷偷这捅捅那挠挠，搞得常云啸每天火烧火燎的。没有熟人在场，风铃总是这样疯。

宝莲寺已经有近百年的历史了，号称香港四大禅院之首，而这尊天坛大佛更是世界最大铜佛。大佛是中国航天航空部设计制作，也算是两地佛学和高科技的结晶。一天一百零八下钟鸣，化解众生一百零八种烦恼。站在三十四米高的天坛大佛下面，可以感受到释迦牟尼佛祖的庄严。

风铃在这里请了一串菩提手链送给常云啸，"知道你是一个好人，可是现在却卷进这么多事情中，希望上天可以保佑你。"

"谢谢你，不过我卷入什么事情了？"常云啸不解。

风铃找了一处干净地方坐下来，"干爹他在S市做什么生意你是知道的，那时就已经犯法了，现在这个洪天泽，年纪轻轻就已经是那个什么帮会的老大。以前也偶尔听干爹提起过他们曾经一起在S市拼杀的事情，洪天泽的父亲就是当时的赌场老大，现在他们的势力看来是比当年大多了，还搞什么帮会，不知道又开着多少赌场和妓院，不出事是运气好，但是将来一旦出事谁也跑不了的。所以我想跟你说，尽量远离他们，回你的北京吧。"

"香港不是很好吗？北京有什么？"

"至少有你的酒吧和你的朋友。"

"但是这里有你呀。"

风铃看着常云啸，眼泪慢慢地流了下来。五岁父亲丢下妈妈和她跟别的女人跑了，妈妈总是拿她撒气说是她克走了爸爸；七岁时妈妈去世了，她就变成了孤儿，跟了别人四处要饭总是被打来骂去；九岁的时候就在S市的一个小里弄中被一个小痞子强奸了；十岁由杨东收养送少林寺的武馆一学十二年，出来之后就帮杨东四处打杀。为了冷酷，每天只能假装绷着一张脸，直到后来不用假装，别人已经认定她是一个冷血的女孩。她就像一个工具被人使唤着，利用着，没有人真正关心过她，爱护过她，没有人知道曾经在她身上发生过什么，没有人看到过她流泪。但她也是女人，女人都需要爱抚，都需要有个依靠。现在她靠在常云啸的肩上，感受着男人身上的温暖。

香港的确是有钱人的地界，由于这里是自由港所以是没有关税的，世界各地的高档物品都聚集在这里，爱购物的女人到了这里就是到了天堂。两人游玩了一圈，春节的时候回到了在湾仔赛马会公园旁的别墅。春节在香港人眼里是非常重要的节日，四处张灯结彩好不热闹，而且很多购物的商场都会优惠打折。去维多利亚公园游玩回来，常云啸提议逛一圈六福珠宝行。

卧室的灯光很暗淡，喷了柑橘的清香，让这个屋子变得温馨，听说女人闻到柑橘的味道心情会平静很多，全身都会放松的。

风铃从浴室出来，没有穿衣物，只是拿了一条浴巾擦掉身上残留的水滴。淡黄的灯光落在她光洁的肌肤上，是那么诱人。常云啸的眼光从她的脸庞到她玉颈到乳房到小腹到三角地到大腿到小腿脚趾，一点不落地看过去，每一处皮肤都散发着青春的活跃。是练武的缘故，在她身上找不到一点赘肉和多余的脂肪，每一处都恰到好处，让人心动。

"美女，来喝一小杯？"

"你喂我好不好。"

"今天是大年三十呀，猜我要送给你什么礼物？"

风铃用手抚摩着常云啸的胸，"什么呀，这样神秘？"

"看上面。"常云啸指指天花板上漂浮的一只氢气球，"在里面。"

"好。"风铃说着已经跳上桌子，将气球拿到，用指甲一划气球爆裂开，飞散出很多的彩纸，随后又有一个小的氢气球从中飘了出来，下面挂了一个小盒。风铃一把抓过来，打开，是一枚钻戒。

"啊，太漂亮了，是给我的吗？"风铃激动的两眼放光。

"是呀，我送给你的，喜欢就戴上吧。"常云啸帮她戴上。"我送你礼物了，你有没有给我的？"

"你的嘛……"风铃坏笑，"今天让你舒服到天亮！"搂着常云啸摔倒在床上。

两人开始抚摩亲吻，纠缠在一起，疯狂地做爱，变换着姿势，直到

纸 戒

两个人都累得精疲力竭，瘫倒在床上。风铃的身体还在兴奋地颤抖，常云啸给她盖上被子，拍着她慢慢地睡去。

夜已经深了，外面的鞭炮声还是可以听到。香港政府的礼炮烟花早就放过了，一些小孩子还要自己放鞭炮。屋里很静，听到风铃均匀的呼吸声。常云啸抚摩着她的头发，又一次地想起了林晓雨，想起了他们的第一个夜晚。

没有宽敞的别墅，没有豪华的大床，没有名贵的钻戒，在那个小小的房间里，有两个人，彼此的相爱。所有的一切还是那么真实，那么温馨，就像在眼前。他们没有礼物，能送的只有一枚纸戒，但是那也让彼此很满足，很高兴，像两个小孩得到了心爱的宝贝。现在呢？现在你在哪里？林晓雨，那两枚纸戒也随你而去消失了。就像一颗流星从面前飞过。那两枚纸戒的誓言已经随流星的划落，蒸发，甚至没有一丝踪迹。一切就这样变化，让人来不及喘息。

常云啸决定听风铃的，回北京。

13

过了十几天，常云啸收拾东西准备回北京，杨东突然来电话说洪天泽想见他。这让常云啸很奇怪，洪天泽见我做什么？虽然不太想去，风铃也不赞成，但是出于礼貌，常云啸还是去了。

一到"福海听风"，风铃就被杨东叫走了，留下常云啸和洪天泽单独见面。

洪天泽让所有的侍从都退了出去才开口道："你是不是正奇怪我为什么叫你来？"

"是。"常云啸答。

"那开门见山地说吧，我想问你想不想帮我做件事。"

"不想。这个问题我舅舅就问过我，他做的事情我都不想参与。"

"嗯，实在。你现在开着一个酒吧，这就是你一生的梦想？"

常云啸惊奇地看着他，"你知道？调查过？"

"我看中了谁都会调查，回答我的问题，你的梦想就这些？"

不知道他还调查了什么？他看中我什么？ "我的梦想是做一个操盘手。"

"可是你没有资金对吧，如果你现在有三个亿的资金你不是就可以去当好你的操盘手了？"洪天泽看着他继续说，"如果我有三个亿你愿意帮我打理吗？"

三个亿，让我打理？常云啸迟疑了一下，"不，不愿意。"

"为什么？"洪天泽有点惊讶，"不是你的梦想吗？"

"是，但是……真心地说，我很想接受一笔钱，其实我的梦想也是为了在金融上打败一个人。但是我不会用你们的钱，因为这些钱的来历你一定比我清楚得多，这样的钱随时都有法律上的风险，我更不想因为这笔钱进入到某个高墙里面。"

"哦，原来这样，看来我们今天有希望能够达成一致了。"

"什么意思？"

"我也实话跟你说吧，我的确和你舅舅做着某些生意，你在S市相信也都看到了是什么买卖。正是因为这样，我也需要有一个安全的港湾，需要有一些干净的钱。将来如果哪个环节出了问题，至少我还能有一条后路，你明白吗？我找到你，并不是让你参与我和你舅舅的生意，而是要你帮我管理一部分资金，对我就是在一个干净的地方存下了一笔干净的钱；对你正好是一个用钱的好机会，你将得到锻炼，损失的钱不需要你偿还，多出去的钱你可以拿走。"

"我拿走？我没事就到你这里来领钱？那么等你出事的时候，有多少人会认识我？我能跑掉吗？你的钱还能安全吗？"常云啸看着他。

"我这里有一块玉佩，凭这个玉佩和我手写的字迹，去香港兰花银行的保险库中你可以拿到一张三亿的存单，然后可以转移到任何个人或法人的储蓄账户上。这个保险库是高度机密的，任何检查都不会涉及到它，所以这笔钱是干净的。从此你就管理这三个亿，赢利与亏损就看你的本事了。"

"你那么信任我？我把这些钱转移到我个人账户上，我不就是亿万富翁了吗？"

纸 戒

"你不会这样做的，原因有三个，一、你的人品我调查过了，虽然不是多高尚的人，但也不是你说的那种人。二、如果你的账户上出现三个亿，你认为政府会看着没有任何反应吗？三、做股票我一定不如你，但是论追杀我一定比你强，拿五十万就可以很痛快的……咔。"洪天泽伸掌在空中劈了一下。

"你怎么知道我不是这样的人？我可以分批打入酒吧的公司账户。三个亿呀，我也会请人的，你想过没有，那个时候我身边将有一群保镖呢。"

洪天泽笑了，"其实我们算是有缘分的。我身边有两个人合称文官武将，文官就是你舅舅，武将其实你也认识，这两个人对你人品的肯定，我想是完全靠得住的。"

"武将，是谁？我不认识你们这里什么人。"

"这个人一段时间内你还是见不到，等他来了，你就知道了。"

"既然不想说，我也不必打听。至于这笔资金给我时间考虑一下好吗？"

"那么就在这里考虑吧，给你半小时。"洪天泽自己拿了张报纸开始读报。

看来这个事情今天一定要有一个了结，真的是很难办，这样的老大也不清楚会做出什么样的事情来。半个小时很快就到了，洪天泽对常云啸指指挂钟。

"这笔钱的事情还有多少人知道？"

洪天泽摇头，"没有第三个人知道具体细节，包括我最信任的文官武将。"

"其实我不接收也是不行的，你不想让任何人知道，所以我可能下不了这个岛。既然这样，好吧，我答应你。真的是所有权利都归我吗？"

"所有权利都归你，你运到非洲去都没有关系。当然我希望你每半年给我一个报告，让我知道你的情况，还有就是我需要的时候，我能够调动。那么能告诉我你拿到钱准备做什么吗？"

常云啸喝口红酒淡淡地说，"首先我要成立一个离岸公司，主营业务就是投资。注册在 T 国投资在中国，这样可以避开外汇管制，又避免了双重税收，而且在信息披露上又很少，避免了部分监管。"

"不错的想法，看来是没有找错人，那么我们的君子协议就算成立，来，为我们的合作干杯。"

"干杯。"常云啸一饮而尽。

第二天一早，常云啸就带了玉佩和洪天泽的手写纸条告别了洪天泽，离开"福海听风"。风铃被杨东留下，没能跟来。风铃告诉常云啸，他们的关系暂时还不能跟舅舅说，以后在适当的时候她会告诉他的，常云啸也只能答应了。

常云啸迫不及待地去了兰花银行验证了这笔钱。当他知道果真有这样一笔钱的时候，而且这笔钱的来去都在他掌握之中的时候，他发现自己的手心在出汗。回到别墅已经是半夜一点，刚才在酒馆中喝了至少七瓶啤酒，回家连鞋都没有脱就上床睡了。

接下来几天，他一直躲在家里，让快餐店的人给他送些快餐。一直在想这个事情，这么多钱，就在眼前，一念之差，就可以让自己变成亿万富翁。然后呢？真的像洪天泽说的那样，一直藏在某个地方躲避追杀？不，我常云啸也是顶天立地的汉子，不能过躲躲藏藏的生活，当年花面兽师傅为了顶天立地，死都没有躲。而且哥哥的仇呢？小雨呢？蓝巾牛仔呢？我能都放下，然后自己躲到天边吗？不，我常云啸靠自己的智慧也一样可以发财的。

几天后，开始着手离岸公司。没有想到在香港这样的公司一点也不难办，很快一切手续完成，注册资金和运营资金都已经到位。

现在常云啸的身份已经是一家 T 国注册的万国投资公司的总经理，正在中国寻找金融投资的机会。于是在一家证券公司开了法人账户和个人的公司授权。

第二天上午，常云啸接到一个电话，电话是开户的那家证券公司打来的，自称是经理乔忠民，要邀请常云啸去君悦酒店小坐一会儿。

十二点，常云啸到了君悦酒店，旁边就是香港会议展览中心，1997年香港回归就是在这里举行的大典。上到十层，常云啸见到了那个乔忠民，细高的个子，很瘦，颧骨都突了出来，眼睛不大，岁数在四十多岁。

两人一见面，乔忠民赶紧握住了常云啸的手，"不好意思啊，我按照您在开户合同上留的电话，很草率地找到了您，也不知道您有没有时间呢。"

165

纸戒

"没关系的，你不要那么客气。"两人坐下。

原来证券营业部每天都要对大型客户做一个统计工作，昨天一个客户转入两个亿资金，立刻就惊动了这位营业部的经理。乔忠民今天请常云啸来就是想问问有什么需要的，并想摸摸常云啸的底。

"这么说常先生的资金是做电脑生意来的了，那就好呀，最近中央政府和港府正查处黑钱呢。"

"本来就是闲置的流动资金，放在营业部只是想多吃些利息，券商是可以拿到同业利率的，我想从中……"常云啸用手比画了一下拿钱的动作。

"这个好说这个好说，就是多得到一些利息嘛，我明白的。我回去给你办就是了……那么你有没有想找个金融投资的项目？"

"哦？听乔经理的话，是不是已经有好的项目可以发财？"

乔忠民给常云啸讲了港股的情况和大陆在港发行的 H 股的情况。

常云啸摆摆手，"我对港股没有感觉，以前我做过内地的 A 股票，现在还有点留恋，要是能让我摸到国内 A 股就好了。"

"这也不难，我们和深圳那边的很多证券公司有很好的联系呢，通过网络就可以投资 A 股市场，资金转账也不是问题，我这里做担保在那边就可以炒，资金连香港都不用出。"

"好的。我刚到这里，认识人不多，以后你有什么合作项目一定要想着我啊。"

"好说好说，我手上就有现成的好项目，我先与对方联系联系看看有没有合作的意向。"乔经理高兴的时候嘴有点歪。

"等你好消息。"

很快，在乔忠民的安排下，常云啸在六国饭店见到了松田汽车的董秘周洁。这个女人个子不高，已经四十多岁，穿着简朴西服套装，看起来并不很高档，没有华丽的装饰和名贵的珠宝，但是能够感觉到一种咄咄逼人的气势，一看就是生意场上的老油条。

晚餐时周洁一直在拉家常，丝毫没有谈金融合作的事情。常云啸也不着急，慢慢地陪她聊。

而后，三个人去了舞厅，周洁邀请常云啸跳舞，常云啸挽起她的手走进舞池。

"其实我知道你。"周洁在常云啸的手臂中说。

"是吗？"

"银丰发展你应该比我熟吧？你曾经是嫌疑人之一被拘留过，后来无罪。但是你的名字已经进入我们的电脑档案，没有想到这次遇到了，还这样年轻有为风流倜傥。"

"是吗？谢谢夸奖。"常云啸真没有想到，还会有人收集这样的情报？

"我们算是相识已久了，那大家也就不用拐弯抹角的躲来绕去了，我这次出来其实是要找一个合作伙伴。我们公司近些年效益一直不好，下属的几个公司也都出现了一定危机，但是为了保证业绩我们不得不在账务上做些手脚，但是这个窟窿越来越大。"

"于是你们想坐庄，利用股票市场圈点钱，补你们的漏洞？"常云啸已经明白了她的用意。

"真是痛快人，但是这件事情需要一个能够很好策划的人，并且能操作整个过程，同时我们不想引起任何监管部门的注意，当然在资金和收益的问题上我们还需要和合作方做进一步的探讨。"

一曲音乐结束了，两人回到座位上，下一个曲子乔忠民邀请了周洁。常云啸打开了手提电脑，查松田汽车的状况。

这家松田汽车集团，是河北的上市公司，当前价位 6 元，上市两年来最高位置不过 9 元，最低 4 元。总股本只有 1.5 亿而流通 A 股 5000 万，是个不错的小盘股。业绩一直保持在 0.05—0.1 元之间。最大股东松田集团公司持有 35% 的法人股，最大流通股持有者是一家天方橡胶公司，持有流通股 2%。上市两年来没有分配过红利，净资产收益率也比较低。长期投资占用过大，同时长期负债过高，从固定资产的比例来看，这些长期投资应该是被某固定资产占有，并且这些固定资产没有能够产生效益。

音乐结束的时候，常云啸赶紧把电脑收起来，乔忠民和周洁回来坐下。

周洁轻轻地说："已经查过了？"

常云啸看看她，看来这个女人在跳舞和乔忠民说话的时候却一直没有放松这边的动静，"给我个时间考虑一下，好吗？"

"这样吧，我正想在香港玩几天放松一下，每次来都是工作，大家可以同行嘛。"

纸 戒

"这个提议不错，我觉得可以，咱们也能彼此多了解了解。"乔忠民附和。

常云啸点点头同意，三人商量去澳门住两天。

第二天早上风铃到了，于是带了风铃一起去。对风铃，三个人都闭口不谈生意的事情，只说是认识的朋友，金融圈子里的业务大家都不愿四处张扬的。一路说笑，当天下午就进入了澳门地界。

澳门据说从前是一个渔村，十六世纪中叶葡萄牙人到达这里，问当地人这是什么地方，当地人误以为他问身后的庙宇名字，答说：妈阁。于是这些老外就写出了 Macau 的名字，称作澳门。

澳门是中西文化的一个熔炉，这里有北京街、广州街、上海街；也有巴黎街、罗马街、伦敦街；有观音堂、有妈阁庙，也有圣安东尼教堂。常云啸一行就在上海街的 Holiday Inn 住下。

去看看几个庙宇、大炮台之类。几个人决定去赛马。澳门的赛事也是很多的，在每周的三、五、六、日的晚上，都是人流涌动、骏马齐奔的场面。

常云啸和周洁两个人躲开了乔忠民和风铃，到一个卖冷饮的地方。

"松田汽车算小盘股，价位又不高，怎么会没有别的庄家炒？"常云啸点了一个冰激凌。

"问题在我们公司的总经理，以前有庄家来找我们谈想坐这个庄，但是总经理不同意，说要靠我们自己建设公司。你知道小盘股想进入很容易，只要你有钱，但是想出货就太难了，没有公司的配合谁敢轻易坐这庄？三个月前换了总经理，他的想法就和我的比较一致，只要能绕过法律风险，我们就可以尝试嘛。"

"你们能给我提供怎样的配合？"

"要看你需要我们怎样配合你，我们需要一个完整的操作报告。"周洁如实地说。

"的确需要你们的密切配合，报告由我来做。还有一个重要问题，利益分配呢？"

"公司已经持有 2% 的流通股，价格炒上去之后，这部分收益是我们的。另外，你原作资金收入的 20% 要给我们。"

常云啸笑了，放下手中的冰激凌，"第一，2% 这个数字是虚的，你有多少我难统计，再说你们随时可以增加；第二，20％太多，我现在的资金三个亿，20％就是6000万，你们公司的远期负债也不过这个数字的一半。"

"2％的流通股我们不会再增加，账户可以给你保管，还不放心我们可以写入协议里，至于那20％我可以回去请示。"

"这样吧，我接受10％，如果你能争取到低于10％，那么差额是你的。当然你我之间也要写一份协议。高于10％就不用再找我了。"

"好，这两天给你回话。至于你我之间的事情我不想让乔经理知道。"

"明白。"

三天后回到香港，松田公司同意了9.3％的收益，也就是说周洁吃掉0.7％。常云啸和周洁草签了一份公司协议和私人协议。周洁回河北公司总部汇报工作，一周后常云啸带了运作报告飞到河北，松田汽车公司方面看了之后非常满意，双方很快就签订了详细合作协议。

然后又回北京他的蓝巾牛仔酒吧看看，生意很不错，看得出梅子管理的手段还真有两下子。朋友们也都很好，有了这个酒吧大家也算是踏踏实实地做点事情。常云啸给大家分了红包，春节的时候不在这里，算是后补上的。

松田汽车的事情很快就要进入实质操作阶段，常云啸知道后面自己会很忙，干脆带了竿狼和牛皮到深圳，开始准备前期工作。很快在乔忠民的帮助下在深圳联系了八家证券营业部，将资金分散开，由于松田汽车是深圳上市股票，在各证券营业部只开深圳账户即可，每个证券营业部指派一名下单员和二十个的子账户，这对证券公司来说不是问题。

在天气渐热的六月份，所有的事情就已经准备停当，三亿资金、八个证券营业部、一百六十个子账户，都已经安排停当。常云啸就在香港的别墅里安装了四台电脑接收网络数据，一个笔记本接收卫星数据。这之后，常云啸又仔细地研究了几遍投资策划，后面大概两年的时间可都靠它了，常云啸将它抱在胸前，靠在椅背中，回想着一年前和潘国峰在一起的时候，每一处小细节都被提前预测得很详细。到现在，常云啸都很佩服潘国峰的预见能力。

记得当年潘国峰曾经说过，操盘的第三层次就是站在盘面操作外，进行资产运作，利用公司的重组合并等手段使股权发生变化，最终达到

纸 戒

盘面操作的效果。如今，我和上市公司联手这样做算不算达到第三层次呢？常云啸不知道，但是他想尝试。他也找了一块黑板立在屋子中间，像当年潘国峰一样用粉笔在上面写了一个标题和第一步计划：

松田汽车运作步骤：

第一步，低调收集，时间四个月，目标流通股 8%，平均价格 6 元。公司整理资产，统计下属四个控股分公司的不良资产，为下一步计划做好准备。

风铃很高兴常云啸把总部设在香港，这样她可以时常过来看他。舅舅那边需要人手，像风铃这样美丽而身手又好的人当然是最得力不过的。所以每次风铃过来总是时间不长紧紧张张的，当然每次过来风铃都不会让常云啸有一个踏实睡觉的夜晚，然后就是陪她逛商场，搞得常云啸很怕她来又想让她陪在身边。

时间很快进入十一月，工作很顺利。试了几次盘，盘中上下的方向基本上没有抵抗力量，看来松田汽车这只股票中，的确没有其他大资金从中运作，这让常云啸很高兴，至少不用强迫对方出局。他用电话通知了竿狼和牛皮下一步的计划，然后在黑板上写道：

第一步，低调收集，时间四个月，目标流通股 8％，平均价格 6 元。松田公司整理不良资产，统计下属四个控股分公司的不良资产，为下一步计划做好准备。试盘完成。

第二步，压低收集，时间一个月，目标流通股 10％，平均价格 4.5 元。松田公司向外公布部分不良资产，同时由下属控股公司向集团总公司讨要其拖欠的 4000 万元资金，而后进行公告解释。

松田汽车公司的周洁非常配合，第三天就指挥控股公司发出消息，当天市场就做出了反应，价格开始不费力的快速下滑。公司拖欠别人 4000 万元，谁也知道不是好事情，一旦打起官司，要求公司支付拖欠款项，将对业绩产生很大的影响。因此投资者开始抛出股票。

价格在 4.3 元附近稳定的时候，松田汽车公司发布消息，4000 万元欠款已经在去年以固定资产偿还的形式部分偿还，双方已经签署备忘录，本次控股公司提出的拖欠问题，仅涉及金额 800 万元，公司将在下一季度偿还全部欠款。看到了吧，现在公司没有问题了，价格立刻得到稳定，并且开始回升。常云啸在这个位置很轻松地得到了 6％的流通股。

常云啸在黑板上的记录是这样的：

第一步，低调收集，时间三个月，目标流通股 8%，平均价格 6 元。松田公司整理不良资产，统计下属四个控股分公司的不良资产，为下一步计划做好准备。试盘工作按计划完成。

第二步，压低收集，时间一个月，目标流通股 10%，平均价格 4.5 元。松田公司向外公布部分不良资产，同时由控股公司向集团总公司讨要其拖欠的 4000 万元资金，而后进行解释。实际完成 12%。

第三步，平稳价格，时间五个月，目标流通股 10%，平均价格 6 元。松田公司得到新的贷款，准备将不良资产脱离，同时将贷款注入新公司。

现在已经是三月份，这个时候也是每年香港各演唱会、展览会、时装会开始盛行的时候。由于这次坐庄的计划是两年，所以常云啸并不是太紧张，可以陪风铃四处走走。

风铃最喜欢去澳门走走，那里同香港一样也是餐饮、购物和娱乐的天堂。澳门的菜系大概应该不叫澳菜而是葡菜，比如说经典的马介休呀，葡国鸡呀等等，再加上葡萄牙的上好葡萄酒，那可真是一种享受。

最棒的是这里被称为"不夜城"，遍地的灯红酒绿的夜总会、酒吧、迪斯科。著名的十一家娱乐场被合称"东方蒙地卡罗"。每次来澳门常云啸和风铃必定要去赌上一夜，来享受那种纸醉金迷和挥霍。

这几个月常云啸体会到了运作股票的乐趣。以前做银丰发展的时候，每天要盯住电脑，被屏幕照得眼睛疼痛，还要运用一切手段骗过股民最终达到低吸高抛。而现在通过公司的信息配合，很轻易的就可以让股民顺着自己的设计走，这样在收集和抛售股票的时候就更加得心应手了。

股民其实也喜欢这样消息漫天飞的股票，上市公司的消息一直是股民追逐的乐趣，很多人对各种消息四处打探，到处宣扬乐此不疲，还不管是真是假。时而利好时而利空又使得股价波动较大，股民对此才会产生赌博中的一种乐趣，这样的股票交易活跃有人气。很多庄家也是利用这些人为的来制造消息，引导股民向设计好的方向做出判断。你情我愿的事情何乐而不为呢？

这其实也正是当年潘国峰所说的第三种庄家，而常云啸并不知道也没时间知道，他又更加精心的策划下一步公司的运作，在他看来这简直就是一种乐趣。这个世界上有些人就喜欢设计，而有些人就喜欢按别人设计的方式去走。社会的前进不可能没有设计，要不我们的方针政策从哪里来，又做什么去呢？所以设计的人快乐，按设计去走的人也快乐。

纸　戒

四月份的一天周洁突然来电话，"小常，贷款的事情遇到点问题，最近国家的信贷项目多在开发西部和东北。河北地区的项目很难批。"

"我当初做计划的时候，你们不是拍着胸脯说贷款保证没有问题吗？不是说地方上的事情你们全能摆平吗？"

"前些时候是这样的，现在不同了，国家要减缓汽车行业的发展速度，已经下了文件，地方银行对这种企业几乎不放款。不过现在正有一位领导来视察，听说他的这一趟走动带了五个多亿的投资计划，我们想……"

"搞定他不就可以了。"常云啸有点生气，"你们的公关不会连这个都不行吧？"

"这个领导两袖清风，滴水不沾，所以一切公关都没有办法。要不然我们董事长怎么会想劳累你给想想办法呢？"

常云啸想了想，"明天我飞河北。"

第二天常云啸就到了河北石家庄，周洁接待了他，时间紧迫，领导一个星期后就要离开河北，没有时间游山玩水，常云啸一下飞机就开始安排工作。

"今天晚上我要一个报告，包括这个领导的工作经历、身份背景、本次在河北地区的详细行程、所说的每一句话，越细致越好。我想只要是人就一定会有漏洞。"

"好，我会全力给你搞到。"周洁给他留下一辆捷达，领命走了。

常云啸也不敢休息，今天领导要去一个中学视察，常云啸开车去看了看这个领导的风采。学校召开了隆重的迎接会，视察之后，领导做了报告，鼓励学生好好学习天天向上，从祖国的花朵成长为国家的栋梁等等的讲话，赢得了热烈的掌声。

晚上，周洁带了一份报告和几盘录像带过来，这是常云啸所要的资料。

"这位领导我下午见过了，这样朴实的老头有点不像领导。"常云啸边看报告边说。

"这个家伙没有什么文化，但是资格很老了，的确是一位廉洁的好领导。什么诱惑都白费，连喝水都只用自己带的水杯，请客吃饭就更别想了，金钱美色眼都不眨一下。我们真的是一点办法也没有了。"

"但是这笔款子我们一定要拿到手，对于公司这是一大支持，对于股价也是一大利好，可以省去多少时间和资金你知道吗？我们的股价可以不用自己费力就向上突破，到时候大家都是得来全不费工夫呀，包括你那 20 万。"

"我……"周洁惊讶地说。

"哦错了，应该是你丈夫名下的 20 万。"常云啸还是漫不经心地说，周洁愣在那里不知道说什么好，只是干笑了两声。

常云啸用了两个小时，仔细的反复看报告和录像，看着看着突然笑了。周洁不解的看着他。

常云啸止住笑，"我想大概能摆平了。这个领导很清廉，一心想做好人民公仆，那么金钱美女是肯定不能诱惑了，但是他依然有弱点，就是知识。他深知没有知识的危害，你看他的行程中首先是去图书馆、科技馆，然后是科研部门，所批出去的贷款也多是企业的科研项目和教育经费，今天去的是学校。在他的讲话中，反复的都在说科技就是第一生产力，说明他对知识，对科技的渴望，这就是他的弱点。"

"科技？你是说让我们拿出个科技项目?"周洁试探性地问道。

"对，科技项目，汽车行业的科技项目。我国在汽车设计和精密零件上都存在着欠缺，多数核心部件还要依靠外资，所以中国汽车行业至今不能达到世界领先水平，所以松田汽车就开始了科技研究以便振兴中国汽车行业打造中国汽车的世界品牌的计划。"

周洁点点头，又无奈地说："可是他来视察，我们什么都没有。"

"这个好办。我记得上次来的时候，看到后面有一个基本闲置的厂房，马上收拾出来，分割两个部分。一部分做科研中心，去电脑城租上几十台电脑，电脑好坏没关系，重要是液晶屏的，然后找上些年轻员工坐在里面，就说都是大学生和研究生。另一部分做实验中心，放上一排车插上电线插上管子，装配车间不是有机械手臂吗，搬几个过来。然后接几个有很多数字的操作台，我记得在你们那里我见过的，也搬过来，说是将研究成果放在这里先进行测试。至于测试数据都有什么你比我懂，做一些像样的东西，环境搞好一点，高科技绿化办公嘛。"听得周洁一个劲点头。

她立刻就给一位厂长打了电话，将整个计划复述一遍。

纸 戒

厂长激动不已，"啊呀，你是我亲大姐，我真的是太佩服你了，后面的事情你就交给我来办吧，只要能骗过那个老头子，拨了贷款，我们的日子就好过多了。那好，我现在就连夜派人去收拾厂房。"

　　常云啸送走周洁，"等你好消息，明天见。"回来长舒一口气，倒在床上睡了。

　　三天后，老领导被请到了松田公司，视察完毕后赞扬了公司以企业为家，以民族为重，以国家振兴为己任的优秀工作作风，高度评价了科技兴国在汽车行业中的重要作用。最后批了 4000 万元的投资贷款用于科技研发和研究机构的设置。并希望汽车行业协会多举办技术交流会，使中国自己的品牌汽车走向世界。

　　常云啸得到这个消息之后，立刻给深圳的竿狼和牛皮打了电话，命令迅速加仓。当天常云啸就上了飞机去深圳，想亲自指挥盘面，下飞机就知道松田汽车价格一个涨停。在深圳停留了一个星期，股价已经上涨到了 8.6 元。回到香港的别墅，常云啸将第三步更改为：

　　第三步，平稳价格，时间两个月，目标流通股 10%，平均价格 6 元。松田公司向当地政府得到新的贷款。实际完成 8%，平均价格 7.2 元。

　　第四步，拉升建仓，时间三个月，贷款注入，将不良资产甩给下属公司然后剥离，对外宣传得到政府的大力支持，加大科技含量。收集流通股 12%，目标价位 12 元。

　　松田汽车公司在贷款到位后，很快宣布公司已经盘活流动资金，公司进入重组期。然后公司将不良资产转移到下属一个小企业身上，进行不良资产剥离。同时宣布与韩国某汽车公司达成合作协议，引进先进的科研设备，聘请了外国专家，大力发展新科技。

　　这些消息放出来之后，松田汽车成为股市上的一个关注热点。中国股市的重组概念真是取之不尽用之不竭呀，重组总是被当做热点利好被炒作。股价在常云啸的控制下，稳步上涨。三个月后价格已经在 12 元之上震荡。

　　黑板上很快添加了第五步。

　　第五步：将价格迅速推高到 16 元，时间三个月。公司要引进一条外国生产线，将一个房地产的项目拍卖。收集流通股 10%。

　　时间过得很快，接手松田汽车已经近一年，在一年中除了设计公司的战略发展，常云啸还在抓紧了解海外证券市场。一年前舅舅无奈的眼神还是时常出现在他的脑海里，他清楚地知道自己这点雕虫小技，在高手看来一定是可笑到了极点，而且如果想与唐浩一争高下的话，自己的经验太少。

风铃时常来看他，带来舅舅和大哥洪天泽的消息。原来洪天泽和舅舅联手，已经铲除了帮会中一些持有不同意见的老臣，牢牢地把握了帮会，好像他们一直在做一些什么秘密事情，风铃也不知道。但按风铃的判断绝对不是什么好事。

眼看年报时间临近，松田汽车公司正抓紧时间编制年报。这年报的制作，其实也正是常云啸要走的第六步。

第六步：每股收益 0.86 元，每股净资产 5.01 元，每股资本公积金 4.20 元，每股未分配利润 2.24 元，净资产收益率 18.446％，年度分配方案十股送十股，四月底分配。在三月份的时候将股价推高到 21 元附近。

一切按计划行事，松田汽车的高配送方案立刻得到了市场的响应，价格开始快速推升。按新的股东统计来看，一些投资机构也参与进来，包括基金公司。报社记者也找到松田公司连篇累牍地撰写公司的改革措施、引进高科技的英明壮举，甚至给董事长也写了个人传记，一时间松田汽车公司得到了社会的关注和认可。

而常云啸在这个高配送中，又轻易地得到 2500 多万的股份。目前松田汽车的流通股 1 亿，常云啸拥有 5040 万股，占 50.4％。当然这些都分布在上百个账户中，却执行着统一的命令。

十送十之后，股价回到了 10 元，常云啸开始下一步的运作。

第七步：与韩国现代公司接触，向其提出被收购的意向，同时与福特公司保持亲密关系，双方要进行技术互访。资金运作将价格推高到 13 元，时间三个月。

第八步：放出消息：福特公司与现代公司都想争夺对松田汽车的收购，从而借机打入中国市场，借壳上市进入金融领域。资金运作将价格推高到 17 元，时间两个月。

第九步：松田公司宣布不会被外资收购，一定要创造中国的品牌。资金运作下跌到 15 元，时间一个月。

第十步：集团公司与上市公司整体上市，成为中国市场上第一家集团公司吸收合并上市公司的整体上市，使价格上涨到 18—19 元，准备出

纸　戒

货，时间两个月。

第十一步：整体上市不成功，但是年报依然绩优，每股收益 0.82 元，分配预案三月初，十送六。开始出货，时间三个月。

人，是一种高级动物，高级就在于他有大脑，而这个大脑最重要的功能就是控制。不仅控制自己的身体机能，那是大脑的本能，而人想控制的是自己身体以外的东西：动物、植物、微生物、自然环境以及同类。这种对外界的控制欲望是无穷大的，小的控制例如钓鱼，有网不用非要耗费若干时间用竿钓，其实就是要感受鱼上钩后遛鱼的几十秒中的控制快感；大的控制例如国家，亚洲某几个国家近年依仗自己的经济发展，已经不像当年那么听 A 国的话，A 国就非常恼火，动不动就经济制裁，那是因为失去了控制之后的心理不满。

股市就是一个体现意志控制力的最好场所，首先你要能控制自己的意志，其次庄家们要做的就是控制别人的意志，把别人圈绕在自己的意识控制范围内。常云啸的大脑每天奔波，渐渐地竟然也能体会了潘国峰当年的那种将军般的快乐。

不，不是将军，而是总司令。

14

运作松田汽车已经度过了两年零六个月。一切都井井有条地悄然进行着，根本没有什么大风大浪，在外界看来一切都很顺理成章，所有的媒体、报纸都在挖掘松田汽车的优良之处，预测着长牛股将来的高度，就在这个时候一切都结束了。进入五月份，股价从平台再一次向上突破，但实际上这已经是最后的出货，六月份到来的时候最后账户上只剩下 20 万股，是零成本，这个账户送给公司自行处理，也可以是下一次坐庄的启动筹码。不久后公司突然公告由于经营不善，投资出现了重大失误造成经营性亏损，股价一落千丈，股民怨声载道大呼有黑幕交易。但事隔多日，想查可不那么容易。

　　与此同时，常云啸却躺在维多利亚港中的一条游艇的躺椅上晒太阳，这个游艇起名"啸云号"，是常云啸刚刚买下的，他已经叫了风铃一起来坐游艇出海。

　　"云啸，你好棒呀，我好喜欢这艘船呀。"风铃跑了上来。

　　"好呀，喜欢的话再买一个送你。"常云啸翻身坐起来。

　　"是不是不用再管那些烂股票了？是不是可以陪我玩了？"

　　常云啸一把将风铃搂过来，"记得潘国峰当年挣了多少吗？五千万是吗？我现在得到的是他的四倍。"

　　"什么？"风铃惊呆了，"两个亿？以前没有问过你管理多大的资金，能挣两个亿那本金还不得十个亿？这么大资金到底是哪里来的？"

　　"我自有贵人相助，不管怎样现在我拥有两个亿，你是不是可以嫁给我了。我不想一直这样躲躲藏藏地跟你在一起，我可以去向舅舅说明了。"

　　"不不，"风铃急忙制止，"先不要呢，云啸再等一等。舅舅和洪天泽现在正忙于帮会中的事情，我也要尽力帮忙，等事情都稳定下来，我向干爹说好吗？"

　　"为什么？为什么每次我跟你说起这件事你都含含糊糊，你到底怎么想的。你是不是在外面还有别的男人，你告诉我！"常云啸勃然大怒。

　　"你说什么？常云啸，没有想到你这么没良心。有本事你再说一遍。"风铃一听就急了。

　　"那你给我解释，为什么不敢公开我们的关系，我们已经这么长时间，难道要一直都偷偷摸摸地吗？"

　　"什么叫偷偷摸摸的？现在是工作需要，等这些事情完了之后再说不可以吗？"

　　"到底什么事情，这么长时间了还完成不了？这都是借口，你能解释你大腿上的青紫吗？别跟我说是练功碰的，练功能碰到那里吗？"常云啸火气大得很。

　　"你爱说什么说什么吧，我说的你都不信就信你自己好了，以后别理我！"风铃哭着跑下了甲板。

　　常云啸抓起酒杯摔在地上，"滚你妈的，走了就别回来！"愤愤地坐进躺椅。

纸　戒

跟风铃吵架之后，心情一直不好，最近火气好像很大，难道坐庄之后脾气就大了？其实说起来，两个人谁也没有跟对方承诺下什么，连"做我朋友"的话都没有说过。常云啸也不知道自己为什么忽然发那么大脾气，难道是因为长时间的大脑高度被压抑？

　　常云啸带着竿狼和牛皮乘"啸云号"，在香港的海面上转了两天，索性将北京的哥们儿轮流叫来，享受一下香港的奢侈生活。于是大家就开始轮流放假，两个两个的从北京到香港。说起来大家还没有一个曾经来过香港，来了常云啸就好吃好住好玩，每个人都给买了一大堆东西才肯罢手。最后送走了梅子和驼子，这里才算安静下来。常云啸突然感觉到寂寞。

　　这段时间不知道怎么了，每天就是游玩、购物、跳舞、喝酒，完全不像以前的常云啸，每天就颓废的生活着，直到喝醉。梅子临走的时候偷偷跟他说："我碰到过林晓雨，质问了她，她什么都没有说只是哭，后来就走了，看上去有什么苦衷。不过如果让她看到你现在的样子，恐怕会更难过。"

　　我这是怎么了，跟风铃吵完架之后我这是怎么了？常云啸呀常云啸，你不就是挣了点钱吗，就有这么大脾气了？你就可以骂人，就可以自暴自弃了，就可以花天酒地了？你不是还有目标吗，不是要积累资金打败唐浩吗？已经好几年了，实现的如何？唐浩已经是文武集团的副总经理，文武集团已经实现了在香港上市，现在公司已经是两地上市的明星企业，你常云啸的资金在文武集团面前不过是九牛一毛，这就觉得了不起了？

　　常云啸坐在游艇的船舷上，看着脚下的海浪拍击着船帮。我怎么了，爱上风铃了？那林晓雨呢，我还爱她吗？为什么她会哭，那个王八蛋对她不好吗？但是她毕竟是人家的媳妇，好不好是他们家里的事情，我插手能怎样，只会更痛苦，也许还会恨我。老天为什么这样，我最恨的人和我最爱的人结婚了，让我怎么办，怎么办？……风铃，风铃已经有一个多月没有见了，是我轰走了她，其实我也很后悔，可是怎么跟她说？说我错了，你打我一顿吧？她不想跟舅舅说起，一定有她的原因，我又何必发那么大的火？可是那些青紫又是怎么回事，每次问起来她都含糊，难道她真的还有别的男人？不，不可能的，我相信她只爱我一个。不管怎样，我应该见到她，打我骂我都可以，至少不是我在逃避。常云啸是不逃避的，我必须勇往直前。

"走吧，"常云啸大声地吆喝船员，"起锚，去鸭肋洲。"

上了鸭肋洲，直奔玉桂山。洪天泽在客厅等他，见到他笑笑，指指身边的座位，"坐吧，万国投资公司的常总。"

"您别拿我开心。我什么老总呀，要不是门卫一定要名片才通报，我怎么敢在您面前亮名片？"常云啸坐下，"我想我也应该给您汇报一下委托我的资金的情况了。"

"我不用听。"洪天泽打断了他，"喝茶。这些资金交给你了，我不打听。听说香港最近出售了一艘游艇，注册名是啸云号，一定就是你的了，也证明你干得不错。"

"那我就不多说了，谢谢信任。"常云啸知道，他一定是调查过了。

"对了，记得那年我跟你说的文官武将吗？"洪天泽问道。

"记得。您说那个武将我也认识？只是当时他不在。"

"对，半年前他已经回来了。"

"哦，在什么地方？"

"我在这里。"一个很洪亮的声音从客厅的一个角落传来，由于客厅很大，常云啸刚才没有注意那边还坐了一个人。那个人站起来，走了过来。

"大青？"常云啸从沙发上站了起来，张开双臂和大青拥抱在一起。"是你，大青，你就是大哥说的武将？"

"是呀。"大青松开手，"没想到吧。来，坐下。"

"没想到，真的没有想到。记得我们那个时候喝酒说，出来一定要相聚，没有想到真的又见面了。"

"世界很小嘛，当时我不知道你是杨东的外甥。实际上那次进去是为了办点事情，所以只有大哥知道。连杨东当时都不知道我在那里，要不我们也不会认识得那么深刻呀。"大青还是那么爽朗地笑。

"原来在洪哥面前推荐我的人，是你和舅舅。"

"潘国峰那个小子的事情我也知道了。不够仗义，等我见到他，一定好好修理他。"大青还是那么冲劲十足。

常云啸摆摆手，"他走的时候留下一笔钱给我，而且他还是我股票的老师呢。他的行为应该算是报仇，替我师爷报仇。我又没有什么损失。"

纸 戒

三个人坐在那里一聊就是一下午，天色渐晚洪天泽在别墅群的小广场上设了篝火晚餐。杨东和风铃都来了。

　　常云啸坐在风铃旁边，风铃也不理他，只是招呼别人吃。趁风铃去洗手间，常云啸干脆把她堵在了女洗手间里。

　　"风铃，我知道我错了，我请求原谅。我不知道应该怎样表达对你的感觉，这些日子每天脑子里想的都是你，原谅我的粗鲁好吗？"

　　"你骂了我，怎么算？"

　　"那你打我，想怎么打怎么打。只要你能开心，只要你还理我，我愿意受罚。你知道我这个人笨，不会说什么道歉的甜言蜜语，我只会行动，我愿意受到惩罚。"

　　风铃上下打量他一遍，"想受惩罚？那好呀，罚你在这里站着吧。"

　　"这，这是女厕所，我，我……"常云啸着急了。

　　"不管，你说的认罚。好了我走了，外面的人还等着呢。"风铃开门出去了。

　　常云啸这下为难了，出去吧会说自己道歉不诚心，不出去吧要是哪个女人进来上厕所，这怎么解释呀。正犯难风铃又回来了。

　　"真的不出来呀，这么听话？我有你想象的那么小气吗？为什么这么长时间才来跟我道歉。"

　　"我……我胆小嘛。"

　　"你胆小？现在吻我。"

　　"啊，在厕所里？"

　　"讨厌，跟你说，我们的关系还是不能让你舅舅知道，听见了没有？不许问为什么。时机成熟的时候我会跟他说的。明天你就回去，过两天我去看你。快出去吧，我等一会儿再过去。"风铃拍了拍他的脸。

　　"好吧，我听你的。"常云啸出去了。

　　风铃靠在厕所的门上，叹了口气。不知道怎么跟他说呢？她爱着他，但是很多事情不是想爱就可以爱的。爱情需要缘分，是上天赐给人类的一种快乐和悲伤。常云啸的心里其实爱的还是林晓雨，而自己呢，也许只是一个影子。我应该怎么办？原以为今生不会遇到自己心爱的人，我可以这样一直熬下去，但是现在……风铃抽了一下鼻子，没有让眼泪流出来。

休息了大半年，乔忠民来找他。在松田汽车中，这个家伙也得到了不少的甜头。其实常云啸对他没有什么好感，总觉得这个人挺赖的，但是如果能挣钱的话，合作一下也无妨。

这次乔忠民又是找了一个上市公司叫金火炬，想与庄家做联手。常云啸收集的资料，显示这个公司与多家公司有关联交易，关系错综复杂，而且资金账务上混乱，大量借贷和担保，而真正的现金流量又很小，给人的感觉这家公司就靠借钱在维持经营。而借来的钱又进入长期投资项目，怀疑是进入了股市在做委托理财。这样的一个烂摊子居然还敢说去年的业绩在0.28元，真是可笑之极。

总有一些上市公司，在做一些假的东西，而当地的管理部门也都睁一只眼闭一只眼。毕竟这些上市公司还是当地的纳税大户，这就是中国地方特色。地方领导要创造政绩，不靠地方企业怎么可能？再说了，企业是国家的，国有资产要保值增值，但是部分企业因为经营不善、转型过慢等等原因早已经无法偿还银行贷款，而银行也是国家的。那么在WTO之后银行想参与国际竞争，想发行上市，不良资产的漏洞怎么办？如果是你，你怎么办？很简单：企业是国家的、银行是国家的、地方政府是国家的、监管部门也是国家的，谁不想让自己手中的企业多多挣钱呢？于是大家拍拍手，企业就上市融资了，股民的钱就顺顺利利地进入企业，企业填补了银行漏洞，国有资产又达到保值增值了，银行在国际上也有了竞争力。如此看来股民的作用真的是兴国安邦了。

很快，常云啸与金火炬公司达成了协议，制定了一年的操作计划，利用公司的贷款能力，让公司业务进入了房地产，这个97%的资金靠贷款完成的项目，很快就被计划中的虚拟港商看上，要高价收购，再将土地质押给银行得到全身而退。使得股价按计划的涨跌，在常云啸看来就像在写一本小说，做盘就像在完成小说里的故事。利用盘面技巧和公司信息的变动，股民很容易就从一个陷阱进入另一个陷阱，有几个股民有能力亲自到公司去看看呢，就算是看也看不出什么名堂，毕竟像历史上红光公司那样彻底糟糕烂透的企业不多。

完成金火炬坐庄之后，常云啸觉得自己的操作已经很娴熟了，资金也已经到了七个多亿。但他知道这也远远不是自己的目标。

常云啸调查过，林晓雨父亲的文武集团经过分拆，在香港地区上市

纸 戒

后，成为香港和 S 市两地上市房地产公司的领头羊，而操纵这一切的还是唐浩。而这一年中唐浩又从集团副总经理上升到了集团总经理，原总经理林武（林文的弟弟）因车祸去世。林文继续做董事长的位置，唐浩就接替了林武做了总经理。能在香港完成包装上市，看来唐浩在金融上的确是运作高手，常云啸一直没有忘记当年潘国峰跟他说的话，只有在金融领域赢了唐浩，才会让他最痛苦。常云啸知道凭借现在的资金想动文武集团不过是螳臂当车，他需要更大的资金。

其实，常云啸在做完松田汽车之后就在想，如果想更快地赢得利润，就需要用更大的资金进入大盘股，但是以现有这些资金根本不能控制这些超级大盘股。拿中国石化来说吧，别说控制 1%，就是 0.5%，都是一个巨大的资金投入。资金从哪里来？

去一个一个地坐庄吗？先不说监管会不会发现，司法会不会追查，就时间上都将是一个漫长的岁月，从接手洪天泽的资金到现在已经三年多的时间，资金不过上涨一倍多达到七亿。这个钱在一般人眼里是一个天文数字，但是在真正的大庄手中真是卑微，也只不过仅够在一些流通盘不大的股票中兴风作浪，不敢在老大们面前耀武扬威。常云啸知道，自己还差得远，自己的资金也同样差得远。

钱，需要的是钱，常云啸觉得手中的弹药太少。那么怎么来钱快呢？违法！在法律允许的范围内是不可能在短期暴发财富的，想快速积累就只有铤而走险，而且比坐庄还要危险。其实从学习坐庄开始，他就知道自己在犯罪，不断的犯罪，欺骗股民欺骗国家欺骗领导，像潘国峰一样把假话说的比真话还自然。他想起了舅舅说的话，一旦成为坏人就再也不能回头。但这都是为什么？为了证券，为了爱情，为了仇恨，为了本应该属于自己的一切，不能回头也已经回不了头。常云啸决定把胆子放得更大一些，他盯上了证券公司的国债和国债回购业务。

国债回购交易是一种以国债为抵押进行拆借资金的信用行为，融资方以相应的国债库存作足额抵押，获取一段时间内的资金使用权；另一方为融券方拆出资金，获得相应期限的国债抵押权以及高于银行的利息收入。常云啸决心冒更大的风险，与乔忠民联手在福有证券做一把大买卖，于是常云啸请了乔忠民到游艇上来吃饭。

常云啸摆的全是上好的海鲜，特地请了香港万豪酒店的师傅过来下厨。酒过三巡，常云啸将自己做国债的打算跟乔忠民说了。

"什么？这可是重大金融犯罪呀，老兄。"乔忠民听了常云啸的话，手中的龙虾差点掉地上。

"别这样紧张，你要仔细考虑考虑风险和收益。国债回购是走席位的，又不是走账户，所以在我的账户上虚增的国债，只要控制在福有证券席位上的数目内就不会欠券。做273天回购，用融来的资金我来坐庄，一年的收益远远大于回购利率，二次清算的时候我们照常做回去就可以了。"

"虚增我的确可以做到不知不觉，但是一旦国债下跌怎么办呢？就会集中抛售国债，席位上的剩余国债就会挤兑？还有要是坐庄一旦失手，怎么办？拿什么还本付息？这样做我等于左右都没有保障。"

常云啸用刀慢慢的割他的鲍鱼，"别看国民经济年年增长，其实依然是社会需求不足，这个时候为了推动资金流向社会投资，国家会维持低利率政策以保证较低的贷款利率，目前还有可能降低利率，国债又凭什么下跌呢？坐庄，我是庄家，我的能力你不信任？我的乔经理，前面几个股的表现你也看到了，你得到的好处也几十万了吧。这样吧，你给我虚增出多少国债，百分之零点五，你先拿走，等我还回国债的时候，再给你一个零点五。而且在这之前我会先付三百万给你，应该可以办个澳洲移民的。怎么样兄弟我还算够朋友吧？"

"百分之零点五……一个亿就是五十万，是先给我吗？你让我好好想想。"乔忠民闻到了金币的味道。"为了能还本付息，需要用至少百分之五十的资金做抵押，而且必须在我福有证券的席位上操作股票，不可以转户或提取。"

"那还不是小意思，但我要求一押二，我现有资金七个亿，你要给我增出十二个亿，我知道你们福有席位上有一共六十五亿的国债吧。我动用的这些根本不会影响大局，只要债券市场价格不快速下跌就不会引起挤兑。另外这么大的资金不可能在你一个营业部做，我要分在你证券公司的七家营业部上。"常云啸知道，这件事就已经算是成功了。

"十二亿，就是你要给我六百万，再加上前面的三百万？……好，好，这个事情我来办。但是你说的话……"

"我也不可能一下用这十二个亿，你听我指挥，每次虚增之后我就按百分之零点五给你提取劳务费用，我是最终要达到十二个亿。我也要控制风险嘛。"

纸　戒

"这个我懂。每次支付？"

"每次支付，这样你的风险也小呀。"

"好，就这样决定了。一个星期内给你安排好。来干。"乔忠民举起杯。

"干。"常云啸一饮而尽。

一个星期之后，乔忠民已经按常云啸的吩咐全部办好，常云啸的资金又开始运作了。

经过了这么多年的磨炼，常云啸越来越发现，现在靠盘面技巧和企业操纵的手段来赢得最终的胜利，所冒的风险越来越大。政府监管机构的管理力度不断加大，法律法规也在不断完善。而且常云啸开始觉得这样的资金运作方式总像在投机取巧，是利用欺骗的手段在抢钱，不是在寻找一种真正的投资。而世界顶级的投资大师们，都用的是一种价值投资，利用世界局势进行行业分析和公司分析来长期投资某一股票，得到巨大收益，而这些企业往往是该国新兴或者支柱的企业。即使是世界著名的国际游资量子资金，好像是总做一些袭击某国家经济的恶劣事情，但是一样是在分析了该国经济的漏洞之后，利用多种金融产品之间的关系和牵连，来打击该国的支柱行业和泡沫行业，从而得到巨大利润。

可见要想得到巨大收益，就不能局限在欺骗和小聪明里，要有更大的智慧。常云啸开始研究世界经济和国际金融，并且结合国内的经济形式来加以分析。资金大了之后，常云啸要的是更加轰轰烈烈的战斗，而不是偷鸡摸狗的骗术。

中国却在以惊人的快速发展，用每年百分之九以上的经济增长速度前进。工业投资的速度远远超过经济增长，同时最容易出现行业泡沫的房地产开始如雨后春笋不断冒出来。同样一些行业受到了影响，原油价格带动汽油价格，必定要上涨；工业的发展使得能源短缺如煤炭和电力；同时使原材料短缺如钢铁、铜、铝；房地产的兴起影响到水泥、钢铁等；经济的全面发展要求通讯业再上一个台阶。

而中国的证券市场呢？却完全没有按照中国的经济发展趋势一路走高，而是一连三年都萎靡不振。三年的下跌使得中国股票市场损失了近一万个亿的市值，中途虽然有反弹，但是也只是被资金完全操纵的小范围的上涨行情。在这样的情况下中国政府开始调整投资者的投资思路，向国企的蓝筹股靠拢。

经过此分析，常云啸开始制定投资方案和股票池。投资目标涉及几个行业的多个龙头企业：中国石化、中国联通、宝钢股份、西山煤电、武钢股份和齐鲁石化等三十二家上市公司。这些公司都是中国的绝对支柱企业，虽然不能控制盘面，但是在长期下跌之后它们的投资价值已经完全体现，再加上政府有意提高国企形象，加大对国企的扶植力度，常云啸有理由相信一个国企蓝筹股的时代已经到来。

这是常云啸在金融投资领域的一次飞跃。十月份，中国股市出现了有史以来的第四次大牛市行情。而常云啸早已提前捕捉到了这个气息，提前注入了近十五亿的资金，包括自有资金和乔忠民提供的违规国债回购资金。

牛市的第一浪上涨就使得常云啸的资金上涨 70％，仅一年多，就向上翻了接近一倍半。每天奔波在股市中，他觉得很忙，一切只为了一个目标，就是囤积资金将来打倒文武集团、打败唐浩。他知道，在股市中想得到胜利就一定要有绝对强大的实力。

随着国际金融地位的变化，欧元和日元不断上涨，使得 A 国国内大量资本外流，在 A 国失业率不断上升的同时，出现了经济膨胀，为了保持局面，便打算升息。与此同时，中国人民币保持汇率不变，这样促使了对外贸易的加大，使得经济增长竟然达到了 9.6。这在大多数不懂经济的人的眼里是一个可喜的数字，但是在常云啸眼里不这样认为，这是一个危险数字，显然中国的经济增长已经不是一个稳步的增长，主要问题在于三个：1. 房地产的投资已经成为社会投资的主要力量；2. 对外依存率过高；3. 外商直接投资过大，表面上成为世界资金的蓄水池。美元的连续几次升息引起了世界的升息浪潮，这又给人民币造成了压力，在这样的情况下，人民币如果不升息就会引起大量的外贸争端，因此人民银行也做出准备升息的探讨。消息一传出来，国债大跌，股市大跌。

这个时候的常云啸在做什么？他带了风铃正在西双版纳游山玩水。早在一个多月前，他已经将所持股票全部清理干净，并将挪用的国债还回原有账户。一切都已经结束，常云啸的账户资金已经达到近 30 亿。他认为中国经济需要一段长时间的休整，而在这个时间里，他把眼光转移到了 T 国，T 国的金融市场让他心动。不是看涨，而是看跌。

T 国的经济很奇特，已经连续十年，年经济增长达到 10％ 以上。这

纸 戒

种高经济增长给 T 国带来了巨大的收益，但是同时制造了天大的泡沫。外国资金可以自由地出入 T 国，占据了很多重要行业，而又通过贷款扩张了占有额。T 国政府为了扩大基础建设，向 A 国等国借了大量贷款。而这些贷款中有很大一部分恰恰集中在了半年以后的七个月内还清。

如果这个时候有一笔巨大的资金想打击 T 国的话，将是一个千载难逢的机会，如果借助挤压泡沫为名做空 T 国股市的话，下跌会是轻而易举的。当然如果真的是想打击一个国家经济的话，这应该是多么大的资金呢，常云啸认为这只是一个理论的幻想。如果真的有资金袭击 T 国的话，必定将遭到国家级别的强力反扑，在经济上就会出现巨大的波动，那将是一场金融灾难，绝对不会像炒炒股票那么简单。

常云啸为了备战，在股票、汇率、期货、远期票据上加大了研究。现在所有资金从香港出发，通过万国投资公司分散到亚洲几个外汇市场，再分批兑换为美元，一点点地进入 T 国，共 1.8 亿美元，其余还有 1.4 亿分散在了菲律宾、印度尼西亚和新加坡，准备全部进入期货市场做空汇率，毕竟大额美元转账会引起当地政府的警戒，分散一些反倒安全。一切都很顺利，对常云啸来说，这是一次更大的赌博，这不是以前的股票投机或者股票投资，而是一场国际货币投机。如果他对世界形势判断得对的话，将会得到资金增长几倍的机会，而如果判断是错的话，可能要损失殆尽。经过细致的分析，常云啸这次不打算重点放在股票市场上，而是紧盯金融外汇市场，因为 T 国银行允许保证金 30 倍的外汇交易，1.8 亿的三十倍就是 54 亿美元……

一切都算顺利，竿狼和牛皮被派到 T 国首府，按照常云啸的计划有条不紊的一点点在各国之间移动着资金，先将八千万的美元按照银行的固定汇率26T元：1美元，兑换了20.8亿T元，进入 T 国期货市场时刻准备放空 T 国股票指数。而常云啸则带了风铃游玩完桂林和西双版纳，现在已经回到澳门，还是住在熟悉的葡京酒店。

从 T 元走势分析上来看，似乎有人在暗中卖出 T 元，常云啸不得不加紧了对 T 国经济的研究。晚饭后风铃打算去赌场玩玩，常云啸都没有时间陪她。风铃只好自己一个人去了。

的确，有人在暗中抛出 T 元，收回美元，这等于消耗了 T 国政府的外汇储备，而 T 国政府为了保持汇率稳定，只是看着外汇储备减少却没有采取任何行动。更可笑的是 T 国银行发售了 150 亿的美元远期合同，这个时候发出这样的品种，如果真的是有大资金在消耗 T 国的美元的话，那么必定会销售异常火暴。常云啸立刻与竿狼取得了联系，命令动用一切可能手段将 20.8 亿 T 元大量买进 T 元对美元的远期期货合同。

　　一切都安排好了，常云啸靠在沙发上养神，最近实在是有点累。已经晚上十一点多，风铃还没有回来。他给风铃打了电话，竟然是关机，记得昨天晚上刚刚充过电，不可能没有电，而且风铃一向二十四小时开机。常云啸突然有一种不祥的预感。

　　不会是出什么事情了？澳门这个地方龙蛇混杂，虽然风铃武功不错，但是在别人的地面上强龙难压地头蛇。风铃的脾气那么大，惹了什么有头脸的人也说不准。常云啸决定十二点钟要是还没有回来就报警。

　　等到十二点还是没有消息，常云啸真担心了。这时突然手机响了，号码是风铃的。

　　"喂？"常云啸赶紧接起来。

　　"果然找到你了，"一个男人放肆的声音，"多年不见，很想你呀，很想你知道吗！你的小妞很他妈的漂亮呀。"

　　"你是谁？风铃在你那里？你想怎么样？"常云啸意识到风铃被绑架了。

　　"我是谁，你竟然不知道我是谁，你他妈居然忘了我是谁。"对方有些激动。

　　"好的，好的，你不要激动，你想要什么？钱？我有钱，都可以给你。"

　　"我不要你的钱，我要你的胳膊，懂吗？混蛋，我要你的胳膊！"可以听到他打人的声音和女人疼痛地叫声，那是风铃。

　　"秦星！"常云啸明白了，这不是绑架是来报仇的。"秦星，你越来越没有出息了，不敢光明正大的来找我，就抓个女人来威胁。好吧，我不想像你那样没有骨气，用我换她，你说怎么样。"

　　"我没骨气？是谁出卖了我们？就是你们两个狗男女。要不是你们，现在的我能是这个样子吗？"

　　"一个换一个，你的手是我砍的，我想砍它就砍了，有本事你也来砍我的。"常云啸想将秦星的兴趣点转移到自己身上。

　　"好，交换。别耍花招。现在到客运码头十一号仓来，来看看你女人

纸　戒

是怎么被轮奸的，哈哈。你要是带警察就准备收尸吧。半小时不到就不用来了。"电话挂了。

常云啸打开了一只黑色皮箱，这是大青送他防身用的，一身黑色特种兵迷彩，两把以色列9毫米乌齐手枪，一只高能电棍，一颗闪光弹和红外线夜视镜。常云啸知道，秦星这次是来拼命的，今天不是他死就是我亡。

常云啸开车飞一样的向港口驶去，同时拨通了风铃的手机。

"秦星，我现在过去，把电话给风铃，我要知道她还活着，我可不想去换一个死人。"

"好，就等你来了。小情人说悄悄话吧。"然后电话那边传来了风铃的呼吸声。

"风铃你还好吗？我马上就到，"常云啸压低声音，"一会儿听我口哨，你就闭眼睛。"

"云啸，你不要过来，这里好多人，不要过来送死。"风铃喊。

"风铃我爱你，一定记住啊。"

秦星对着手机说，"叫的好亲切呀，你这个妞皮肤好光滑呀！我好喜欢。"然后恶狠狠地关了机。

风铃双手被吊得已经勒出了血，脚尖勉强够到潮湿的地面。全身已经被剥得一丝不挂，美丽的身躯被抽打出了血条。秦星得意地拿着皮鞭，不时还挥动他残废的右臂叫嚣着。风铃没有心思听他说什么，一心只有常云啸，她不希望他来却又在暗自想：亲爱的，你快来解救我吧。

又是一鞭子打过来，风铃全身一颤。从垂下的头发中她看到这个仓库中至少有十几个人。常云啸你来了也救不了我，又何必来送死呢？听到你说你爱我就已经足够了，我很满足的，不要为我而死。

突然空中传来一声口哨，所有人都跳了起来，风铃想起常云啸刚才说的话赶紧闭眼。一声清脆的爆炸声，仓库中顿时白光刺眼，这是闪光弹，接着听到的是挥舞棍棒的声音和被电击的惨叫声。

然后就听到了熟悉的声音，"别睁眼，我带你出去。"是常云啸。

风铃感觉腰被抱住，吊着的绳子断开。常云啸给风铃裹上一件风衣，扛起她就跑。出仓库后门向码头跑去。

"放下我，我还能跑。"风铃说。

常云啸放下风铃，"向前仓库左转有车，快，我掩护你。"说着拔出了手枪。

两人跑过转角处都愣了，车子已经起火燃烧。

"是秦星，当心他一定藏在附近什么地方。往码头那边跑有出口。"两人向码头跑去，突然听到了警车的声音，看来有救了。

突然从侧面通道蹿出一辆车，发狂地撞过来。风铃一把推开常云啸，车呼啸而过，风铃倒在了血泊里。

一切只在瞬间，常云啸惊呆了，"风铃，风铃!"

"我的腿。"风铃晕死过去。

常云啸被带到警察局后，四个小时后在杨东的担保下出了警察局直奔山顶医院。一路上听杨东介绍说风铃的双腿已经粉碎性骨折，医生说医治之后恐怕也很难站起来了。

到了医院，风铃还在手术室。常云啸坐在手术室门外，一句话也不说，杨东则急得团团转。手术延续了六个小时，而且可能还需要二次手术。送到病房的时候，风铃还是昏迷状态，医生说要静养。

"她的伤势很重，多亏体质很好，不然可能连命都没了。"医生讲了一下病情，"头部受到撞击有轻微脑震荡，胸腔有积血，左面肋骨断了两根，左手长时间供血不足，小拇指坏死，最糟糕的是两条腿，可能很难再站起来了。"

"不，大夫，她最骄傲的就是这两条腿，你要想想办法呀，不能就这样毁了她，我有钱，我给你钱!"常云啸抓住医生大声地说，眼泪直落下来。

"我们已经很尽力了，只能等待奇迹出现……"

"废物!你是大夫，什么叫尽力。"常云啸有点激动，看样子要打人，被杨东一把抱住。

常云啸蹲在墙边，抱头痛哭。腿，风铃的腿那么美，修长，每次做爱的时候这双腿都让人心动。也是这双腿能够踢出威力巨大的旋风腿，让她显示非凡的武功。现在断了，不能再站立，不能再站立呀。

常云啸让舅舅去休息，自己坐在床边守了一夜，给她换滴液、给她换尿袋。他知道风铃是爱他的，但是自己呢？真的爱风铃吗？不知道曾经多少次这样问自己。我喜欢风铃的爱护，就像找到了母亲的感觉；我喜欢风铃床上的疯狂，会让人燃烧欲望的激情，难道这就是爱吗？还有

纸戒

她一直不肯说的某个原因，究竟是隐藏了什么？现在她的腿断了，这跟我有直接的关系，秦星是冲我来的，而且是风铃救了我，要不是风铃撞开我，现在躺在这里的应该是我才对。我要拿什么报答你，风铃？等你出了医院我们就结婚吧，我们在一起，后面的日子我照顾你，陪伴你。我们有钱，我挣了很多钱，我们什么都不做，去旅游，去世界的每一个角落。风铃，你能听到吗？去世界的每一个角落。

天渐渐亮了，风铃还是没有睁开眼睛。突然房门开了，进来的是洪天泽，跟着的是大青和杨东。

常云啸的眼泪险些又掉下来，没有想到大哥会亲自从香港赶到澳门，"洪哥，风铃她……"

"我知道了，是叫秦星吧。"洪天泽走到病床前，拿起病历看了看，"大青，通知所有弟兄，我出五百万带活的秦星到'福海听风'，交给常兄弟处置。还有跟秦星在一起的人都不应该再活在这个世上，去做吧。"洪天泽的命令很冷酷，说完挥挥手，大青应了一声出去。

"洪哥，谢谢。"

"谢什么，我什么都帮不了你，也就是人手多能帮你找找。可惜了风铃。等他们找到了秦星我再和你联系，你好好照顾她，我和你舅舅还有事情要做，先走了。如果还能帮你什么，你就直说。"

"大哥，我已经很感激你了，抓到秦星我要杀了他。"

洪天泽拍了拍他的肩，带杨东出去了。

又过了一天，风铃醒了，出奇的平静，只是看着天花板。常云啸看到她醒，反倒吓了一跳，本以为她会大喊大叫，现在却默默的只是看见他笑了笑。

"你，你还好吗？我去叫医生。"

风铃笑笑，"别走，你过来。"

常云啸坐在她床边，风铃的脸很憔悴，眼中已经没有了平日的风采。风铃伸出手，紧紧握住常云啸的手放在胸口。闭上眼，轻轻地抚摩。常云啸突然想哭。

"你还爱我吗？"风铃闭着眼睛问。

"爱，我爱你。"

"残疾了你也爱吗？"

"不要说这些话，你会好的。如果不能好，我照顾你一辈子。"

"有你这句话真好，我已经很满足了。其实我知道你的心中一直还有她，没有人能够取代她的位置。"

"不，风铃，不是你想象的那样，我……"

风铃摇摇头，眼泪从闭着的双眼中流出来，"你不用担心我会难过，其实我现在很开心，我现在很解脱，很多的事情一直不能摆脱出来，一直纠缠不清，一直要背负一个债，现在都解脱了。"

"解脱？你要解脱什么？"

风铃睁开眼，看着他，带了一种怜爱，"你不会懂，以后告诉你。"

一个护士走进来，见风铃醒了埋怨道，"病人醒了，你怎么不说一声，我去叫医生。"

医生过来给风铃做检查，常云啸退出病房。大青来电话，秦星已经被带到了玉桂山，现在等常云啸去处理。

常云啸把秦星打得没了人样，但秦星还是一副奸笑的样子，最后大青送了他两颗子弹丢进大海喂鱼。

风铃在山顶医院住了一个多月就要求出院，回到了香港跑马地的别墅。在常云啸的精心照顾下可以自己摇轮椅了。看她每天开心的笑容，常云啸难过得要命，他知道那是装的，她怕给自己带来自责。但是风铃越是这样，常云啸就越觉对不起风铃。

月色下，风吹动了窗帘，像穿了白纱的女人在窗前舞动。常云啸让风铃的头枕在自己的胳膊上，轻轻抚摩着她的秀发。

"你想不想做爱？"风铃突然笑着问。

"别瞎想，你的伤刚好点，不想要命了？快睡觉。"

"我就是问问嘛，干吗这么紧张。"停了一会儿，风铃说，"云啸，你还爱我吗？"

"爱，怎么不爱？"

"瞎说，怎么可能爱一个残疾人。"

"风铃，不要胡思乱想，无论你怎样，我都永远爱你。"

"那你就要听我的话。"

"好呀，我全听你的，你说什么我听什么。"

"那……"风铃停住了，"那我要你离开我。"

纸 戒

常云啸一下坐了起来，"为什么？我不同意。"

　　"你说都听我的，对吗？"

　　"但是这个事情不可以。风铃听话，不要乱想，我会对你好的。"

　　"好了，我只是说说，瞧你紧张的。我想去北京看看有没有能治我腿的医生。毕竟是首都，无论是医疗条件、专家水平还是信息那里都是最好的。你说呢？我总觉得我的腿还可以站起来的。"

　　"医生说除非奇迹发生。"

　　"你不相信奇迹？你不是总在创造奇迹吗？"

　　常云啸点点头。他自己真的不愿意回北京，那里有他年轻时的梦想，有他曾经深爱的人，有他童年无忧无虑的生活，也有错综复杂的心情。

　　"好吧，我们回北京。"

　　回到北京，梅子带了大家在机场接他们。常云啸和风铃住进了妈妈留下来的老房。找到了军区医院的著名骨科专家牵头，重金邀请全国有威望的骨科专家，组成一个医疗小组，专门为风铃医治。小组长是一个不到四十岁的男人，竟然已经是骨科教授。

　　常云啸将他邀请到家中，泡了上等好茶，"您就是周子豪教授吧，以后风铃的腿就全靠您了。"

　　"还是直呼我名字更舒服些。我在骨科上是有点研究，但是病情千变万化，还需要大家的配合协助呢。"周子豪谦虚地说。

　　"那么以后就称你周子豪，可能你在英国读书已经习惯了这样称呼。我希望你们能够尽最大的努力，给我创造一个奇迹。至于研究经费，你不用担心，只要是治疗需要，我给你办一个研究中心都没有问题。"

　　"我知道你有经济实力办研究中心，但是医学是不可以说大话的，你把风铃小姐交给我，我尽全力，在没有结果之前谁也不能保证什么。"

　　"我懂，你尽你的全力，我支持你，我在香山买了一套别墅，将是你研究的地方，也是医治风铃的地方。我的工作很忙，可能很长一段时间不在北京，有什么事情及时联系。"

　　周子豪微笑地点了点头，"你先忙你的，我带的这个小组敢说是全国最好的，也许真的可以创造出一个奇迹。"

15

北京的春天不仅干旱而且多风。这个别墅背后就是香山，秋天的时候很好看，可以欣赏满山的枫叶，但现在是春天，只能看见光秃的树干和部分淡绿。城里街道两旁的树木已经都是翠绿的颜色，而山里的树木还只长出小绿芽。

清晨阳光很充足地透过玻璃照进来，风铃在轮椅上望着窗外，好像在想什么事情。常云啸在看报纸，最近东南亚与 A 国的关系越来越僵，缅甸想成为东盟成员，得到了 T 国和 M 国的支持，但是 A 国并不愿意这样。因此在政治外交上出现了一些不愉快的对话。

"云啸，我想跟你好好谈谈。"风铃很温柔地说。

"什么？"常云啸放下手中的报纸。

"其实你不告诉我我也知道，你的资金是洪天泽的，对吗？"

常云啸想了一下，"确切地说，初始资金是洪哥的。"

风铃摇摇头，"不论多少钱，总之，与他有关。你可知道他是做什么的？"

常云啸看着她，"你的意思是说他不是开赌场的？"

"赌场只是一个幌子，实际上他是……"风铃看了看门外，"是毒品。"

常云啸皱了皱眉，其实他早就觉察出这其中的不对，但一直以为是做海上走私的，没有想到竟然是毒品。"你为什么不早说？舅舅知道这个事情？"

"干爹也是其中之一。其实我也知道你需要这笔钱做基础，现在你的基础已经打完了，我想是应该跟洪天泽断绝关系的时候了，否则一旦他们出了事，你是很危险的。"

"这个……"常云啸是讲义气的人，既然已经答应为洪哥保管资金，怎么可以在自己发展起来之后就甩掉人家不管了呢？

纸 戒

"干爹和大青为他清理了那些不听话的元老之后，现在他们的生意越来越大，也导致越来越多的人眼红，早晚会出事的。"

"可是我答应洪哥的……"

"如果你出了事情，我怎么办？云啸，为我想想好吗？我这个样子，后半生能依靠谁呢？求你，想办法跟他断了关系。而且一旦受到牵连，你自己和你奋斗的资金都没有了。"

"好好，我想想……"常云啸不想让风铃生气，但是也不想有负于大哥。但是他知道贩卖毒品是什么样的罪过，虽然自己没有直接参与，但是那三个亿是毒资呀，一旦被政府查出来万国投资公司是用毒资成立的，一切收入都成了非法所得，而且自己会牵连进去。

三天后，常云啸以去香港见机行事为由，离开了北京，把风铃交给了周子豪。三天来风铃一直在说这件事，实在是令他心烦，而且他真的不知道怎么向洪天泽开口。常云啸打算从香港直接去 T 国，先看看那边的具体情况，而后再考虑用什么办法摆脱洪天泽。

从香港转飞机到了 T 国首府，竿狼和牛皮在那里的工作很紧张。他们的重要工作就是为常云啸收集大量的资料，并整理分类，他们请了一个翻译来克服语言障碍，但是依然进展缓慢。常云啸用了两天的时间，大致看了一遍收集的资料，使他更加相信，T 国将成为国际资金混战的一个大战场，因为这里的金融管理漏洞百出。金融体系已经不能承受这种高速的经济发展，每年 GDP10％以上的上涨，已经在金融体系中留下了很多漏洞。

但是 T 国人已经习惯了 T 国经济的高速发展，在他们看来没有什么可以阻止 T 国前进的脚步。但是对常云啸来说，这是一个危机四伏的经济体系。举个最简单的例子，依据竿狼他们两个人的报告：T 国对外资本开放之后，为了将首府建成亚洲的另一个金融中心，大量向外国和地方银行发营业执照，给这些银行低息美元贷款，然后让它们借贷给邻国或当地企业。但事与愿违，金融的发展并不是政府一相情愿的，被扶持的这些银行将 40％的贷款投放到了房地产。结果五年后的今天，仅首府就有近一百万平方米的空房无人问津，全国更是有 1400 万的房地产坏账。然而这只是众多漏洞中的一小部分。

"也不知道我判断得对不对。现在咱们吃了一肚子的 T 元对美元合约，要是判断错了，T 元没有下跌那咱们可就胀爆肚皮了。"常云啸带了竿狼和牛皮一起吃饭。

"可是 T 国十四年的联汇制，难道说跌就能跌？"竿狼说。

"T 国的确是固定汇率，紧盯美元。但是美元不断升值，T 国有 A 国经济的稳定吗？如果不够稳定就很容易被美元给拖垮？首先房地产的坏账有多少？外债又有多少？为了支撑项目赤字，被迫用高息来吸引外资，其短期债券利息曾经一度比 A 国五年期国债利息高一倍。所以这个联系汇率就是一个窗户纸，只不过是能扛一天是一天，一捅就破呀。"

"大哥不会错的，来为胜利干杯。"牛皮举起杯，大家一饮而尽。

"这次忙完了，你们两个一人一千万。"

"美元？"竿狼瞪大了眼。

常云啸巴掌打过去，"人民币。我留着这些钱还要对付唐浩，等打倒他就分给大家。"

"对，君子报仇十年不晚，一定要让他输得屁滚尿流。"

"要不是你非要在金融上打败他，我们早就把他拎出来抽个半死了。"牛皮不屑地说。

"如果这次能成功，我希望这些资金能把文武集团搅浑，现在他们已经是两地上市了，融资能力不可轻视。"常云啸又一口气喝下一杯，"到时候有好戏看的。"

一个星期后，常云啸发现 T 国的经济危机竟然到了一触即发的边缘。T 国外债有近一千亿，其中近百亿要在这半年内还清。而经济的快速发展使得工资水平过度膨胀，为抑制工资上涨速度，央行提高了利率，结果使负债颇重的 T 国经济更加难以自拔，更多的企业和私有银行濒临倒闭。T 国的经济就像是玩多米诺，一个牵一个，一旦一张牌倒下可能谁都无法解救。

"乱了乱了。"牛皮买面包回来。

常云啸和竿狼都迎过去，"怎么回事？"

"银行系统的例行检查中出现了多家银行坏账过大，首府第五商业银行突然宣布倒闭，现在已经出现挤兑，一片混乱。"

"什么？快去开电视。"常云啸自己跑到电脑前，打开汇率市场，虽然出现了一定量 T 元的抛盘，但是依然坚持在 26T 元：1 美元。

电视中首府市长在讲话，画面背景是银行，显然正在说这次的银行事件。竿狼已经将翻译喊了过来。

纸 戒

"他在说什么?"常云啸问。

"他说,有人传言第五商行要倒闭是非常不切实际的,政府不会允许一家银行轻易地倒闭。政府会出资帮助银行,所以市民的挤兑是没有必要的。银行的确存在了一些坏账,但依然控制在合理的范围内,政府已经要求银行方面尽快募集新的资本注入,随后政府将尽快出台银行坏账的处理办法。"翻译说。

"好,你上楼吧。"看翻译上去了,常云啸转向两个哥们儿,"好机会呀,好机会。我们开户的银行是哪个?"

"首府第二商业银行。"

"好,现在就去调查它,如果它也存在大量坏账,咱们就借一亿美元给他们。如果它没有坏账,不需要注入新资本,你们就给我打听别家,直到找到为止。"

"找要倒闭的银行?咱们不炒汇了?借给他们打水漂?"牛皮不解,竿狼也看着常云啸。

"借给银行是为了充当新的资本注入,但是我们是借,不是真的参与进去,实际上就是一个假的资本注入。银行在短期内是很难搞到这样一笔资金的,政府虽然不可以让这些大银行倒闭,但又要出台处理办法,想必这些银行官员的位子都不好坐了。这样我们借给他用,让他渡过暂时的难关,但他也需要答应我的条件……"

"什么条件?"

"让他借款35亿T元给我。"

"不可能,市场价格26:1,你出一亿美元,最多换26亿T元,给你35亿,你不是就拿着跑了?人家能信吗?"竿狼反应倒是很快。

"这些钱可以依然托管在银行,我只是使用,不能转移,这样对银行来说就安全得多。双方借款为期三个月就足够,到期我还银行35亿T元,银行还我1亿美元,大家没有利息。"

"你不是说T元要下跌吗?咱们要那么多T元做什么?"牛皮问得很实际。

"呵呵,把这些T元按正常交易再换成美元,35亿T元就是1.345亿美元,多出34%的资金。再按炒汇保证金的30倍计算,就是近40.35亿美元的交易额,你认为呢?"

"高,实在是高!"两人不禁竖了大拇指。分头去寻找资料,打探门路。

　　与银行合作也不是一时的事，常云啸决定先回一趟香港，最好能找机会和洪天泽谈谈资金的事情。

　　常云啸回到香港，准备休息几天。一方面是需要好好想想用一种怎样的方式合理地摆脱洪天泽；另一方面 T 国的金融局势恶化的速度比预想的要快，要在香港探听一些虚实。

　　进入五月之后的 T 国，经济形势一片混乱，一些部门已经感觉到了危机将至，但是 T 国政府并不承认是很大的危机，认为凭借 T 国十几年的经济增长，完全可以抵御外来的金融入侵。但是常云啸并不这么认为。这将是一场轰轰烈烈的战斗，不，应该是战争。无数的饿狼已经隐蔽在 T 国的四周，随时要发动攻击，而 T 国政府却自以为有足够的弹药，只怕狼多枪少。常云啸必须抢在 T 国政府完全清醒之前实施自己的计划。

　　现在 T 国银行已经停发远期汇率合同，说明已经开始警觉，常云啸正抓紧一切时间思考战斗的切入点。

　　有人打手机过来。

　　"喂？"

　　"常云啸，常云啸……"对方竟然哭了。

　　"大青？是你吗？怎么了？出什么事了？"

　　大青哭得泣不成声，"大哥，大哥被抓了。"

　　"啊，什么？"常云啸倒吸一口冷气，此次来香港的目的就是想办法脱离洪天泽的牵连，怎么这么巧就出事了？大哥毕竟还算待我不错，会不会有救的希望？那些资金怎么办，会不会牵扯进去？我在这里应该扮演怎样的角色？风险是什么？一瞬间，常云啸的大脑涌现出众多的问题。"大哥，为什么被抓了？"

　　"一句两句也说不清楚，你舅也一起被抓了，我是逃出来的。"

　　"你在哪儿？"

　　"在中环。"

　　"赶紧到我这里，至少能躲一躲。"

　　放下电话，常云啸在屋里直打转。洪天泽是怎样的人物，他的势力那么大，这次竟然也被捕，早先以为他与舅舅一样是开赌场的，但是那天从风铃的口中知道竟然还有毒品生意，所以一旦出事应该就是枪毙的

纸戒

罪。舅舅怎么办？风铃有没有干系？资金会不会真的安全？如果这笔资金被查涉及的人员众多，我怎么当时就没有多分一些账户出去呢。大青是逃出来的，警方一定在通缉他，我让他到了我这里，会不会被牵连？

脑子里简直就是一片混乱，镇静，一定要镇静，他不断地告诉自己。兵来将挡，水来土掩，不一定就那么糟糕。至少我没有参与过他们的什么交易，可以推说一概不知情。

门铃响了，按得很急促，常云啸深深吸了一口气，打开大门。大青一闪身进来赶紧关了门，常云啸拉他进到客厅。

"到底出了什么事？"

"昨天晚上，昨天晚上。"看得出大青还是很紧张。

常云啸倒杯酒过来，大青一饮而尽，定了定神才说清楚事情的经过。

原来洪天泽的生意的确是走私毒品。这是一个帮会组织，帮会最初的建造者是洪天泽的父亲洪陆，当时这个帮会在S市，靠开设地下赌场生存。洪天泽接手帮会后，将地下赌场开到了南方，S市的摊子就交给了杨东。慢慢开始向香港发展，在香港接触到了更加发财的买卖——毒品。靠着自己在大陆的实力和赌场网点，很快就打开了局面。开始帮会中的一些元老有的还反对，但是看到大把的钞票就都不多说什么，也跟定了洪天泽一起发财。

开始大家还都努力挣钱，但是后来一些元老为了争夺自己的势力范围，彼此发生了矛盾。杨东和大青回到洪天泽身边之后，帮助洪哥铲除了几个很不听话的家伙，帮会中算是消停很多。

可惜好景不长，昨天晚上突然大批警察包围了"福海听风"，警方说要例行检查。洪天泽一方面要大家做好动手的准备，一方面招呼警长开始检查。没想到警察直奔别墅后院的游泳池，那里的确就是洪天泽的毒品加工厂，看来警方是得到准确消息了，于是双方就开了火。别墅区后面还有一个秘密通道，大家就往那里撤，谁知道那里也埋伏了警察。洪天泽交给了大青一个信封说无论如何要亲手交给常云啸。在洪天泽的掩护下，大青仗着自己武功高，绕过秘道进入了树林。

"我从树林下山，到处都是警察，但是我还是看到那个贱人了，就是她向警察告的密，一定是她。"

"哪个贱人？"

"还有谁？贾丽丽！"

"贾丽丽是谁？"

"就是洪哥的那个女人呀。"

"哦，是她。"常云啸想起来了，就是总穿一身黑色轻纱的妖艳女人。

"不然警察怎么知道游泳池就是加工厂，后山有一个秘密通道呢！"

"游泳池怎么能做加工厂，进出和运输都不方便。"

"记得那个游泳池吧，那个游泳池下面有一个门，进去之后有一个排水室，就像潜艇里一样，排掉水之后里面的门打开就进入了加工厂。把水抽干，货物就可以通过游泳池中的升降机运送上来了。这样隐秘的地方，警察怎么会知道。一定是贾丽丽告的密，我在树林中看到她和一个警官说话后坐车离开了玉桂山。随后才看到关押大哥的车下山。"

"对了，洪哥不是说那个信是给我的吗?"常云啸想起来了那个信件。

大青从怀中抽出一封皱皱巴巴的信，交给常云啸。

大致内容是这样的：

"如果你收到这封信，就说明我已经出事了，而我出事基本上就是死罪。

按最初协议，本金以上部分不归我支配那是你的。本金我想分两半，一半是你的，你可以用它继续完成你的复仇，另一半我希望你能给我的女人贾丽丽。送这封信的人一定冒了很大的风险，不要忘记给些奖赏，这就是我最后的要求。

每个人都有自己的追求，为了追求可能会付出很多，只是我付出的是生命。其实有的时候不要把复仇看得很重，确切地说不要把一切看得很重，都是过眼云烟，平淡才是真。"

"看来大哥还蒙在鼓里。"常云啸将信递给大青。

大青看完后把信重重地摔在桌上，"这个蛇蝎女人，洪哥对她这么好，竟然还他妈的出卖我们。"

"我可以告诉你，大哥在我这里一共存放了三个亿，按大哥的指示，贾丽丽1.5亿，你是送信的，我愿意给你1个亿，我拿5000万。"

"给她钱？不行！是她出卖的大哥，我要她死。常兄弟，我大青不是看重金钱的人，我也不像你能管理钱，钱对我来说就是吃喝嫖赌，但这种生活我已经过腻了，你说什么场面我没有见过，多漂亮的女人我也玩过。我的命原本就是大哥捡的，这次大哥进去了，我没有能够陪他一起

纸 戒

出生入死，只是为了送这封信给你，没想到竟然要成全了那个臭王八。也算老天有眼，让我知道了就是她出卖的大哥，不然大家死了她还点钱呢。"

常云啸想了想，"不如这样，你先住这里，咱们想办法让你先逃到大陆，反正钱不成问题，我给你办一个银行卡，你走到哪里都可以用。"

"我哪儿也不去，就留在香港，我要那个女人死。"

常云啸看看大青的眼神，一股致命的寒光，看来不能再多说什么了。还是先安顿下来再做打算。

安排大青睡下，常云啸给风铃打了一个电话。跟风铃把事情从头到尾说了一遍，风铃半天没有说一句话。

听风铃没有反应，常云啸问，"怎么了，是不是心情不好？"

风铃这才叹了口气，"用毒品害人，他们也算是自作自受吧，这一死便可以一了百了。"

"可惜舅舅没有逃出来，这种罪过抓进去就没有命了。"

风铃轻哼了一声，"杨东也该到时候了。"没有叫干爹而是直呼其名。

常云啸觉得很纳闷，风铃跟舅舅在一起的时候这好那好，怎么在背后总像有仇似的。"舅舅一死我就彻底没有亲人了。"

"不是还有我吗？还有你心中的那个她。"

"风铃……"显然有点生气。

"好好，我不说了。不管怎样，至少现在这笔钱算是安全了，你也安全了，这样我才放心。你也可以放心大胆地做你要做的事情了。大青这个人还算是仗义，你多分给他点，然后把他送远点，以后不要再有来往。"

"好的，听你的。"

第二天一早竟然找不到大青了，常云啸想他一定是找那个女人了。

三天后的晚上，大青回来了。

"我找到那个婊子了，竟然吃里爬外帮着别的帮会出卖自己男人，正在别人怀里呢。洪哥一世英明竟然让这样一个骚货害了。"

"那你打算怎样？"常云啸问。

"我现在需要钱。"

"没问题。"常云啸带大青到储藏室，里面有四个手提箱，"每个五十万，一共二百万。明天我就去给你办一个信用卡，把一个亿给你拨过去，如果这次能为大哥报了仇，杀了那个婊子，她那一亿五也是你的。"

大青笑了，拍拍常云啸的肩，"好兄弟够意思，大青我没有认错兄弟。信用卡就不用了，这些钱就足够让那个骚货上西天的。"

"你是想招兵买马去杀她？"

"杀她还需要那么多人？我一个就够，这些钱是买枪支炸药的。"

"好，我跟你一起去。"

大青笑了，"其实你跟帮会没有任何关系，又何必去送死？我一个人就摆平了。"

"怎么没有关系，要是没有大哥，这几年我就不会有这么大的发展，要是没有你，我就不能抓到秦星。为大哥报仇，也要有我一份。"

大青想了想，点点头，"好，倒酒，我们畅饮几杯。"

常云啸开了一瓶茅台，"好兄弟，干杯。"

三杯过后，常云啸渐觉头晕目眩四肢无力，"大青这酒……"

"你好好睡吧，帮会的事由帮会人解决。不知道我们还能不能见面，但你始终是我的好兄弟。"说完大青转身提了两个箱子走了。

常云啸只觉得头脑慢慢迟钝下来，趴在桌子上睡着了。一觉醒来已经是后半夜，早就没有了大青的踪影。

一个星期后，新闻报道说西湾河那边一处四层楼的别墅发生枪战，随后出现了巨大的爆炸，整个别墅夷为平地，目前警方证实的死亡人数已经达到五十几人。

不到一个月，有报道说大毒枭洪天泽与其军师杨东被判死刑，立即执行。并有重要人物吴大青在逃。

从那以后常云啸就再也没有看到过大青。

纸 戒

16

常云啸在香港又等了近一个星期，依然没有打听到大青的下落，T国那边形势越来越严峻，他打算去T国亲自督战。怕大青可能返回来找不到人，就在家里的黑板上留了电话和地址，储藏室的门敞开，万一他需要用钱随时可以拿。一切都准备好，常云啸去了首府。

像首府第二银行这样的商业银行不可能不存在巨大的坏账死账。大量的资金贷款给了房地产商，而房子卖不出去，房地产商没有能力偿还的案例比比皆是。现在政府要求立刻注入资本，否则对负责人要追查责任，这让行长犯了难。所以竿狼和牛皮的出现，真的是好比雪中送炭，让行长大人欢喜得合不拢嘴，虽说借用是虚晃一枪，但总比没有强。

但最麻烦的，是35亿的T元也着实不是一个小数目，如果一下动用，很可能会引起检查部门的关注，行长答应半个月时间一定能够到账。两边就开始起草合同，然后等常云啸来过目。

常云啸到首府连饭都没有来得及吃，就开始反复地看合同草案。然后加了两条，一个是：双方借用的资金，到期不计利息，只还本金；第二个是：借入美元方在三个月以内可以随时还款，而贷出方不能首先提出还款。

"这两条好像都是让银行有利。"牛皮说。

"大哥就是想制造一个假象。"竿狼给解释了。

常云啸点点头表示同意，然后让他们通知银行方面开始合同签字。行长一看这还不好？至少三个月内高枕无忧呀。赶紧带人过来签合同，并答应一个星期T元就能资金到位。一个星期之后，35亿T元全部到账。

两周之后，T国新任财政部长刚刚上台，投机商们就开始了大肆抛售T元。与此同时，政府公布了财政预算，这个预算的确超出了人们的预料，预算赤字竟然占国内生产总值的 8％，这在全世界大概都是最高的。大量资金突然集中了火力，攻击 T 元。常云啸也不例外，他知道战斗已经打响，而这个战斗只要开始就一定要火拼到底，35 亿的 T 元必须尽快地打出去，得到美元。

T 国政府当然不能让投机者得逞，开始了反击战，价格一度打到 25.95T 元：1 美元。35 个亿可不是一个小数目，竿狼和牛皮按常云啸的指令不断地挂单撤单，终于将手中的 T 元全部兑成美元。

僵持了不到三天，一个灾难性的金融战争终于爆发了，T 国政府突然宣布：放弃货币联汇制的 26T 元：1 美元，实行管理下的浮动汇率制。天终于塌了，瞬间大量资金狂砸 T 元，当天 T 元汇率就下跌了 20％。

"看到没有，看到没有？要是再晚一个星期，我们能赶上这么好的机会吗？"常云啸兴奋地在电脑前手舞足蹈。

"我们大概能挣多少？"竿狼问。

"多少？拿黑板来，我给你们算一下，就可以吓死你们。"

牛皮赶紧把黑板拿过来。

常云啸拿起粉笔，很熟练地在黑板上写着步骤。做盘的时候写板书，这已经养成了习惯。

"其实我们的工作很简单，全部过程可以简单地理解就是借钱和还钱。你们看……"

第一步，1 亿美元换了 35 亿 T 元的使用权，由于双方是借用又没有利息，所以表面上谁也没有损失。

第二步，35 亿 T 元按照固定汇率的牌价兑换 1.345 亿的美元。如果 T 元能够维持在 26：1 的水平上，我们的这些动作就不可能挣钱，还要搭上手续费，并还要损失利息差的机会成本。

第三步，如果 T 元开始贬值，比如贬值到 30T 元：1 美元。那么我们用美元买回 T 元，只用 1.167 亿美元就可以买回 35 亿 T 元还给银行，我们剩 0.178 亿美元。

问题是我们现在是在炒汇，保证金是按 30 倍放大的，你们明白了吗？

简单计算一下：

如果 T 元两个月从 26：1 下跌到了 30：1，大致下跌了 15％，两个月的利息差合成年利率按 2％ 计算的话，赢利应该是 15％ － 2％ ＝ 13％，

纸　戒

如果按 30 倍保证金计算，赢利应该是 13％×30，那就是赢利 390％，即 1.345 亿美元×390％＝5.246 亿美元，用 1.167 亿美元买回 35 亿 T 元还给银行之后，我们挣 4.079 亿美元。

"啊！"两个人都惊讶地看着常云啸，"真的？"

"那么我们现在就在这里等待 T 元贬值就可以了。"写完，常云啸把粉笔一扔，掸掸手上的粉尘，看着他们两个。两个人都看呆了，没有仔细算过，这一算真让人吃惊。两个人自从跟了常云啸做证券，没有少学习，这几年下来也算是金融行家了，至少金融知识不比别人差。但是能够这么熟练地运用金融工具，还是让他们吃惊不小。

"包括我们前面买的 T 元/美元期货合约也是一样的道理，T 元一贬值，我们就可以用不值钱的 T 元进行结算。"

"那当时银行怎么还大量发行这种合约？"牛皮不解。

"为了利率，"竿狼抢先说，"当时由于对此业务的需求量很大，利率就上升了，银行就是为了这么一点眼前利益。"

"可惜是给自己挖了一个坟墓。"常云啸不无惋惜地说。

　　时局并没有像常云啸最初想象的那么简单，T 国政府一面反击一面出台了一些政策，例如限制汽车、高档化妆品的进口，以减少外汇流失，出台大量政策刺激出口以换取外汇。但是 T 国央行根本不敢放开手去阻止 T 元下跌，原因也很简单，为了防止继续下跌只能抛出美元买入 T 元，而七个月内又有那么大量的美元债务要偿还，到时候外币储备不够用怎么办？就在 T 国政府犹豫的时候，T 元的价格出乎预料的又一次大幅下跌了。

　　而更出乎常云啸预料的是，整个亚洲都被卷入进来，现在已经不是一个国家的金融危机问题，而是一场金融风暴。有报道说 A 国的麦克·恩基金公司实际上是这场金融风暴的背后主使，这使大量的外资投机者像看到了旗帜，向 T 国以至于亚太地区而来。麦克·恩基金公司由老麦克·罗恩创立，是一只高度投机的基金，现在已经传给了他的儿子麦克·罗斯，大家叫他小罗斯。这只基金现在管理着近 980 亿的美元资产，排名世界第四，因此在世界金融领域中的地位十分显著。它就像一面旗帜，指挥了世界的千军万马。

　　一时间，亚太地区战火纷飞，M 国的 M 元下跌了 17％，印尼盾下跌

20%。银行挤兑的，大街上疯狂抢购的，黑帮之间要债的，哄抢商店的，已经混乱成了一团。常云啸急忙的从香港雇佣十个保镖，每天全副武装以保证大家的安全。国际货币基金组织 IMF 已经开始插手这里的金融秩序，决定贷款 40 亿美元以维持亚洲经济稳定，国际援助组织也答应了 160 亿的援助计划，这才让 T 元的下跌速度减缓了一些，但是依然下跌到了 34.12T 元：1 美元。

常云啸在 29.98：1 的时候出来反手做多，但两个小时之内就发现形式依然在做空 T 元，只好在 30.55：1 的时候再次做空，才避免了被洗劫一空的灾难，因为很快 T 元就跌到了 34.12T 元：1 美元。

"这分明为了抢钱，下跌的一点理性都没有了。"常云啸虽然是做空 T 元，但也惊讶 T 元下跌的速度和深度。

"而且现在整个亚洲都一片混乱，听说昨天菲律宾的比索连抵抗都没有抵抗就放弃了固定汇率，然后一路狂跌。"竿狼跟着说。

牛皮端着咖啡说："T 元和比索下跌了，周边国家为了保持世界贸易的竞争力也要贬值，一个恶性循环。"

常云啸看着窗外，外面在下雨，不大，只在路旁添了点积水。大街上一片荒寂，很少有人或车通过，短短的一个多月时间，T 国经济就遭受了沉重的打击，按 T 国财政部长的话说，我们已经倒退回了十年前的水平。

"不行，我要回香港看看。"常云啸突然说。

"怎么了？"

"这里的信息不畅通，而且报纸和电视我也看不懂，都要别人来翻译，透露的信息是否真实完全不知道，至少香港的报道是可信的。我明天就动身，这里就交给你们两个了，也不用操作什么，等着它下跌就好了，我看这次 T 元大概要奔 40 比 1 了。需要平仓的时候我会通知你们。"

香港正笼罩在金融恐惧的状态中，T 国、M 国、菲律宾、印度尼西亚等南亚国家都已经遭到金融袭击，各国为了抵制袭击付出了代价。现在日本和韩国又被卷进来，东亚的形式开始恶化。而香港是四小龙之一，又是一个自由港，外国游资怎么可能放过它呢？

常云啸突然有一种感觉，这根本就不是针对 T 国的经济危机，而是很有目的和计划的针对中国的金融袭击。而想打击中国，香港是唯一的

纸戒

切入口。现在国际游资在不断的试探香港，而且力度越来越大，好像亚洲各战场的资金都在慢慢汇集，也许香港才是真正的决战之地。

现在整个亚洲都笼罩在金融战争的阴影下，各战场的游资成百上千亿，这些资金在香港周边已经是大获全胜，收益丰厚，轻易地击破了这些国家固定汇率制度，下一个目标……常云啸想了很久了，下一个目标一定就是香港。香港的联汇制比其他亚洲国家的更加稳定，不容易下手，但是如果面对巨大的资金压力呢？如果中国的经济真的无懈可击的话，游资也不一定能占到便宜，而又有谁敢说自己无懈可击呢？一旦联汇制被击破，港币将出现同 T 国一样的大幅下跌。如果这个时候做空香港股市、期市的话，那将是多么大多么可观的一笔收入啊。

最近睡眠很不好，总是做梦，而且总是梦到钱，人们说梦是反的，会不会是资金要出事？索性给蓝巾酒吧汇过去一千万人民币让梅子管理，给风铃那边汇过去一千万美元，以便医疗使用。自己一个人待在香港观察事态发展的情况。

常云啸在证券公司坐了几天，很明显的是，现在香港的经济局势很严峻，外国游资已经在这里试探了好几次，相信这些小规模的战斗只是一个开始，而真正大的战役还在等各路资金的汇集。但是就算是小战斗也已经让香港股市连连下挫。香港的很多财团开始惶惶不安，上市公司有的正在备战筹资，有的不知所措。

这不正是大好的做空机会吗？目前众多资金还在外围市场作战，如果这些资金全部汇集香港市场那将是多么大一笔做空的力量，这种力量必定势不可挡。香港是世界闻名的自由港，经济也同样存在极大的自由化，所以如果这里受到打击，中国大陆也不应该过分插手，否则就失去了自由港的意义，这对香港经济的未来是一种威胁。

常云啸开始盘算。目前除去 T 国的资金外，最初分配在菲律宾、印度尼西亚和新加坡、M 国等地做空汇率市场的 1.4 亿美元，由于当地货币的贬值，已经有了近 3 倍的收益。如果全部收回的话，就是近 4 亿美元，即使分批转回香港，最多也只用一个星期就够了。借助这个机会我就可以得到强大的资金去抗衡文武集团，那个时候，唐浩，我要证明我比你强，在金融上我才是天才，我要告诉林晓雨她的选择完全是一个错误。

一个星期后，4.1 亿美元从菲律宾等国分批汇到香港，按联汇率 1 美元兑换 7.8 港币，就是 32.76 亿港币。20 亿进入香港股市指标股，12.76 亿进入恒生指数期货买入大量空单。目前香港的形势很不乐观，虽然大量国际游资还没有到达，但是看到周边的惨淡情况谁能不心惊胆战，人人自危呢。股市已经开始了下跌趋势，部分股票还有破位迹象。个别指标股已经明显的出现抛盘。这个时候常云啸的资金进场了，他只盯住几个指标股，做空这些股票并不难。在大陆股市坐庄时先要收集，而收集的过程就是先要将价格打下去，然后在低位加大筹码。简单的举个例子：先散手收集 10 万筹码，然后集中火力卖出，很快就引发了广大散户的跟风卖盘，而庄家就可以守株待兔，在下面收集 20 万筹码，然后再集中火力卖出，再收集，这样价格不断的下跌，低价的筹码也越来越多。这种操作手法是以前惯用的，对常云啸来说是轻车熟路了。但是常云啸并不指望在股市上能挣多少钱，他的目的在于指数期货，因为只要把股市打下去让指数下跌，期货方面就可以数十倍的积累财富了。

看上去事情很简单，用钱把股市砸低然后在期货上挣钱。但是事情并没有想象的那样简单，障碍并不是来自资金操作上，而是来自社会舆论。

所有资金开户用的是万国投资公司的名字，而这样大的资金进入市场很快就引起了很多方面的注意。到香港还不到两个星期，晚报的标题文章《万国投资大肆做空香港股市》就已经被到处转载，总经理常云啸的名字很快就成为焦点，甚至一些小报社将常云啸的名字和卖国贼牵扯到了一起。

这些报纸的评论着实在常云啸的心里产生了震撼。多年来，一直在利用各种违法的手段聚敛财富，一直将欺骗当做家常便饭，竟然不知不觉背叛了国家？小的时候，就听妈妈讲岳飞和秦桧的故事，那个时候把《满江红》背了多少遍，好想做一个岳飞一样顶天立地的汉子。但是现在呢，竟然落到要背叛国家？不行，虽然我成为不了英雄，但是也不可以背负卖国的罪名。常云啸独自躲在别墅的大沙发里，望着窗外发呆。

人生各异，有流芳百世也有遗臭万年，我常云啸做不了好人，因为我已经不是个好人，但是也不想做个发国难财的恶人，我不需要鲜花掌声但也不需要被人骂祖宗。可是，如果从单纯的金融角度上看，这是一个绝佳的投资机会，而且是不用掺杂任何违法行为的机会，在规则允许的范围内踏踏实实的可以牟取暴利。如果不利用这次机会，又怎能迅速积累足够的资金来打垮唐浩和他身后的文武集团呢？我家人的死和夺妻之恨难道要我放弃，不去追究吗？当然凭借现在的资金，收买几个杀手不成问题，但是想我常云啸也自称是金融奇才，使用这种卑劣手段的话，我这些年的奋斗还有什么意义？潘国峰说得对，要想打倒唐浩让他饱尝失败的痛苦，就一定要在金融上战胜他。如果真的想杀他，我十年前就足够了。所以要得到更多的资金整垮唐浩就一定要借助香港的这次危机，这可能是几十年不遇的好机会，但我做空香港就等于助纣为虐，不是卖国也是发国难财。我应该怎样做？放弃还是坚持？

　　常云啸拿起电话给风铃。

　　"你在我心中的形象一直很英雄的。"风铃说。

　　"可是我能怎样做，放弃吗？我用了十年的时间，积聚了这么庞大的资金，在最后冲刺的时候我却要放弃，很可能我再用十年都不会赶上文武集团，而且我不想再过那些违反法律的日子。我想你多少也听说了，国内打击黑庄多么严重，如果真的按法律来衡量的话，我太多的行为是违法的。而现在做空香港市场我却没有一丝一毫的违法行为，是完完全全的合法操作。"

　　"那么，"风铃不知应该如何去说，"现在你要在金钱和人性之间做一个选择。"

　　"我不知道。这次袭击香港的行为从金融的角度看是经济发展的一个必然结果，是社会经济发展的一个阶段。我是做个顺应经济的弄潮儿，还是要做阻碍社会发展的螳螂，或者是置身事外的神仙？"

　　"不管做什么，你只要能做到问心无愧就好了，什么时候我都会支持你的。"

　　"要问心无愧吗，多次坐庄，真的能问心无愧吗。"常云啸感慨地说，"还记得那个时候潘国峰让我去营业部学习吗？很多股民都不是很富裕，有下岗职工、有买断工龄的、有做小买卖的，都不是什么富人。而这个市场却是富人制定了规则，左右着整个市场。想想吧，如果这些股民知道我就是某某股票的庄家，会发生什么？我又怎么敢面对他们。"

　　"知道这样做不好，那你又何必要这样去做呢？"

　　"其实我以前一心想的就是多多的挣钱，我要积累极大的财富去报仇。我喜欢用我的技术和智慧在金融市场中游弋，我用独到的眼光挑选了香港市场，无论从经济的发展来看，还是外国游资的手法来看，香港股市必定是要跌的，其实有没有我的参与下跌的方向都是确定的。如果说在内地股市上我是一只破坏法律的蛀虫，那么做空香港股市我仅仅是顺应自然的随从。想来真的可笑，我当年用了那么多非法手段没有人说我什么，而现在用合法手段却遭到了指责。"

"难道就没有一种办法能挽救香港？"

常云啸叹口气，"谈何容易，经济发展是有它自身的规律，只要是经济社会必定存在经济危机，包括中国大陆也是一样的，当经济发展到一个高峰的时候，自然有一种力量将它推向低谷。这次 T 国的经济就是一个很好的例子，以前南美巴西的经济危机也是这样。外国游资并不是无事生非的，他们在看到经济将走向低谷的时候在背后推上一把力，这样的行为并没有违反经济规律。既然是自然发展的一种规律，又怎么可能扭转呢？人不可能胜天的。"

"那么你还是做置身事外的神仙好了，东南亚不是都在下跌吗？离开香港去其他地方找机会就不会有人指责你了。"

"其实我在 T 国的资金收益已经相当不错，只是香港这个机会真的太难得了，做好了将是 T 国的几倍收益。唉，现在才理解什么叫做忠孝不能两全。"

放了电话，常云啸还是望着窗外发呆，最后决定暂时停下在香港的金融活动。但是他并没有死心，不想放弃这样的大好机会，如果猜测不错的话，很快做空的力量就会不断加强，那个时候他常云啸就不会那么显眼了，俗话说法不责众，都出来做空香港市场的话，又有哪一个算是发国难财呢？

一周以来，常云啸躲在家里收看东南亚各国的金融动态，局势一天天严峻，各国政府都在积极备战，但是苦于无法抗衡经济发展的浪潮和强大的国际游资，每次阻击都以失败告终，东南亚的经济继续走向低谷。香港股市也并没有因为常云啸的万国公司停止做空交易而转好，而是继续下跌。他有点后悔这几天没有参与做空，因为做空的力量已经开始加大，做空股票的范围也在扩散，而他却在场外瞪眼看着。

这时金融报的又一篇文章吸引了他——《做空香港市场，更待何时!》居然有人如此嚣张的在《香港金融报》上发表这样的文章？虽然报

纸 戒

社注明了不代表报社观点，但是这个文章还是很快地在网站上传播出去了。文章的大致意思是说：

经济的发展与自然界的规律是一致的，必须做到"道法自然"。就是顺从经济的自然规律。文章分析了东南亚经济在快速发展后出现裂痕的原因，最后推论到中国大陆和香港经济发展中存在的问题。而这些问题在经济危机的时候又都成为致命的漏洞，用巴西经济危机做了例证，以此证明香港经济马上将接受一次大的洗礼，而这次洗礼将是自然规律引发并由做空资金推动的。劝说金融投资者要认清形势，不要做无谓的抵抗，要懂得顺应规律，才能称为识时务者。

整个文章看上去是在劝说，但读起来更像是一篇空头总动员。

当看到署名的时候，常云啸惊呆了，竟然是唐浩！

很快网站上和报纸上就出现了大量的文章来反驳唐浩的论调，指责他不顾及香港经济的有序发展，后来也给唐浩冠上了"卖国贼"的称号。

我竟然和唐浩被套上了同一头衔，算同流合污吗？呵呵，世上的事情真的是很可笑，我最憎恨最厌恶的人，竟然做着和我同样的事情。不知内情的人可能以为我们是同党。让我和他站在一条船上绝对办不到。当然他的观点并没有错误，如果我想从香港得到一桶金子，我肯定也要这样做。既然我不能和他同流合污，那么我应该怎么做呢，做多香港市场吗，那等于是找死，除非出现奇迹否则成功几率等于零。唐浩说得没有错，这是一个经济发展的必然趋势，必须经历的一个阶段，不是谁想阻挡就可以阻挡的。文武集团的自有资金和他能够号召的资金应该在数百亿，以我的区区几十亿等于以卵击石。既然不能和他对抗，又不想和他为伍，也只好离开香港再回 T 国了。但这次如果唐浩成功的话，他的资金将数倍增长，我又何年何月才能追上他？

这个晚上，常云啸失眠了。记得小时候出去春游前会失眠，长大以后只失眠过两次，一次是妈妈和大哥的死，另一次就是林晓雨的离开。然而这次又失眠了，为了什么呢？为钱为利为荣誉吗，不是，只为了一个责任为了一个信念。为了"复仇"这两个字他辛苦奔波了十年，当发现这个十年追寻的目标难以完成的时候，他失眠了，三天都没有睡好。

他每天都要到别墅附近的证券公司去坐坐，感受那种气氛，听股民谈天说地。想当年潘国峰在 S 市给他开户的证券公司跟现在这家大同小异，他也就是从这样的环境学起的，一晃竟然过了十几年。十几年过后同样是坐在交易厅中，但是已经不是当年的小混混，已经不用在门口买馅饼喝白开水了，坐在这里的是身价几十亿的金融大亨。但这有意义吗？人们依旧来来往往，也不会多看你一眼，当年的小混混的目标就是要打败唐浩，现在的金融大亨依然不能完成，那么混混和大亨的区别在于什么呢？

常云啸看着人们忙忙碌碌地进进出出，感受着天堂与地狱转换的瞬间。

证券公司旁边有一家七品茶楼。收市后常云啸干脆去茶楼，想静静地思考点问题。

这个茶楼很有古韵，全部的建筑都是仿竹子的，四周种的也都是竹子，让茶客有一种置身竹林深处的感觉。一切都很古朴，茶楼中有一汪水池，中间有一座小岛，一位青衫女子弹着古筝，舒缓的音乐回旋在茶楼里，与外界的紧张不安隔绝开来。

常云啸上到二楼，找了一个清静又能听到琴声的地方坐下，叫了一壶信阳雪芽，慢慢的饮茶听曲。

"看小兄弟泡茶的神态应该懂得品茶之道？"一个声音忽然说。

常云啸抬头，竟是一位上了年纪的和尚坐在旁边的桌子旁，眉毛已经雪白，左眉梢上有一条难看的疤痕，很是扎眼。"哦，我只是多年前看我师傅如此泡茶，至于茶道，只知道要讲究和、清、静、寂，其他一概不知了。"

"吃茶对我们清修的人来说是一种严格的禅修功夫，喝茶中的道理很多，需要慢慢地品味，从中可以感受到为人处世的道理。比如说我们在沏茶前先要温一下杯子，做事亦是如此，先要把周围的环境处理好，然后才涉及到核心，这样的茶才会更有味道。"大师闭上眼慢慢地品一口，好像在感悟其中的道理。

常云啸略有所思："大师说得有道理，正像现在的金融局势，东南亚地区都已经遭到袭击，唯独香港完好，我看这借假修真的核心部分大概就要出现了。"

"哦，你是做金融的吗？"

"大师见笑了，我只是懂得一些金融皮毛，而且还不能悟出道理。"

"懂得金融不一定是什么好事啊，金融关系到国泰民安，所以懂得金

纸 戒

融的人就要懂得忧国忧民，否则很可能会做出祸国殃民的事情来。不过看你刚才的神态应该还懂得忧国忧民啊。"

常云啸摇摇头，"您拿我说笑了，能感觉到香港的危难又能怎样，可惜我只知道在危机中如何挣钱，却不知道如何化解。即便是知道如何化解，以我一个人的力量也不过是杯水车薪呀。"

"一切上天早有安排。就像修行要顺其力道，引其方向，才有可能事半功倍。年轻人我观你面相有财星高照，也许能成大事。"大师说。

常云啸听了这个倒是来了兴趣，"大师会看相？能否给我看看，因为我现在正在迷惑阶段，不知道后面的道路要怎样走。不知大师能否给我指点一二。"

"有欲望才有迷惑，人的迷惑在于得失，一切皆为空谈，就没有了迷惑。菩萨说心无挂碍故无恐怖，便能远离颠倒梦想。请允许我看看你的手相如何？"

常云啸高兴地把手递过去，大师看后，闭了眼又慢慢地摸了一遍，放下。

"怎么样？"常云啸急切地问。

大师睁了眼上下打量了一番，"你的财运出奇的好，而且机缘巧合，今生你将拥有数不尽的财富，但是到最后你依然一无所有。"

"怎么会是这样？"

"天机无可泄露，天意既然如此，事到眼前你自然就知。你的财运异常旺盛，但是其中黑气过重，显然很多属于非法所得，是要折去一些人的寿命的。很快你就将遇到一个选择，这关系到你后半生的道路，还需要好自抉择呀。"

"好自抉择？我需要抉择什么？"

大师并不回答他，只自顾自地说着，"富有的人不一定幸福，很多失去的东西不是用财富可以挽回的。在你的一生里，金钱的份额重了就忽略了身边的人和事情，由于你的忽略这些人或离去或损伤。终究一天金钱会左右你，无法自拔后就悔之晚矣。"

常云啸陷入了沉思，这些年来自己是积聚了很多财富，对一般人来说简直就是天文数字，就算是国内财富排名的话，常云啸都相信自己可以很靠前。但是身边的人呢？死的死伤的伤，难道都是被自己的命运所连累？难道我的亲朋好友都被我的金钱所牵连着？我得到的金钱越多身边的人就会越少吗？

"那，那我应该怎么做？"

大师轻轻一笑，"财富不过一张纸而已，但是却不可轻视，它可以害人亦可以救人，一念之差全在于使用它的人的本性。不可轻视，虽然是纸，但是有其戒律，一旦违反必有后患，不善的使用必定招来不幸。你的抉择就在害人与救人之间吧，怎么做，问你的本性我不能告诉你，要知道这个选择关系到你今后的命运。"

"可是我没有听懂，大师能不能说明白一些。"

大师摇摇头，"也许我们还有见面的机会，这里有一颗佛珠，带着它说找一灯，便是我了。老衲有事先行告退。"大师站起来，从衣服里掏出一个小盒递过来。

"可是大师……"常云啸赶紧随大师起身，看大师举着盒，只好接过来，"多谢大师。"

"也许你真的是那个人，记住用你的本心去体会。"大师下楼的时候放下这样一句话。

"什么人？我是哪个人？大师……"常云啸急忙追出去，前台要他先结账。等结完账大师已经不知去向了。

我是哪个人？大师的话有点欲言又止，他究竟想跟我说什么？

害人与救人，大师难道知道我积累这些钱的目的在于害人。对，我要整垮唐浩。救人，眼下香港马上就要遭到金融袭击，外围资金如饿狼一样盯着这里，香港经济如果像 T 国、菲律宾那样一发不可收拾，会多少人倾家荡产，上吊跳楼。这些人是应该去救助的，但是我拿什么来救呢？什么小罗斯基金，要是我有他那数百亿美元，也能闹他个天翻地覆。不过他的号召力令人惊叹呀，数千亿的资金紧随其后。我这区区几亿美元大概还不够人家填牙缝的。

我有心救人，却力不从心。我也不想看着外国人那些欣喜若狂的嘴脸，更不愿意听到唐浩大获全胜的消息。但我能如何做，总不可以螳臂挡车。

等等，也许真的可以做多市场？香港政府面对金融入侵不可能坐视不理，如果我能组织起来一批资金与香港政府统一战线，或许能够有机会，要是再能得到中国大陆的支持，就有可能抵挡一阵。万一香港政府赢了，我应该算是英雄，自然也打败了唐浩，即便我输了，在政府部门

纸　戒

中也建立了关系，也可以揭露唐浩的罪行。但是如果钱也输了，揭露没有成功，我就一无所有了，而且不可能再有机会搞倒唐浩。

我应该怎样做，才是最优的抉择，才能立于不败，我的本性又是什么呢？困惑，几天来一直缠绕着常云啸，闹得他食不下咽寝也难眠。

"风铃，治疗得怎么样？有进展吗？"常云啸拨通了香山别墅的电话。

"不错的，周医生很好，他说已经有很大进展了。"

"哦，你能站起来了？"常云啸很高兴。

"没有，哪有那么快。周医生说大概还需要几次手术，还需要移植几处肌腱，然后才能有结果。"

"这帮家伙每天也不知道在忙些什么，要是医不好你，我挨个儿收拾他们，让他们……"

"云啸，今天怎么这样激动？你不是说要离开香港吗？怎么还不回来。"风铃打断了他。

"对不起，我还在香港，这里的经济形势很危急。"

"我看电视了，整个东南亚都不好。"

常云啸停了停，"如果我现在跟着外资做空香港股市，我们可能会得到更多的收益，多到你无法想象，那样就等于我在发国难财。现在唐浩在做空香港股市，就等于我是他的同党。"

"你会这样做？"

"我不想被别人当做卖国贼，更不想和唐浩为伍。现在香港金融管理局组织了几次金融反击，我也想组织一批资金，支持香港政府。"

"我举双手支持你。"

"但如果香港政府失败了我有可能血本无归，毕竟在巨大的国际游资面前我只是一个小爬虫，有可能在几天内就会倾家荡产。"常云啸的声音有点颤抖。

"你怕了吗？我认识的云啸，敢于面对一切挑战。血本无归怕什么，不是还有北京的酒吧，还有朋友，还有我吗？其实我们一生做了很多错事，犯下很多罪行，但至少在国家民族的原则上我们不可以做错，否则一辈子都抬不起头，被人指责嘲笑。我们要那么多钱做什么？你的美元已经收到，在一般家庭中这些足够好几辈子吃用。等你真的倾家荡产的时候，你就不用再争再抢了，也就有时间回来陪我了，对吗？"

电话那边的常云啸笑了，"好，等倾家荡产的时候，就回去陪你。"

"亲爱的，我爱你，我等你回来。"

放下电话，常云啸依然在沉思。这是一个痛苦的抉择，竟然选择了一个明明知道不可取胜的方向。他想起了师傅"花面兽"，师傅告诉过他，认为对的就要去做，坚持到底，否则会一生遗憾。这些财富是这十几年一点点积累起来的，对股民来说每一点都有血有泪，对常云啸来说每一次都是侥幸过关。而这些罪行都是为了最终要打倒唐浩，这个害死我哥气死我妈抢走我女朋友的家伙。而现在要走的路，很可能会无声无息的失败，在这个大世界中不会有人知道也没有人赞美，倾家荡产的独自离开金融市场。

第二天常云啸早早起床，他要去见一个人，香港工商协会主席，黄河实业总裁李诚。

在香港说起李诚，大概除了不记事的小孩和已经健忘的老人不知道他，其他人无人不晓。并不是因为他是香港工商协会的主席，而是他的黄河实业，这个黄河实业的业务范围涉及了香港的各个领域，一般人都很难清楚地知道黄河实业的总资产到底有多大。记得有一个报道说，全香港税收中的二十分之一是来自黄河实业，可见他的实力有多大。黄河实业股份有限公司在香港上市以来，一直保持良好的上升趋势，人们对黄河实业和李诚的实力是绝对信任的。这是一呼百应的人，所以，常云啸一定要找到他。

但是找李诚又是谈何容易？常云啸以商人的身份出现，管事说先要经过商业调查；常云啸以记者身份出现，秘书说记者一律不见。就这样努力了三天没有任何结果。

这天清晨，有五辆奔驰从李诚的官邸出发上了太子道东，由于时间还很早，路上没有什么车辆，一行车都开得很快。突然从前面迎面冲过来一辆悍马H1。事发突然，前面两辆车向两面分开，第三辆车急忙踩死刹车，后面两辆车冲上来挡在前面，先头两辆车已经掉头回来，围住了悍马。从四辆车上下来了至少十五个保镖，手中都有枪，形势危急。

悍马上的喇叭忽然响了，"李诚先生，我并没有恶意，只是我有要事找您，但几次被他们挡在门外，只好想了这样一个低劣的办法，也是形势所迫。今天是十五，我知道你去佛香讲堂拜访一灯大师，为了证明我

纸 戒

不是坏人，我这里有一灯大师赐予的佛珠为证。我下车了，千万不要开枪。"

悍马车门打开，常云啸双手高举一个锦盒走出来，放在车盖上，退在一旁。第三辆车上也下来一个人，跟保镖说了句什么，一个保镖上前，里外检查一遍，然后将锦盒交给了那个人。

那人进车马上又出来，向这边喊话，"这位先生如果愿意一同前往佛香讲堂，请坐前面的车。"

常云啸在两个保镖检查完之后，坐进了第一辆车。留下一个人处理后事，五辆车继续前行。

到了讲堂，常云啸留在外面，一会儿工夫有人出来带常云啸进去。

李诚和一灯大师已经在凉亭喝茶，见常云啸过来李诚站了起来，"小兄弟，真是不好意思呀，让你等了这么久，失礼了。"

常云啸赶紧礼让，"李先生您先请。一灯大师好。"

都落座之后，李诚拿起了锦盒，"物归原主，刚才一灯大师已经跟我说了你的事情。你也算是一个人物，敢拦我的车，有胆量。"

"一时情急没有办法。"

"还没有问小兄弟姓名。"

"我叫常云啸。"

"常云啸，"一灯大师不紧不慢地问，"你本性的抉择已经有了方向吧。"

"大师，自从听你教诲以后，我打算善待金融。"

"想明白就好。既然今天不是来找我的，我就去后园了。"一灯大师站起来，转身向后园走去。

常云啸和李诚站起来目送。看大师走远，李诚示意常云啸坐下说话。

"刚才一灯大师介绍了你的情况，很了不起。"

"什么了不起？"常云啸有点摸不到头脑，不知道大师跟李诚说了什么，"我和大师只是一面之缘，匆匆聊了几句，大师能介绍我什么？"

"大师不是给你摸过手相了吗？以大师的修行看你一看就可知你是什么品行，摸你手相已经对你的一生命运一清二楚了。"李诚帮常云啸沏上一壶茶。

"哦？那大师说我什么？"

"他没说什么，只是说天机不可泄露，只让我配合你工作。"

"配合我？大师真是神算。李先生，我的确有要事请您务必帮忙。"

"大师说是有关香港当今金融形势的问题？"

"是，大师真是……佩服。李先生，现在的香港局势危在旦夕，外国游资已经袭击了东南亚地区，现在又开始打击日本和韩国，我想不久将进入台湾，这样香港就完全孤立了，他们的野心不只是想搞垮一个 T 国或者菲律宾，其实真正的目标应该是香港。如果我们不阻止反击的话，单单依靠金融管理局，我想总有一天香港不保。"

"那么你的意思呢？"

"我想请李先生出面，号召香港富豪，各大集团，共同出资，帮助港府对抗外资袭击，维持香港的金融秩序，我想大家会同意的，因为如果香港的金融秩序被破坏的话，几年内都恢复不了，大家谁也不用挣钱了。如果您能站出来，我愿跟随您左右，我在 T 国大概有几亿美元，全部听从调遣。"

"年轻人能有这样的魄力难能可贵呀。我想如果我出面的话，瞬间调动几百亿港币应该没有问题的，其实这个事情我已经想了很久，我们的对手是世界级投机者麦克·罗斯，我迟迟没有召集大家就是因为没有挑选出一个做将军的人物，既然一灯大师极力推荐你，我想一定有他的道理。"

"啊？大师推荐我？让我和小罗斯对决？"

"是。我不知道你的实力究竟怎样，但是大师说你行，绝对不会错。明天我以工商联合会名义召开募集资金的动员会，然后你来主持抗击大局。"

"我？……"

"就是你！"

动员会就在香港会议展览中心的一个中型会议室召开，到场的全部是社会名流、工商界大亨、金融集团老总、上市公司老总，大概有五十人左右。香港的会议好像比内地的要简单得多，没有什么鲜花和香槟，只有一排排软椅，前面有一个讲台。这是一个内部会议，没有通知媒体记者。

看到会的人差不多了，工商协会秘书长维持了秩序，简短地说了一下今天会议的议题，然后请出了李诚先生。

纸　戒

李诚巡视了一下大家，台下立刻停止了低语，"目前香港的处境大家也都看到了，我想在座各位也不愿意香港重演 T 国的局面。刚才秘书长已经说明了这次会议的目的，就是要大家联合起来对付境外投机者的入侵。现在香港政府已经行动起来，有效地抵制了前面的一些小的侵袭，但是投资者绝不会善罢甘休，他们还会卷土重来。我们作为香港的一员，始终以香港自豪，绝对不能容忍他们就这样抢走了我们辛辛苦苦多年的心血。所以我想要大家联合起来，与香港政府一起抵制外资侵袭。我建议成立一个香港工商联盟基金，以私募的形式同香港政府共进退。当然大家要知道这是一个救市基金，要抱着先死后生的心态才可以参加，参加与不参加全部自愿。我个人先带个头，第一笔参与 100 亿港币。"

下面一片掌声。

"不错，不错，痛快地死掉。"有人狂笑着大声喊道。

大家一起望过去，常云啸看到那是一个年轻人，岁数跟自己相仿，头发油亮向后背着，一身很休闲的运动装像是刚刚打完 GOLF，身边有一个很漂亮而且很有气质的女人，看上去是他的秘书。

年轻人站起来，很轻蔑地扫视了一下在座人员，冷冷地笑了笑，"你们以为这是什么？小孩过家家吗？这是十几年甚至几十年才酝酿一次的金融战争，这是一切经济社会所必须经历的过程，你们不知道顺势而为，却在这里要什么联盟，你们懂不懂经济。每一次金融战争之后，经济秩序会重新建立，那些陈旧的肮脏的秩序就会改变，所有的经济泡沫都会被新的经济秩序所代替。这是社会发展的进步，在这里谈什么抗击，我可以好心告诉你们一个发财的好机会，如果你们与我和外资一起做空港币和股市的话，你们会有很大的收益。但是如果你们抵抗的话会败得很惨。"

常云啸看看那个女人，好像很眼熟，但是怎么也没有想起来她是谁。听到这里有点听不下去了，"这位朋友是谁养大了你，我想一定不是这里的人民、脚下的土地、这里的阳光和草木养育的你，要不你怎么会如此忘本。养条狗还知道看门，现在国家需要你的时候你却在卖国求荣。"

"你算什么东西，敢和我这么说？香港十强中好像没有你这么一号吧？小子我告诉你，我玩金融的时候你还不知道在哪里混饭呢。什么叫卖国，这叫经济头脑，等你进了十强再和我说话吧！"年轻人戴上墨镜，鼻子里哼了一声，"我是好心才赶过来告诉你们，不信的话就在市场上见吧。许童我们走。"说着带着秘书出去了。

许童？许童！不是林晓雨的同学吗？对呀就是她，十几年不见真的是有点认不出来了，她怎么在这里？

"这个是什么人？"常云啸问身边的人。

"这位你不认识？就是文武集团的总经理唐浩。"

"唐浩！"唐浩的名字在心中念过千万遍，但是从来还没有见过他的相貌。

常云啸感觉到全身的每一个血管都迅速扩张，他追了出去，看到唐浩已经坐进汽车，开走了。这个时候他才发现自己有点失态，赶紧整理了一下西服，走进会议室。

动员会继续进行，工商联合会的副会长介绍了当前的香港经济形势。金融管理局的代表也表示如果香港民众能和政府一条心的话，金管局有信心在这次金融战争中获得胜利。后面还有一些参会人员表态。常云啸一概都没有听见，唐浩就在香港，那个人就是唐浩。现在他已经是香港十强，我拿什么跟他斗，这些年我一直埋头苦干，以为几十个亿可以搞垮他。但是我错了，我发展的时候，他也发展了，这十几年中他竟然已经是香港十强。而我的资金还要去救市，还有很重要的事情去做？上天真的是这样不公平吗？我的仇什么时候才可以报呀？一灯大师要我救人，但是市场中有这样的害群之马，而在这个败类面前我又什么都不是。

林晓雨跟了这样一个老公，一个卑鄙的小人，一个可以卖国求荣的卑鄙小人，怎么可能幸福？看那个流氓气息，竟然比洪天泽还嚣张。说我不配跟他说话，他算个老几，还没有见过真正的黑帮吧。你想在金融市场做空是吧？我常云啸的确不如你富有，但是这次上天帮我，让我靠近了政府，我就用这个联合基金跟你抗衡，看看我们两个究竟哪一个厉害，看看到时候究竟是谁去要饭吃，是你还是香港政府。

纸 戒

17

　　工商联盟基金就这样成立了，基金经理常云啸。虽然是临时组建，但是在短短两天内就聚集了近 400 亿港币。这些出资人，全部是自家资金，并报了死而无憾的决心，让常云啸看到了香港人不屈的精神，甚是感动。常云啸也从 T 国抽回两亿美元。

　　联盟基金办公地点就设在君悦酒店。虽是临时基金，但是依然有完整的组织：

　　投资部经理常云啸（男）37 岁

　　监管部经理兼投资部助理许晗（女）33 岁

　　市场分析部经理郑峰（男）34 岁

　　信息工程部经理古天勤（男）36 岁

　　基金融资部经理范小媛（女）29 岁

　　清算部经理李鹃（女）29 岁

　　财务部经理姜丽丽（女）44 岁

　　综合部经理牛小林（女）38 岁

　　……

　　不多不少正好三十个人，住进了君悦大酒店，衣食住行一切都将在这里度过。

　　只用了一天，信息工程部就解决了全部设备问题，建立了交易和信息中心。其他各部门都完成了设备和信息的连接，人员到位。香港人的工作速度完全出乎常云啸的预料。当天晚上，举行了联合基金第一次会议，参加会议的是全体工作人员和基金的投资人。

　　投资助理许晗作简单的开场白。

　　李诚坐在常云啸身边悄悄地问道，"怎么样，你有多大信心？"

　　常云啸笑笑，站了起来，"刚才李先生悄悄地问我，有没有信心，我想这也是大家都在心里问了不止一遍的问题。如果说有十足信心，那是骗大家，但是如果一点信心都没有，我也不想来白白送死。你们也知道我的两亿美元已经到账，后面还有近五亿美元会陆续过来，虽然这些是在 T 国市场上投机挣到的，但是同样是我的辛苦钱。我来分析一下我们现在的形势，然后大家自己考虑是否有信心。"

常云啸走到黑板前，边写边解释：

"目前全世界各种资本市场上的总规模是 39 万亿美元，其中全球的证券资产大致是 21 万亿美元，同时全世界存在 41 万亿的全球银行贷款和 3.2 万亿美元的世界保险费。主要工业发达国家瞬间能够组织的流动资金高达 50 万亿美元，仅世界富翁排行榜的流动资产就有 18.2 万亿美元，如果仅 1％参与到亚洲的金融战争中，就是 1820 亿美元；如果有 10％来袭击香港，就是 182 亿美元合 1419.6 亿港币。这不是一个可怕的数字吗？但是这个数字远远低于实际参战做空的美元数量，而联合基金只有 400 亿的港币……"常云啸环视会场，全场很静，都很关注。

"实际上半年以来 A 国和日本投资者正不断估出港股，已经接近 18 亿美元。香港现在有三个要害，将是被主要攻击的对象：股市泡沫、联汇制和 47％的银行房地产贷款。这几个月来，金融监管局成功的坚守联汇制，那么我们就来防守股市和期市。其实在短短两天时间就能聚集了 400 亿港币，让我看到了香港的希望，我们是和香港政府站在一起，也是和整个中国站在一起，只要是万众一心，管他什么小罗斯大罗斯的，统统要失败。金融好比战场，他想消灭一支部队，可以，但是想毁掉整个中国经济，是妄想！"

全场响起雷鸣般的掌声，李诚激动的上来握手。

接下来李诚先生又作了一个动员报告，然后是简单的酒会。

李诚带了许晗走到常云啸面前，"这位是许晗，你的投资助理。"

"我们已经认识了。"常云啸笑着说。

许晗一头波浪的卷发，虽然已经三十多岁，但是看不出眼角的皱纹和眼袋。身材也保持完好，带有真正成熟女人的魅力。三十岁之前的女人是青春的美丽，而只有三十岁之后的女人才可能带出成熟女性光彩的魅力。许晗就是很有魅力的那种。

"其实许晗一直是我的私人秘书。你的工作部署将通过她来向下传达，她每天会对我有一个详细的汇报。而且如果你有什么需要我帮忙可

纸 戒

以直接找她，她会安排好一切。"

"好的，相信大家的合作是愉快的。"

"祝你们好运。"

"还需要常经理多多关照。"许晗的笑很优雅。

第二天一早，联合基金进入工作状态。

信息中心的广播不断报告亚洲最新战况，使办公室的每一个角落都可以听到。

[菲律宾比索对美元再创新低，35.22：1，马尼拉交易所股市下跌 9.3%]

[M 国 M 元对美元下跌了 4.3%]

[T 元已经跌近 40 大关，39.86：1 美元]

[越南盾今日开盘后下跌 5%]

[传言，麦克·罗斯抛空台湾股票指数。使得台指受到巨大压力]

广播的是一个年轻女孩，声音很甜美，但是播报的消息总是很沉重。

常云啸一个人坐在会议室中，头垂在桌子上，他在想。很显然小罗斯在袭击台湾，这应该是接近香港的最后一站，不知道什么时候开始袭击香港。我曾经也是投机者，随时都是主动出击，赚取暴利。但是现在，我要成为最好的防守者，敌人不知道什么时候出现。我防守的目的是不让别人从市场中压榨钱财，这个比自己去挣钱还难。

许晗走了进来，"在想什么？"

"等着被别人打的滋味不太好受。知道要挨打，却不知道什么时间挨打，让人心烦。"

"你觉得后面会怎么发展？"

常云啸想了想，"小罗斯即便是参与了台湾战场，也是虚晃一枪，无论能否拿下新台币都不重要，都要转战香港。台湾去年的经济增长是6%，比香港好，论实力应该能挡住一个月的袭击。问题就是……"

[传言，菲律宾政府为限制外汇投机者的过激行为，有可能要限制或停止汇率买卖。结果造成了新的一轮大跌]

常云啸听完继续说，"台湾怎么对待，我担心的就是台湾会放水。"

"这个问题我也想过，如果台湾央行保护台币，就会放出美元，收大量台币入国库，结果是外国银行大赚而股市大跌。如果放弃台币，不仅可以保护股市不会下跌过狠，也加强了在东南亚的出口竞争力，何乐而不为呢？"

"对呀，这样还可以让小罗斯的目光尽快地转移到香港，而不在台湾逗留，又间接地救了台币汇市，真是高招。"

[警报，有大资金突然吸纳远期美元期货]

"走，去看看。"常云啸带许晗进了交易厅。

这个交易厅，设立了二十个交易员，连接了全球30个国家的汇市、股市和期市，一声令下可以在多个市场同时作战。常云啸的指挥室在最前面，里面有七台电脑，关注着不同市场。

"从远期美元上看，有资金在一阵一阵的买多4、5、6月份的美元期货。"分析部郑峰说。

"看来战斗来得比想象的要早。"

"我们怎么办？"许晗问。

"能怎么办？不打击现货美元，我们只能看着它涨，交给金融监管局去做吧。"

"可是金管局又不能介入期货市场。"

"对呀，看来敌人很狡猾呀，知道金管局进不来。好，那么我们进场。"

"做空美元吗？"许晗拿出笔记本准备记录指令。

"做空？不不，我们要跟他们一起做多！"

"做多？"许晗显得很惊奇，"这样会造成港币下跌美元上涨的预期。这正是对手的想法，我们等于帮了他们。"

常云啸抬头看了她一会儿，"你觉得你有能力做空美元期货吗？对手的资金是多少？不出一天你就被彻底吃掉。你不参与做空，港币就没有下跌的压力了？我们现在是要抢在对手前面做多美元，结果有两个：第一，对手见到美元有利益，短线客会平仓反手做空以吃掉我们的多单，我们受到损失，但是港币下跌的预期被破坏，实现我们的目的。第二，我们迅速抢入，对手没有拿到足够的低位筹码，唯一的办法就是继续拉高美元吸筹，这样虽然港币下跌的预期增加，但是在他拉高过程中我们先挣到一笔收益，等港币受袭的时候，我们可以抛出美元期货，同样可以减轻港币的压力。"

"这样不是两全其美吗？高明。"许晗恍然大悟，"那么吃进多少？"

纸戒

常云啸白了她一眼，"这个也要问我吗？这里工作的全部是硕士以上吧，而且都是在市场上身经百战的，这样基础的问题不要问我这个高中生。下次我做决策的时候，请先执行后询问。"

"好。"许晗的脸红红的出去到交易厅部署工作。

的确，这里的人没有一位不是高手出身。以许晗为例，黄河实业在香港和A国、新加坡的股票及债券市场上的运作都是由她来指挥的。在正常的形势下，这些高手都曾叱咤风云，问题是现在的市场非正常。

第二天对手继续推高美元期货，常云啸也继续抢吃。下午对港币的压力开始加大了，常云啸停止买入。价格还在向上推，抢入的美元期货已经有了不错的收益。

"看来港币马上就要遭到袭击了。"常云啸说。

［新台币大跌，中午之后台湾中央银行突然放弃汇率市场，台币跌破29元兑1美元，台币迅速下跌］

"终于开始了。"许晗看着常云啸。

常云啸泡了包方便面，这几天方便面已经成了常云啸的主餐，他除了睡觉几乎就没有离开电脑屏幕，全球在几点开市的都有，而重要市场还是要盯住的。

［台湾电子股因A国科技股的下跌受到打压，目前台湾指数已经下跌了近100点］

［台币上下波动高达1.1角，部分银行取消了外汇挂牌，外汇交易采用面议］

"妈的，"常云啸一拳重重地砸在桌子上，"台湾有940亿美元的外汇储备，竟然一点都不抵抗。"

"也不是一点都没有做，一个月以来台股也损失了3.5万亿台币。"许晗解释说。

"快去看看港币。"两人进了指挥室。

［警报，港币出现重压，金管局开始释放美元抵抗］

"怎么办？跟金管局一起抛出美元吗？"许晗问。

"不，等等，现在抛出去不疼不痒，再等等。"

所有的交易员都已经坐在电脑面前，都等着许晗的指示，许晗盯着常云啸，而常云啸却坐在那里养神。

[警报，香港指标股开始受到攻击]

[警报，出现巨大港币抛盘，金管局的500亿港币吃紧]

7.8港币兑1美元，这就是它的固定利率。之所以是联汇制，就是因为发钞银行每发出7.8港币就要向外汇管理机构上缴1美元以换取发钞债务证明书。也就是说有多少港币，就有多少对应的美元储备，但是这样的坚固结构，外汇投机者也要打击。

常云啸突然睁开眼睛，"美元远期期货全部平仓，以同样的数量做空。同时指标股中挑选房地产股扫进，制造五只涨停，速度要快！"

"明白。"许晗迅速地出去传达命令。

[期货市场突然出现美期巨额抛单，3月、5月已经压在跌停板上]

[周边货币相继下跌，T元贬值22%接近40T元：1美元，印尼盾下跌6.6%，M元下跌6%]

[香港股市在急挫近400点后，房地产股全面反攻，其中新鸿基和新世界已经涨停，带动了整个港股反弹]

[港币压力开始减轻，抛售减缓]

交易厅中一片欢呼。常云啸却紧紧盯着5月期的美元期货，虽然被封在跌停上，但是却很明显的每隔几分钟出现一次大单吃进做多，而且间隔时间越来越短，数量越来越大。这是一个挑衅，来者不善。同时港股中还有一家房地产的指标股不但没有涨，而且还下跌8%。

"文武集团有大单砸盘，我们扫了90万股，却一点反应都没有。"许晗报。

"唐浩！"常云啸拍着桌子，"连自己公司都不放过！停止任何吃进，没有涨停的不要再做了；3月期美元撤掉跌停，全部防守5月期；如果文武集团继续下跌，一定要抢先抛掉那90万股，能抛多少抛多少；信息部查期汇股三市对手名单。"

"我们不是刚刚抵抗住了对方的进攻吗？怎么撤出了？"

"我说了先做后问！"常云啸气得都已经从座位上跳了起来。

许晗急忙出去布置。

[警报，美元5月期货出现巨单打开跌停板，多方力量汹涌]

[文武集团突然跌停，本以封上涨停的三家股票随即打开涨停，并出现了巨单打压]

[警报，港币受到更加严重的抛盘]

纸 戒

［市场传言，香港政府准备放弃联汇制，金管局已经没有能力，已经无能为力］

"常云啸，我们怎么回事？刚才不是好好的吗？为什么撤了单子呢？现在港币又受到压力怎么办？"许晗焦急地跑回来问。

常云啸不说话，只是盯着外汇牌价。

"你这样的指示，使得我们损失很严重你知道吗？我想我应该要求以监管部的名义召开一次会议了。"

常云啸慢慢转过头，上下打量一下她，"少拿监管来压我，我常云啸不怕的。外面有一块黑板，你有问题可以写在上面，一会儿我会回答你。如果没有什么事情，请出去吧，我叫你的时候再进来。"

许晗生气地出去了，在外面的黑板上写了什么之后甩手走了。不少交易员上去看。常云啸想了想也上去看，正是刚才许晗对他的质问。常云啸扫视了一下周围，从大家的眼中他也看到了迷茫和不理解。他从容地拿起粉笔写了几行字，就回到了指挥室。

眼看还有几分钟收盘，香港恒生指数突然急速下跌，汇率却上涨到7.75港币：1美元。就在这个时候收市了。

［银行消息，利率市场突然波动，隔夜拆借利率升高20厘，3个月的存息高涨9厘］

指挥室外响起一片掌声，许晗也过来走到黑板面前，见上面写道：

"港币的压力超出了一般能力，银行必定提高拆借，以减少借港币砸港币再用下跌后的港币还钱的现象。同时会提高远期利率，以吸引现金并督促短期存款转为远期存款。这样就可以减轻港币的压力，但同时加大了股市的压力，所以股市将大跌，我们赶在下跌前出局减少损失。"

许晗推门进来，坐在常云啸对面，看着他。

"怎么，不是要开会监管我吗？"常云啸把身子向后一靠，淡淡地说。

"你知道要升息？"

"不知道，只是推断。我在T国的时候就是借T元沽T元买美元然后还回便宜的T元，金管局为了防止这手就会扯高同业拆借，好把多余的头寸收回，这样投机者手中得不到那么多的港币就没办法沽港币买美元了。同时金管局要大量回收港币，沽售美元，结果呢？市场港币供应不足，利率自然就上升了。反正也是上升不如远期的多升一些，将部分港币稳定下来。升息的结果就是股市要做出牺牲。一切都是推断，只可惜金管局的升息救了汇市却惨了股市害了咱们，就好像我们两家在互相争斗一样，彼此损伤却又渔翁得利。"

［查明，汇市做空的大机构有 A 国的摩根史丹利、美林证券、日本的山一证券。做空股市的主要是几个场内的席位，暂时还没有查清］

"是唐浩，一定是他！"常云啸愤怒地说。

［现已查清，场内空单的是文武集团和一些小的金融公司］

"真的是唐浩。"常云啸站起来，"他竟然还有场内的资格？这个混账王八蛋，交易所怎么能允许这样的败类进场呢！"

"他有席位又有资格当然可以进场。"

"但是他在那里做空是多么大的一种影响，金钱是追逐利益的，其他一些席位会受到他的影响跟随他一起做空的，这个卖国贼。"

"没有法律规定他不能在席位上做空。"

常云啸点点头，"要是我们也能在场内多好，就能看着他跟他斗。唐浩这样的高手，这一次一定挣了不少。"

市场中的战斗越来越频繁，联合基金已经与金管局取得了联系，双方联合作战，抵制了几次对手的袭击，但是由于指挥不是统一发出，所以总会出现自己打自己的局面，也承受了很大的损失。原因很简单，金管局为了抵制港币的大量抛单就会将银行隔夜利率突然放大，吸引大量存款涌入，但是升息的结果是抽低了股票市场的资金供给，部分大资金会躲避风险追逐高利息而撤出股票市场，使股票价格下跌。

这时有人在市场上散布谣言说：金管局已经难以支撑，小罗斯正调动更多的资金准备参战，同时东盟各国的股市、汇市还在不断下跌。谣言给香港地区造成了很大的精神压力。菲律宾政府在损失惨重的时候依然坚强的不接受世界基金组织的援助，倒也有点英雄气概，可惜这一行为再一次引起了国际游资的痛击。

虽然 T 元已经掉到了 42∶1 美元的低位，常云啸在 T 国的资金可谓是大赚特赚，但是他的心情依然很不好。因为 T 元下跌，东盟各国的下跌就止不住，对香港的压力就不减。

汇率遭到连续的攻击，香港市民的信心越来越低，原本香港这样一个自由港的港币存款和美元存款的比例就不是很大，港币存款仅仅是58％。造成这个结果的主要原因是大量的港币进入了股市和房地产。而

227

纸 戒

股市下跌对市民的心态打击是很严重的。

金管局和联合基金不能统一行动，而对手又在场内直接影响着整个市场的情绪，这让常云啸着实头疼。更何况他认为金管局和其他一些部门的工作并不到位，但这些也只能跟许晗唠叨几句而已。

"常云啸，有你电话。"许晗进来打断了常云啸的思考，"打到指挥室去了，说很急。"

"是谁？"

"不知道，只是说有重要事情告诉你。"

常云啸不敢耽搁，赶紧奔指挥室，现在这个时候什么事都要多上心。

"你就是常云啸吗？"电话那边的声音有点苍老，但是听上去很有力，让人能感受到一种威慑。

"是我，您是……"

"我知道你遇到一些困难，我能帮你完成你的梦想。"

"我的梦想？你知道我有什么困难吗？"常云啸的大脑在飞速地转动，这个人是谁？是敌是友？什么目的？

"你有个梦想是复仇对吧，指挥这样大的一个基金打赢这场金融危机大概也是为了这个目的吧？"

"……是又怎样？"

对方轻笑一下，"你大概正在想我是谁？做什么的？什么目的？我还是简单自我介绍一下好了，我是海外华侨的一个组织，我们的实力是你目前的数百倍，最重要的是我们向上可以触及政府核心，向下可号召众多帮会。这次给你打电话的目的就是想由我们来筹集资金，由你指挥，来抵制外来游资入侵香港市场。"

常云啸大笑，"你觉得我会相信吗？如果你想出资金，就参加我们的联合基金吧，好了老伯我还要工作。"说着准备挂电话。

"洪天泽你认识吧，杨东是你舅舅吧？"对面突然冒出这么一句。

常云啸愣了，这个人怎么突然提到这个？

"我还可以告诉一些你不知道的事情，吴大青其实不是在逃而是死在爆炸中，监狱长你们称为王总的那位因渎职罪判刑了，还想打听什么？怎么不说话了？至于你的资金来源，后来如何坐庄，虚增国债是怎么回事，就不用我多说了吧？你也不用惊奇，我的外号叫做神，很多别人不知道的事情，我都知道，别人办不到的事情，我都能办。"

"你到底是谁？"常云啸的惊奇已经让他有点结巴，这个人说的事情太能击中要害了，这些违法行为单个都可以判刑，他怎么可能都知道。

"首先你要记住我是你的朋友不是敌人，第二我是神，我是来帮助你完成你的梦想的人。"

常云啸一把将电话挂掉了。这个人是什么人？知道洪天泽，知道虚增国债，知道资金的来源，他是谁？比我的影子还熟悉。突然手机响起来。对面的人还是那个神，手机号码竟然也知道？

"我知道的常云啸是个有胆量的人，怎么被吓得挂电话了。"

"你有办法让我进场内交易吗？带着我的所有人。你不是神吗，能办到吧？"常云啸忽然平静地说。

"考我的能力吗？好，半小时后你到香港交易所门口。"神收线了。

常云啸站在那里愣了好久，如果是敌人的话，他知道的那些事情足以让我进牢甚至枪毙的，他知道我虚增国债，他一定有证据。看来不是敌人，应该是朋友了。不管是敌是友，先去交易所走一趟。

"许晗，跟我去一趟交易所。"

"是常云啸先生吗？"竟然已经有人在交易所大门前等待了，"接到紧急通知，给您暂时开设了六十个场内席位，有什么需求您可以随时跟我说。我先带您进去看看。"

常云啸带着许晗跟接待人员转了转，在交易大厅的一边，整整三排位子被空出来。看来那个自称为"神"的家伙，不是一般人，短短时间拿到交易所六十个席位，不用任何审批就可以让我进场使用，足以证明这是一个神通广大的人。

手机响，是神，"怎么样，场内设备还满意？"

常云啸走到一个僻静的地方，"我不知道您到底是什么意图，但是至少现在您算是我的朋友。如果您想害我，我想我不会挺过一个小时。能不能把您的意图给我讲得更明白一些？如果想帮我就不要让我这样茫然。"

"我并没有什么恶意，如果有，几年前你就消失了。我这次组织世界华商资金的目的，就是打好香港保卫战，我称它为天火计划，由于资金来源的性质不一样所以不可以并入联合基金。为了完成天火计划我会尽

纸 戒

力动用我的政府关系和社会关系，但在前线上我需要一位最优秀的指挥者。经一灯大师指点，这个人就是你。"

"一灯大师？"

"是他。三年前我的情报组织就已经开始调查你，你的一些金融行为我很感兴趣。这次一灯大师推荐你，我看也不会有什么错。"

"你……算了，我虽然惊奇，但也知道问也白问，你不会回答我的。至于处理不处理我，我想既然三年前你不消灭我，那么现在也没有必要消灭我。不管我掌管联合基金的目的是什么，我现在做的事情和您是一样的，就是保护好香港股市。但是我现在为李诚先生工作，你让我怎么向他交代呢，说我接受了神的指示吗？"

神笑了，"不不不，你不是为李诚工作，而是为香港，为中国，为金融秩序，或者是为你的目的。我现在再送你一件礼物，十分钟内会有人给你送到。收到礼物记得给我回电话。"神把电话挂了，常云啸赶紧把来电号码存下来。

他坐在空座位上等，这个神秘人物究竟是谁，在他脑海里不停地闪动。可以知道他的历史，掌握他的罪行，可以支配交易所，与一灯大师熟悉，说自己是海外华商，他到底是谁？天火计划，是怎样一个计划，会不会是一个圈套？

许晗走过来，"李诚先生的电话。"说着把手机递过来。

常云啸接过来，"李先生好。"

"常云啸，有一位自称是神的人会跟你联系。"

"是的，他已经联系我了。"

"哦。那么你现在的一切工作可以听从他的安排，只要你能取得胜利，他能够给你你所需要的一切帮助，你明白吗？他的确是神。"

"看来要是输了就会被神消灭？"

"用得好他是神，用不好他是魔，看你自己如何把握。"电话挂了。

常云啸有点发愣，许晗领了一个穿黑色西装的人过来。

"您是常云啸先生？这封信是交给您的，请您签收。"

"是什么？"

"一个证券账号，上有 500 亿港币，您仅有使用权，没有销户和挪用的权利。您现在可以在交易系统中打开账户验收。"

"500 亿港币？谁让你送来的？"

"是一位沈先生让我送过来的。"

"沈先生，是神先生吗？"

"是沈先生。"

常云啸拨通了神的手机，"500亿的账户是你的另一件礼物？"

"如果不够用，你随时给我打电话，五分钟之内我能调用的资金折合人民币是500亿。天火计划就是要不惜一切代价保住香港经济，只要你有需要我会尽量为你扫除障碍，你觉得怎么样？也许你还可以利用这个机会达到你自己的目的。"

常云啸张着嘴愣了好久，"好，我不管你是谁，我的确需要你的力量，我接受天火计划。"他拿起笔在签收单上签了字。

常云啸把香港会议展览中心的全班人马搬进了交易大厅，连中央广播系统也搬了进来。

近两日外汇市场和证券市场基本稳定，小的局部战斗虽然不断，但是并不影响大局，而且世界银行年会周末要在香港召开，大概国际游资在这个时候也不想过多地挑衅。

常云啸正在交易所分析近期国际各金融市场上的数据，一个人走过来一屁股坐在桌子上。

"又见面了，你叫常云啸是吧？"

"唐浩。"常云啸腾的一下站了起来。

"慢慢来慢慢来，联合基金的总指挥，我调查过了，没有想到你是我老婆的前男友，真是幸会啊。想不到能在这里见面，也算我们有缘。你看看上面是谁。"

二楼是参观台，一般人不可以进入交易大厅，如果有参观都是在上面，透过玻璃墙可以看到整个交易大厅的状况。常云啸抬头，竟然看到林晓雨靠窗户坐在上面的酒吧里正在喝饮料。

"怎样，老情人见面不去打个招呼？"

"你什么意思？你想怎么样？"

"哦，不好意思，其实真的是很碰巧的事情，我以前只是偶尔来这里，手下人会处理好我的指令，既然我们这样有缘，明天开始我也到这里来上班，大家在一起多开心啊。"

常云啸定了定神，"好啊，欢迎欢迎热烈欢迎。不过该坐哪里你自己

纸 戒

应该知道吧，要是不认路我叫人领你去？"

唐浩龇龇牙，"搞了一个什么联合基金你就不知道天高地厚了？多学着点，我可以免费教你的，哭的时候不要让她看到，她会伤心的。"他向上努努嘴，然后狂笑着走了。

常云啸抬头看到林晓雨已经站了起来正看着这边，隔着玻璃她应该什么也听不到，但是从她的表情可以看到惊讶和惶恐。说起来这是自北京分手之后，她第一次看到常云啸，而且竟然是和她的老公站在一起。常云啸不知道自己应该做怎样表现，只好很不自然地笑了笑，点了一下头算是打个招呼没敢挥手，怕周围的同事看到。

这时唐浩出现在林晓雨身边，搂住了她的肩，同时向下面的常云啸挑动了一下眉毛，然后搂着林晓雨离开了窗边。她在离开的时候，看了一眼常云啸，似乎带了很多的疑问和留恋，消失了。

常云啸还站在那里愣神，直到许晗通知他周末参加会议。

周末，一百八十多个成员国的财政部长和央行行长及一些国家政府首脑、商业银行老总等要人 15000 多人参加了世界银行年会，最有讽刺意味的是本次会议的主题为：亚洲金融稳定与世界发展。麦克·罗克这个国际金融流氓也出席了会议，高谈阔论地称香港经济是多么的稳定，港元比价是多么的合理，并严厉指出任何对港元的投机行为必然是要失败的。

常云啸和许晗参加了会议，在席中也遇到了唐浩和许童，大家无话，更不用多谈。

"小罗斯竟然会帮我们说话？真是黄鼠狼给鸡拜年。"许晗愤愤地说。

常云啸也不屑，"这样的流氓最拿手的就是骗人，表面偃旗息鼓，估计马上我们就要战斗了，而且敌人必定来势汹涌。"

"刚才在宴会的时候，你看到唐浩和小罗斯了吗？"

"看到了，他们看起来很熟悉，我说他怎么那样嚣张，原来有小罗斯撑腰。攘外必先安内，咱们一定要打死这个老鼠，不能让他坏掉一锅汤。"

"嗯，你想怎么做？"

常云啸轻声说，"你跟各监管部门打好招呼，必要的时候我需要他们彻底调查文武集团，虽然不一定能查出什么问题，但是可以拖延时间，仗打到白热化的时候，会分秒必争。"

"明白的，我去办。"

周一，常云啸早上七点钟就来到了交易所，这个时候一般还没有什么人来。他的六十个席位占据了交易大厅的一边，经交易所特批他可以每天留五个人值夜班，收集世界其他国家金融市场的动向。周末刚刚开完世界银行年会，他总觉得心里特别不踏实，想早点来看看。进场的时候竟然看见唐浩坐在对面的席位上冲他微笑。唐浩的席位离他并不远，只被中间的大通道隔开了几米。

"怎么样？有什么想法？还是傻愣愣地看着我挣钱？看在我们都曾经拥有过同一个女人的份儿上，告诉你点内幕消息，现在放空港币是很好的赚钱机会。"唐浩轻蔑的笑让常云啸恨得牙根痒痒。

"你生财很有道，恭喜发财啊。"常云啸头也没有回就进入自己的交易区。

周边市场比较平静，货币基本稳定没有大幅波动，港股开盘后比较平稳，港币方面也没有什么大动作。

许晗风风火火地从场外进来，轻声跟常云啸说："我暗查了文武集团的账户，发现公司大量资金正在向汇市和股市转移，而且在地下钱庄借款数目巨大，借款期是十二天，今天早上到账，我看这里一定有文章。"

"今天到账？十二天？正好是两周的交易日加上中间的周末两天。早上唐浩跟我说要做空港币的，难道真的要动手？并且要在两周内打败我们？严密监视唐浩的行动。"常云啸职业的敏感使他感觉到了危机。

他向唐浩那边看去，看到唐浩正在和几个人商量什么事情，有操盘手也有香港的几个金融富豪。他暗地通知下去，资金调整到位，各交易席位准备迎战。

［T元突然发生异动，同时亚太地区其他国家同时发现有大资金压低当地货币］中央广播系统继续工作

［警报，港币遭到巨额抛压，港股同时受到攻击］

"黄河实业有抛单。"

"长实集团抛单放大异常。"

"文武集团跌幅11％。"

"港灯、太古、汇丰下跌。"……

233

纸 戒

一时间各席位都报告了令人痛苦的消息，本来安静的席位大厅中一片混乱。交易人员不停地联系被代理的公司，或者慌乱的彼此询问对策。

"放弃房地产股，全面防守指标股，少量防守科技和商业股。"常云啸突然做出决定。

许晗愣了一下，"放弃房地产股？"

"是，放弃房地产。"常云啸再次重复。

命令被执行下去！

[房地产板块有资金撤离迹象出现迅速下跌，同时指标股受到重压]

[港币受到袭击，出现大量卖单，金管局已经开始抛出美元抵制]

[印尼盾和M国M元开始下跌]

[丰盛龙虎基金宣布撤离M国]

[欣佩亚太基金韩国基金大量撤离市场]

"越来越多的盟友撤出了，灾难终究不能避免。"许晗焦虑地看着常云啸。

"是祸躲不过，不是我们发动的但是我们必须承受。通知下去部分撤出红筹股，单一防御蓝筹股。"常云啸平静地说。

"什么？还撤，你知道现在恒指下跌了多少？"

"跌340点，我看见了。记住保存自己就是对敌人最大的打击，如果自己死了一切就都完了。我的一位师傅曾经跟我说，如果敢于把自己的最脆弱的地方暴露给对手的话，要不然就是傻瓜要不然就是天才。目前对手的资金绝对大，硬碰硬是不可取的。目前我们虽然手中掌握了红筹股的主动权但是只控制了几家蓝筹股；而唐浩正好和我们相反，持有大量带动指数的蓝筹股。我们现在是让出一部分红筹股，让他把战果扩大，让他进入红筹股以分散他的资金流向，一旦有机可乘我们就可以偷袭他的蓝筹股。这是一次冒险，不是天才就是傻瓜了。"

许晗点点头。

[红筹股突然放弃抵抗，出现补跌，恒生指数下跌413点]

中午休息的铃声响过，席位大厅又恢复了平静，但是每个人的心都不是平静的，一个上午恒指已经下跌422点，直接逼近13000点大关，房地产和红筹股成为被屠杀的对象。虽然金管局暂时顽强的抵抗没有使港币出现下跌，但是谁都在心里捏着一把汗。

唐浩微笑着走到通道的中间，对常云啸大声喊，"常大英雄，别怪我没跟你打招呼，跟谁斗都别跟天斗，这是天意。再跌几天我看你那点家当就干了，看你这个英雄还怎么当？"

常云啸很镇静，也微笑着走到通道中，"羡慕我当英雄，还是眼馋我那点家当？如果你是没有钱吃中午饭的话，我一定帮忙。"

唐浩不屑地撇了一下嘴，"你还是留着点吧，过几天输成贫民的时候，别干瞪眼。"

常云啸假装一副恍然大悟的样子，然后向许晗说，"许小姐，这个人还有点预见，一会儿你帮我找个存钱罐，就是小猪的那种，写上一个唐字，咱们每天要存一点。"

许晗也顺着说，"好的，没问题。"

"朽木啊。"唐浩摇摇头走开了。

午休过得很快，下午一开盘指数就遭到抛压，但是速度和力度都有所减缓。

有人开始提出是否要开始反击。

"你觉得呢？"常云啸问许晗。

"你是总指挥。不过我已经明白你的意思了，现在是战斗的刚刚开始，在敌我悬殊的时候，我们唯一的选择就是示弱，放敌人长驱直入慢慢衰竭，这个时候我们再以少量的兵力去反击才能有效。如果我们过早地暴露实力，很可能硬碰硬地倒下，毕竟我们不够强大。所以，我的建议是不反攻。"

常云啸思考着点点头，"好，在收盘前二十分钟撤出部分蓝筹股。"

[台湾股市下跌 294.77 点，跌幅 3.8%。台湾方面已经损失市值 3 万亿新台币，合 8000 亿港币]

[T 国爆发大规模游行，总理查乌里辞职]

[蓝筹股尾市出现下跌，恒生指数全日下跌 630.13 点，报收 12978.88 点，跌幅 4.96%]

常云啸支起一张茶桌，喊许晗和几个主管一起来喝茶。好像股市的下跌都和他没有了关系。与整个席位大厅的气氛不协调的是，一圈人有说有笑，悠闲自在。唐浩不时地向这边张望，露出疑惑的表情。

实际上常云啸在开一个秘密的部署会议。

"10 月期指贴水 110 点，11 月期指贴水 140 点，看来市场极度看淡后市。这样看，今天其实只是对方的一个试探，而真正的实力还没有显露，

纸 戒

我们目前面临两个难题：第一，金管局为了防止港币贬值，提高利率，同时贷款利率也随之推高，严重打击了地产股。第二，如果对手全面攻击指标股，我们究竟能够防守多久。"

"地产现货价格已经开始下跌，新开发的几个地产项目拍卖价格不尽如人意，这对市场的影响也不小。"市场分析部经理郑峰说。

"如果人民币能降息就好了。"清算部经理李鹃说。

财务部经理姜丽丽笑了，"我的妹妹，央行是你家开的？"

"不一定就不行，"常云啸认真地记录下来，"现在是非常时期，我们的对策就是要打破常规，一切古怪的想法都可能是一计高招。"

郑峰想了想，"如果金管局能听我们的指挥，统一行动就好了，要不总是自己人打自己人。"

"这个问题我已经和有关方面联系过，但是可能性不大。"许晗解释。

收盘铃声响过之后，唐浩又踱过来，"很开心啊，不是跌傻了吧？"

"一起来喝一杯？是不是不太会品茶啊？"常云啸向他招手。

唐浩哼了一下，转身走了。

看唐浩走远了，许晗问常云啸，"你觉得下一步怎么安排？"

常云啸不吱声，一连倒了两杯茶，有点愁眉不展，"我们遇到的不是一般的对手，想要赢得战斗不仅仅是技术和资金的问题，我们还需要在外界压力、舆论谣言等方面打击对手的心理，第一，从明天开始股票方面我们什么都不做，让对手充分释放力量，要知道强弩之末的道理；第二，寻求大陆的支持；第三，让上市公司参与赎回；第四，请港督总动员并向投机者下战书，以增加气势。一会儿我具体安排下去，记住保密。"他想了一下又说，"唐浩与小罗斯很可能有密谋，一定要严密监视，给他假象骗过他大概也能暂时的迷惑小罗斯。"

他站起来，看看对面的巨大股市显示屏，好像在自言自语又好像在跟大家说，"跌600点只是开始，距离万点大关还有3000点，我们必须守住。"

由于金管局为抵制港币的抛压提高了拆借利率，银行借贷款的利息瞬间升高，房地产市场价格受到严重打击，几个新楼盘价格又在调低，连地皮价格也受到影响。

"房产价格下滑，房价预期更低，看来我们昨天放弃地产股是对的。"

许晗拿了报纸给常云啸。

"刚刚是周二，还不知道后面会发生什么，不只是地产，旅游、酒店我们都要放弃。对了，跟他们说戏演好一点，让唐浩觉得我们无所事事，最好以为我们是无能鼠辈。"

"降低防范，然后反扑他。"许晗笑笑去安排工作。

股市准时开始交易。

[受房地产价格下滑消息的影响，地产股开盘后即开始下跌，文武集团列跌幅第一]

[港币开盘即受到抛压，金管局再度被迫迎战]

股市这边都已经安排好了，联合基金在暗中撤退。常云啸给许晗递过一个条子：

"你跟我出去一趟，先给唐浩演个戏，你找茬来质问我，我走你追出来就行。"

许晗在操盘手中转了一圈，已经有人在打牌了。她悄悄跟几个主管说了几句话。

"喂，操盘手闲得已经在打牌了，股市已经跌成这样了，你倒是拿个办法出来呀。"许晗生气地大声对常云啸说话，引起了整个交易大厅的注意。

"你觉得我应该怎么做？我们的实力你不是不知道吧？"常云啸站起来。

"就这样等死？你最初组建联合基金的豪情和气势呢？"

"豪情？豪个屁。"唐浩站在了旁边，"我不是提醒过你，跟我斗你还嫩，你的资金还不够我们填牙缝，现在开始做空还有得赚。"

"滚你妈的。"常云啸骂了一句转身出了交易大厅，许晗追出去。

唐浩向他们的背影挥挥手，"小毛贼永远是小毛贼，成不了大气候。"

常云啸出了交易所问许晗，"跟李诚先生联系过了吗？"

"他在一灯大师那里等你。"

"好，我们快去。"两人开车直奔佛香讲堂。

"内地的利息问题我已经和神说过了，他说明天早上会给我回话，希望可以帮我们一下。"

"要是能得到大陆的帮助，香港一定可以渡过难关，可惜我们是自由港，大陆插手会受到国际舆论谴责，也破坏了自由港的名誉。"许晗说。

纸 戒

"都要死了，还管名誉？香港人死要面子活受罪？"

"香港人爱面子？那你们北京人呢？不是更……"

"好好，不跟你吵，马上到了。"

在佛香讲堂偏僻寂静的后院里，见到了一灯大师和李诚先生，两个人依旧在喝茶，多了一盘点心，是北京的绿豆糕。

常云啸已经没有时间跟大家客气，直截了当地坐下来说，"形势很危急。"

"我们知道，你打算怎么做？"李诚平静地说。

"我想动用上市公司的力量，展开全面回购，同时请港督做全港人民的总动员，共同抗击金融投机。"

"这个……"李诚回头看了一灯大师一眼，"第二个事情还好说，我可以跟港督去交涉，但是第一件事涉及的公司和人物众多，说服这么多人并不容易，谁都看到了股市的下跌，都诚惶诚恐……"

"如果容易办我就不来找您了。"

"天火计划的资金不够用吗？"

"现在还不知道，其实这不是资金的问题，各公司回购多少并不重要，这是一个信心问题，如果我们的上市公司都已经放弃了，听天由命了，那么我们的投资者呢？他们只能任人宰割，自动形成做空力量，那么整个香港呢？"

常云啸的情绪有点激动，许晗碰碰他的腿，提醒他不要冲动。

李诚盯着常云啸想了想，"好，我试试努力说服他们。港督那边明天我给你回话，应该是没有问题的，其实让神去做更容易些，不是吗？"他看一灯大师，大师点点头。

"我还不清楚神到底是谁，但是我能感觉到他的力量。"常云啸微笑道。

"因为你昨天跟他说要大陆降息，他没有说不能做，所以你觉得不可思议对吗？"一灯大师淡淡地说。

"您已经知道了？"

"不谈这个，现在房地产股是不是跌得很厉害？"

"您怎么知道？"

"老衲又不傻，"一灯大师笑着看李诚，李诚也笑，"金管局提高拆借利率，银行要提高存款利率，房地产价格不跌才怪呢。有什么打算？"

"这是一个矛盾，金管局要保港币，我唯一的选择就是放弃受打击最大的地产股。"

一灯大师摇头，"股市是泡沫的世界，现在有人在挤压泡沫，就等于破坏了现实。政府在南面有一片空地本来是不卖的，大概可以利用一下。李诚先生可以让它进行假拍卖。"

常云啸恍然大悟，"您是说我应该抬高房地产现货价格，来稳定股市价格？我们可以与港府合演一出戏，利用假拍卖会，拉抬地产价格，制造投资热潮没有冷却的现象以稳定地产商信心？"

"阿弥陀佛，出家人不能诳语呀。"

"高明，大师不诳语，骗人的事情我去办就是了。"常云啸兴高采烈地转向李诚。

"拍卖会的事情我来做，虽然有点仓促，但是下周一二应该没有问题。"

"下周，这么慢？"

"政府招标是要先公告的，不是拍脑袋就行的。"

"希望来得及，拜托两位前辈。我要赶回交易所，告辞。"

股市和汇市正打得热闹，好像大家都闻到了赚钱的味道，很多国家开始参战，从早上 A 国美林证券大规模进场做空之后，很多 A 国基金和欧洲基金相继进场抛压港币。

常云啸集中火力抵挡蓝筹股的下跌，其他股只能暂时放弃，但就是这样，巨大的抛压还是使他节节退后。

18

周三开盘，A 国摩根、邓普顿基金、荷兰国际巴林证券也参战了，大量抛售港币，吸纳美元。同时股市在基本没有抵抗的情况下迅速下落，蓝筹股在积极抵抗中基本没有跌，红筹股在内地股市一片上涨的带动下，

纸　戒

也没有跌去多少，但是其他股票跌势迅速。

　　〔印度盾跌至 3650 兑 1 美元〕

　　〔菲律宾比索跌至 34.75 兑 1 美元〕

　　〔新加坡元报 1.58 兑 1 美元，创 43 个月新低〕

　　〔金管局同业隔夜拆借利息升到 320 厘，创历史新高〕

　　常云啸坐在座位上发愣，他明白这种情况下，金管局能做的两个事情就是：一，抛出美元，二，利用同业拆借压缩市场上的港币供给。但是万万没有想到的是竟然将拆息提高 320 厘。这样是可以控制局面，但是……只好看收盘了。

　　〔港汇收盘报 7.7425 兑 1 美元，国际炒家失手，金管局告胜〕

　　交易大厅一片欢呼，金管局告胜不是一个好的惊喜。唐浩走到通道中，看着常云啸，然后伸出一个手指头向他摇了摇，轻蔑地笑着走了。

　　常云啸闷闷的沉着脸坐在那里。320 厘？历史最高？金管局就这样胜利了？没有那么简单，对手不是傻子，提高利率是可以暂时击退货币投机者，但是对手如果是有备而来，等待的会是什么结果？

　　"你怎么了？不是太高兴？虽然股市跌了但是毕竟汇市上没有输掉啊。"许晗轻轻地说。

　　"拿黑板来。"

　　黑板拿来了，大家都围了过来，他们知道常云啸有板书的习惯，一定是他有什么想法才用黑板的。

　　常云啸站在那里想了想，"财务姜丽丽跟我计算，"自己列出下表：

	两天前	拆借 300 时
汇率	7.7643	7.7425
港元拆息	9.06 厘	300 厘
美元拆息	6.09 厘	6.06 厘
实际汇率	7.7643×(1+9.06 厘)/(1+6.09 厘)	7.7425×(1+300 厘)/(1+6.06 厘)
计算结果	7.7822	10.0046
50 亿港币三天前换成美元	按实际汇率得到 642491840.35 美元	300 厘时换成港币得到 6427873865.97 港币

"大家可以尽情地笑了,人家的收益是28％,而我们还在这里高兴? 320厘? 可恶的320厘!"常云啸愤愤的将粉笔一扔离开了交易所。

晚上独自在家里看动画片,给风铃拨了个电话。

"怎么样? 现在治疗到什么阶段了?"

"我很好,医生都很用心,他们说很有希望恢复的,至少我有希望重新站起来。你怎么样?"

"我? 你说香港股市? 哎,一团糟,早知道这么难搞,当时就不会那么冲动了,再玩下去真的要光屁股回家了。"

"怎么,想放弃了? 以前你舅舅也很有钱,但是能做什么呢? 再威风他也只能开一辆车出门,再豪华也只能睡一张床,钱能代表什么? 所以不要太在意钱的多少,就算你一无所有,在我心目中你也是金融天才。"

常云啸叹了口气,"其实我不看重钱,我更喜欢得到钱的过程,而不是结果。真想抱抱你。"

"回来让你好好地抱,相信你一定可以做好的。"

常云啸心里很舒服,又有电话进来,"亲爱的,有电话进来,明天给你打好吗? 拜拜。"

"喂,哪位?"

"我是神。明天早上央行将宣布第三次降息。另外港督不会这么早站出来讲话,李诚会给你解释,我还有事,先挂掉吧。你今天的计算题我已经看过了,晚些时候我会再给你联系。"电话就这样挂了。

不到五分钟,又有电话进来,是李诚先生。

"明天不是港督讲话,是财政司长讲话,这是港府的考虑,我已经尽力了,对不起。港府地皮的事情已经上会,很快就有结果。公司回购的事情还在努力,但是想说服很多人不容易。"

"谢谢您,我们会做得更好。"

一直等到凌晨一点多,电话终于再次响起。

"我是神。明天早上金管局的赵局长会跟你联系,我安排你在金管局的身份是首席顾问,有什么事情可以直接和赵局长协商解决。"

"我是金管局首席顾问?"

"是的,你的行动和金管局的行动必须统一起来,从明天起你将成为金管局的大脑中枢。你的行动要通知金管局,他的行动也会事先和你商量。

纸 戒

还有什么不方便的地方,你可以跟我联系。我要休息了,再联系吧。"又收线了。

常云啸愣在那里老半天,这个神究竟是什么人？可以知道港府的动向？可以命令金管局？他是谁？绝对不是什么华商联盟,难道是政府官员？能动用上百亿美元的政府官员？

真的很累了,我不管他是谁,我也需要休息,明天还要坚持到底。

周四早间新闻,财政司长做了电视讲话:港币和美元的关系不会改变,以港币投机的结果只有丧命。早报很快就刊登出来,但是这还占不到头版头条。

报纸和网络的头版头条是:今日大陆央行将宣布降息！

一早金管局赵局长亲自打电话进来,问常云啸有什么好的建议。

常云啸其实整整一个晚上并没有睡好,在半睡半醒间爬起来好几次,已经列了一个大概的建议:

1. 查各银行的借贷,严禁借钱给投机嫌疑者,违者革职处罚,同时向该银行收20—80厘的贴现利率。

2. 证券公司取消融资融券的信用等级规定,融资融券行为一律上报交易所审批,并且提高融券保证金。

3. 加速基金募集的审批,四家已经上报的基金公司提前结束审批,准备进场。

4. 外汇交易的交收时间从三天改成两天,这样如果金管局当日不肯通过流动资金调节机制向银行拆出港元,从而提高同业拆息,迫使银行把多余的头寸交给金管局,让借钱后沽出港元买美元的投机者还不回港元,实施坚壁清野。

5.利息升高后,大量存款涌入之后随即在同业市场拆放,必须让利率迅速回软,只要利率回落速度够快,港元与美元兑换率的波动范围变小,以前购入美元期货的投资者就无多少获利空间。

在大家期盼的目光中,周四的股市终于开盘了。

[央行行长正式宣布,人民币第三次降息,受利好刺激,大陆股市跳空开盘大涨]

[新加坡总理李灿向全国宣布,政府会坚持到底,彻底打击国际游资的货币投机,危机一定要解决]

"全面扫高红筹股,护住蓝筹。"常云啸在开盘前就下好了命令。

恒生指数开始反弹,同时亚洲其他各国股市也开始反弹,并且各国的货币开始止跌企稳。

常云啸淡淡地笑了,偷眼看唐浩那边。唐浩正在骂人,几个其他席位的也在跟他吵什么,显然是这些人和他一起做空,现在发现走势有变动就开始狗咬狗。这些贪婪的人,为了自己发财宁可出卖自己的国家,同外资一起打击香港,还不如狗忠心。

"看来天火计划的资金不用全部动用,就可以完成任务了。"常云啸轻声对许晗说。

"连续几天这样打上去,我看应该没有问题,也许联合基金的资金还可以保值呢。"

"只要不光屁股回家就可以。"俩人笑了。

恒生指数当日上涨 718 点。

[金管局再次表示,港元以 7.8∶1 兑换美元的联汇制相当坚固]

[菲律宾财务大臣称,有信心抵制金融入侵]

一天的争战又结束了,夜晚的香港还是那么优雅,但在常云啸的眼里有点忧伤。仅仅几天香港有上千亿港币在交易中损失,只因为一些贪婪的人,就让一个地区或者一个国家损失严重。盖座大楼不容易,但是毁掉一幢大厦只要几秒钟,不知道香港需要多少时间才能恢复过来。希望可以抗过去,明天只要继续反弹就可以恢复香港民众信心,再利用房地产价格的反弹乘胜追击,一举击败唐浩这样的卖国贼和小罗斯那样的国际恶霸。

这一晚他睡得很踏实。

周五开盘,盘面运动已经表现为投资活跃,常云啸命令大量扫高红筹股,因为开盘前已经跟神沟通过了。神说,大陆方面今日将推高上海深圳大盘国企股。

奇怪的是唐浩头一次在开盘前没有到场。已经开盘三十分钟了,指数向上稳步推高了近 200 点,基本没有受到阻力。

"看来唐浩不那么威风了,要不我们一鼓作气?"许晗问。

"不要。我有一种不好的感觉,唐浩绝对不可能是那么容易认输的人。一点点的反弹,他不可能就放弃,至少他应该到场才对,我害怕有事情要发生。"

"那我们……"

纸 戒

[香港恒指继续昨日反弹，目前上涨 232 点]

"不知道，再推高 70 点我们就不动了，静观其变。唐浩那帮人在做什么？"

"刚才我们的人过去了解，几家的马甲都不知道要做什么。老板没有发号施令，这帮家伙就成了无头苍蝇。"

[T 国政府突报新闻，48 名部长集体提出辞职，引起政府恐慌]

"常先生，快看亚洲其他股市。"市场分析部经理郑峰招呼常云啸。"突然之间同时出现异动。"

"什么？难道这也是阴谋中的一项？"

[M 国副总理兼财务部长表示，不接受国际货币基金组织的任何帮助，M 国有信心自己解决经济危机]

唐浩忽然出现在交易大厅的门口，跟他做空的席位一拥而上围住了他。他推开人群，看到常云啸，笑了笑，伸出右手小拇指晃动了一下表示看不起，转身走向自己的席位，一群人跟在后面。

常云啸的心头一紧，刚才唐浩的表情那么自信，看上去胸有成竹，难道已经得到外国靠山的指点，拿了锦囊或搬了救兵？

"许晗，"常云啸轻声喊住她，"通知下去，如果遇到全面抛单不要反抗，随时放空市场。"看到许晗惊讶地看着自己，他向唐浩努努嘴，"留得青山才好烧柴。"

许晗点点头，下去通知。

常云啸的眼睛根本没有盯在香港股市上，他的面前几台电脑，显示了 NASDAQ、道琼斯、伦敦铜市、国际石油等等。他发现了一个问题，有人利用不同的市场在打击香港市场的心理，例如：A 国科技股的下跌，打击了香港科技股；伦敦铜的下跌直接影响到了上海的铜价，而为了 A 国市场的基本稳定，有人在保护工业指数并且抑制中东石油价格的上涨。

很显然，对手完全是一个国际化多方位的投资高手，在攻击香港的同时没有放松对周边市场的控制。单纯依托某一局部的市场去作战的话，真有点小巫见大巫，就像一个孩童在一个大人面前较劲一样，几乎没有回手的能力。一个可怕的对手，常云啸忽然感到有点兴奋，这个对手对市场的认识远远超过他过去的理解，对手拥有超常规的控制能力，看来如果想与其抗衡必须重新认识市场，使用更加超常规的手段才可以。

[摩根斯坦利全球投资策略主管比尔表示，亚洲区股市将出现第二轮

下滑,建议全球投资组合中亚洲投资的比重从 4.3％降到零]

"股市开始下跌了,而且速度很快,我已经安排撤出了,但是这样股市会跌得更加厉害的。"许晗轻声说。

"就是让它跌得厉害才好,"常云啸抬头看着她,"如果你想打人,必定要将拳头先撤回来出拳才有力量,如果你一直伸着手臂就算是你再有力气也打不疼对手,你说呢?"

"但是现在是敌人追着打我们,我们在逃跑啊。"

"不是逃跑。如果我们继续抗会造成损失,现在我们是损失了拳头,但是我们还有臂膀,还可以顽强地战斗,如果损失的是整个手臂呢?你再顽强都没有战斗能力了。"

许晗笑了,"你小时候是不是总喜欢打架?倒是总结了很多经验。"

常云啸也笑,他指指屏幕,"金管局又动手了,只要是利率的回档速度够快,外资就不能有效得逞,其实保住港币才是我们真正的目的。不过,我不会放弃股市,你等着吧,我要玩得更大更狠。"

[蓝筹股再度成为市场的领跌板块,股指下跌迅速,跟风杀跌和恐慌杀跌的合力形成配合]

[欧洲股市开始下跌,法兰克福下跌 3.5％,金融时报下跌 4.2％]

常云啸靠在椅背上,眼睛盯着天花板,对手竟然有这样大的能量,可以动用国际周边环境,政治经济的一切力量。这是绝对非常规的金融战争,那么我呢?如何才能更加离奇,更加非常规呢?怎样才能让对手也同样感受到压力,让他们接受更大的挑战。

"一路撤退,大家情绪很成问题。"许晗轻声说。

常云啸看了一下大家忙碌的身影,"通知下去,指数一万点的时候我们全力反扑,大家再痛痛快快打一仗。"

许晗无奈地笑笑,去了。

[恒生已经大幅下跌 1212 点,跌幅 10.4％,已经逼近 10000 点整数大关]

[距收盘几秒钟时,黄河实业等蓝筹股有资金扫尾盘,资金量为近期罕见]

常云啸忽然坐起来,"谁抄的底?"

"不是我们,暂时还不清楚是哪里来的资金,数量比一般热钱大得多。"市场分析部经理郑峰报告。

纸 戒

"快查。"常云啸脑子里想了一圈也没有弄明白这个资金的来源，难道是唐浩又在耍什么手段？还是大陆有什么资金过来？或者是国际游资逢低抄底做短线反弹？这个位置应该不可能的呀，只能是自己人防守万点关口才会这样，到底是谁？

"常先生，这股资金来自很多家投资公司和部分基金公司，每家动用资金不多，但是合力很大。但不明白的是为什么会在统一时间启动。"郑峰汇报道。

这么多公司能统一行动？让这么多公司统一行动的人是谁？真有如此大的号召力？会是怎样一个领袖人物？当时也考虑过聚集投资公司和基金公司，但是由于这些公司比较零散难以管理和统一指挥，所以就没有多加考虑。而现在真的就有人把它们组织起来了吗？这个人下手快我一拍，究竟是敌人还是朋友？如果我周一推高指数的话，他会不会短期获利后再全部抛给我？也许应该去调查一下这个人。

很显然，国际游资在打击港币的时候受到顽强抵抗之后，就开始了迂回作战。利用证券市场的打压来影响香港投资人的心理，并放出各种谣言，使大量资金撤出香港投资领域。

周末的时间股市不开，但是常云啸并没有停止工作。谁都知道，现在已经不是一场股市和汇市的抗争，现在是经济和政治的斗争。这是一个不寻常的战场，常云啸要抓紧这两天的休市时间，相信对手现在也没有停歇。

其实周五晚上常云啸就已经和神密谈了很久，因为这些想法让神很吃惊也很为难，所以最后神只是答应尽全力去试试办这些莫名其妙的事情。只要神能答应去尝试，常云啸多少算是恢复点信心。

周六上午，常云啸和许晗到了房产拍卖中心。两个人心里很清楚，这个房产会完全是一个布局，李诚先生与香港政府共同布置的一个局，目的只有一个，就是抬高房地产价格。由于外资的袭击，香港的房地产价格短短的时间内就下跌了十几个百分点，是近些年最大的滑坡。因此又影响了股市中房地产股票的价格。这次政府的地皮拍卖，常云啸他们其实不用管价格究竟是多少，要求只有一个，必须是最高价格，然后由李诚先生通过其他渠道还给政府。

拍卖会的前几场是垫场，拍卖了几个不大的房地产项目，然后是中间休息，下一场就要拍卖政府地皮。常云啸已经看到了李诚先生的人，他知道这些人也是特意安插进来的，如果常云啸不出价，他们也会将价格抬高。

忽然李诚先生打电话过来，要他立即来参加一个秘密会议。

常云啸跟许晗交代，"我要出去一下，李诚先生有重要事情。这边你知道怎么办的。"

"你放心好了。看得出来，你的心情轻松了很多。"

常云啸笑笑，"真正的战斗在下周才开始，等着看戏吧。"然后赶往香港会议展览中心。

有人在门口等他，带他来到休息室见到李诚先生。

"今天到会的人全部是香港上市公司的总裁，关于回购公司股票的事情我已经跟他们仔细谈过，今天是最后的表决，希望可以通过。一会儿你跟我一起出席。"

常云啸点点头。

到会的人并不多，大概只有三四十人，但常云啸知道这几十人是香港的精英，掌握了香港绝对巨大的财富。会议很秘密，没有记者，只有各个老总带的贴身保镖。

李诚先生主持会议，目的就是要让上市公司联手抵制股市的下跌，参与公司股票回购计划。从大家的表情上看，常云啸知道最近的市场已经让这些人疲惫不堪了，但是如果香港的这些精英都没有了斗志，香港也就没救了，一定要让他们站起来。

在李诚先生喝水的时候，常云啸站起来打断了他的讲话，"大家或许不知道我是谁，这没有关系，在金融市场中我只是一个无能小辈，跟在座的实力相比差距甚远。在这次危机中我接受了联合基金的使命，并且现在已经得到国际华人组织的资金支持，目的只在于保护我们香港的经济不受到最惨痛的打击。我不是香港人，国际华人组织也不全是香港人，但是我们在并肩战斗。我没有多少钱，但我倾巢而出。为什么？我不想把我们的香港拱手让给老外，任他们来控制我们的经济，让他们来对我们指手画脚，让他们把香港当做 T 国、印尼一样践踏！这里是香港，你们，是香港人，香港的公民，这里是你们的家，不是别人可以指手画脚的地方。我们可以浴血奋战，但是我们不可以懦弱。看看这个网站吧！"常云啸打开笔记本电脑，通过投影显示在大家面前。

"看到这个网站了吗？看到这个题目了吗？"

《金融的倒下，东亚的病夫》

纸戒

整个会场嗡的一声乱了起来。

常云啸大声说："我们决不倒下，我们要战斗，要让他们知道香港不是病夫！"

台下一片沸腾，人们愤怒了，纷纷表示支持李诚先生的提议。常云啸看着李诚先生，李诚先生脸上多了点笑容。

"下面的事情交给您，"常云啸轻声说，"看来我设计的这个网页还算刺激。回头我发到各网站上，也许能轰动。"

李诚瞪他一眼，"你做的网页？好小子真有你的。"

常云啸笑着离开会场，许晗打电话过来说拍卖会的事情已经搞定，这让他觉得一切开始向自己设定的方向发展了，好的苗头，也许可以控制局面。

当天晚饭的时间李诚打电话过来，说会议非常成功，最后上市公司的老总们基本上达成了统一意见，并签署了一项联合声明，声明表明，如果香港指数下降到万点之下上市公司将联手采取行动，不排除大规模回购本公司股票，直到股票价格进入一个合理区域位置。消息将在明早见报，相信会引起社会投资人的震惊。

周日早上，常云啸买了早报，报头的提示让他惊讶。吸引他的不是上市公司老总的声明，而是昨天晚上竟然还有一个会议召开，也同样做了一项声明。这是证券公司、基金公司和投资公司参加的一个秘密会议，结果出来后才向报社公布了这个会议内容。会议签署了一个名为《金壁》的联合声明，称当香港股市恒生指数跌到 9500 点的时候，证券公司、基金公司和投资公司将进入股市寻找真正的价值投资。声明有一个附件，对现今市场做了分析，表明指数跌破万点大关后，出现的不仅仅是大好的投机机会，而且价格已经低于其价值理性而平稳的投资机会。后面有参加联盟的各公司名单，但是没有发起人姓名。

常云啸草草看完这篇分析报告开始发呆。这个发起人很显然就是周五托市资金的操纵者，究竟是谁，能够号召这么多的机构，让大家唯马首是瞻。他心中产生一种敬意同时也感觉到亲切，因为从开战以来第一次有了并肩作战的感觉。有人与我同在，我们与香港同在。常云啸想着竟然流泪了，他擦一下眼睛又自己笑了，这眼泪算什么？因为自己一个人孤单的时间太长了，还是因为有人同行而高兴？

许晗打电话过来,说并没有打探到指挥基金公司和投资公司的指挥人是谁,各投资公司老总都守口如瓶,连李诚先生都没有搞明白。尔后两个人高兴地闲聊了一会儿,很显然看到今天报纸的人都被这两条信息所振奋,如果能恢复香港人的信心,相信一场艰难的战斗将摆在外国游资的面前。联合基金、天火计划、上市公司、证券公司、投资公司、基金公司的并肩作战将是一个庞大而坚强的部队,大家为着一个信念,就是要击退外资保卫香港金融稳定。

　　常云啸全天都为此而振奋,等这个事情完结之后应该去认识一下这个金璧联盟的指挥人。一定是一个叱咤风云的神秘人物。有了他的协助,相信一切都会好起来,至少从资金上是一个坚强后盾。

　　晚上常云啸和神通了电话,询问请求神办的一些事情。神给的回答依然很含糊,常云啸也明白这些事情不是那么好做的,可能会引起一些国际问题,对神来说也是很强人所难的。但是神还是说不要催,能做好的会尽力做好。

　　周一开市前,上周交易的统计工作已经放在常云啸的办公桌上。仅仅开战一个星期,指数从 13600 点下跌 3100 点剩 10426 点,跌幅 23%,市值损失 8000 亿港币。常云啸咬咬牙,深深感到疼痛。今天将全面启动天火计划资金,如果没有起色就向神申请第二笔 500 亿资金。

　　开盘之后,亚洲地区股市还在下跌。

　　[新加坡股市快速下跌,受黑色星期一思想的影响,金融业短期资金短缺,个别银行将储蓄利率提高 2%]

　　香港恒生指数在天火计划的抵制下还是下跌了 200 多点。常云啸并没有大规模进场,他在等,闭上眼睛等。所有手下都等待着他的命令。

　　"兄弟,你不是有上市公司做后台吗?怕什么呀?还不进场?不是想让他们先上来送死吧。"唐浩晃荡过来,挑衅地说。

　　常云啸连眼睛都不睁,"兄弟呀,你还是听句劝吧,别死得比谁都难看。指数上你还不做多的话,我确信你在这里坐着的时间不会超过一周了。"

　　"尽管放你那些上市公司的大哥出来吧,我会让你看到我的力量,到时候别哭啊。"

　　"我哭的时候你不会看到,因为那个时候你正在地狱。"

　　"等着瞧。"唐浩悻悻地走开。

纸　戒

“已经下跌到 10100 点了,我们是不是可以通知上市公司开始回购?”许晗悄悄说。

“不用,”常云啸看看表,“我和神约定好十点三十分大陆股市会强力推高,咱们随后将红筹股推高,放出风声就说大陆资金进入香港,中央政府准备以私人公司名义进入香港市场救市。然后我们要想办法收集蓝筹指标股的主动权。”

“原来这样,我通知下去。”许晗笑了。

十点三十分内地上海和深圳市场开市爆发超级行情,国企大盘指标股一路冲高推动股指,中国联通、中国石化、中国石油等强力冲击涨停,拥有 H 股的 A 股例如兖州煤业、华电国际、皖通高速等更是封上涨停板,其他个股跟风大涨。许晗迅速组织香港红筹股反攻,同时放出消息说内地入香港救市,顿时香港股市大震开始反弹。恒生指数期货多头开单大增。

[恒生指数在 10086 点开始反弹,瞬间反弹进 150 点,是近期难见的情形,指数的上涨迫使部分空头资金开始平仓]

“开始收集指标股。”常云啸指挥。

[T 国和印尼股市突然遭到严重抛压,新加坡股市再度大跌,T 元、印尼盾和新元也同时下跌]

[由此带动,恒生指数在短暂反弹后再度下跌]

常云啸向唐浩那边看去,唐浩轻蔑地看着他,摇摇头,竟然举起一块牌子,“道高一尺魔高一丈”。

“老子真想劈了你。”常云啸想。

[港币受到重压]

“怎么办?”许晗问。

常云啸看着唐浩可恶的笑容,平静地说,“通知金融管理局收紧银根,银行隔夜利率扯高 25 厘,15 分钟后放回 20 厘,半小时后再如法炮制,收盘利率不可高于 7 至 8 厘,动用 30 亿资金分批引导存款。不能给美元期货的投机上任何好处,逼迫他们平仓出来。”

“那么长期贷款利率怎么办? 他们会炒高长期利率。”许晗问。

“只要回落得够快,长期利率不会有问题。放出风声大陆 1000 亿资金秘密进入香港银行,行政式的命令港币不能下跌。我想长期投资商应该可以暂时稳住。这样运作的结果,输家只能是担心港元失守而高价购入远期美元的投机者和高位置拆入资金的外部游资。还有你要亲自给汇丰银行、中国银行和标准渣打银行打电话,督促金管局命令实施。"

"好,我去办。"

[金管局临时通知银行隔夜利率扯高25厘,大量港币涌入银行。同业拆息利率同时上调,迫使银行把多余的头寸交给金管局]

"这样借钱后沽出港元买美元的投机者会面对坚壁清野,我看你们拿什么做空港币。"常云啸望着唐浩自语。

唐浩那边有点手忙脚乱,但是也没有忘记抬头看常云啸。两人对视许久,彼此都知道能站在这里的人就不是一般人物,背后暗藏的都是不为人知的力量。

[香港股市报收10032点下跌400点]

[由于金管局合理出击,多家私人商业银行配合政府行动,调高利率。港元汇率收高7.5厘,国际炒家失手,已经迅速撤出]

[新加坡股市下跌133点,创十年最大跌幅,新加坡元跌至1.5775∶1]

收市之后新加坡总理李灿向全国宣布,政府会坚持到底,彻底打击国际游资的货币投机,危机一定会解决。

周一阻挡了港币的失守,但是香港股市还在无情地下跌。

周二开市之后,指数破掉10000点大关。天火计划依然不能取得指标股的控制权,很显然外部游资盯紧指标股死活不松口。

常云啸通知上市公司回购。几大公司开始大额回购自己的股份,黄河实业、长实集团、中信泰富、新鸿基董事长纷纷声明表示捍卫香港、捍卫港币、捍卫港股。回购行动也带动了二线的九龙仓、太古、国泰等公司。

港股迅速反弹,在欢呼中上涨718点,收市恒生指数报收10606.22点。天火计划资金全部启动,在股市和汇市两战场获得重大胜利。

而外国游资并没有放弃。周二晚间,瑞士银行突然宣布,抛售黄金储备中的1400吨黄金,国际金价迅速下跌4.64%。这一行动使得华尔街一片混乱,道—琼斯工业指数暴跌554.26点。

这让常云啸惊呆了,完全没有料到对手还有这样一招。整整一晚多少次从梦中惊醒,直到早上才勉强让自己睡了一会儿。

周三恒生指数开盘就做出反应下跌646.14点,常云啸组织天火计划和上市公司奋力抵抗,但是指数还是止不住地下滑,收盘报收9960.08点。

纸 戒

收市后常云啸跟神通了话，询问请求的事情进展如何，神没有给出答案，只是说明天下午看结果。这让常云啸有些绝望。对手所动用的手段，都是国际化的，在国际上制造事端来压制香港市场的反弹，如果不采用同样级别的手段，是很难扳回败局的。

周四早上开盘，香港指数再度下跌，已经接近 9100 点。常云啸已经向神再度申请了 500 亿资金，决定组织最后的抵抗。他知道这时如果不成功，一切都完了。就在他准备背水一战的时候，一股巨大的资金进场托市。

这应该是"金壁联盟"启动了，各基金公司、证券公司和投资公司同时进入股市开始做多。常云啸几乎差点哭出来，像是看到了战友。

但是指数只是小反弹，随后继续下跌。常云啸赶紧组织天火计划入场，跌速虽然降下来，但是想反弹也并非易事。

常云啸艰难的等待着下午的到来，他相信神能把他的要求办好的。如果真的能行的话，至少可以打击 A 国经济增长的气势，一旦 A 国政府感受到压力就会调整养老基金的投资比例，这必定要对小罗斯集团产生心理施压。现在的战斗更像是一场心理战，大家都已经打到了弹尽粮绝的时候，都达到了极限，所剩的只有精神的支撑，谁的精神先崩溃，谁就死无全尸无法翻身。

午后指数跌倒 8996.40 时突然传来消息，墨西哥石油工人全体罢工，世界石油价格迅速升高。A 国是最大的受害者，A 国政府开始与墨西哥方面交涉。

很快又有消息，中国取消了在波音公司订购飞机的计划，而与 AIR-BUS 公司签署了 40 架飞机的订单，这引起了 A 国波音公司工人大罢工，要求政府给出合理解释。此后的一小时里，A 国养老资金突然撤出香港市场。

香港外汇市场的压力开始减轻，股市也开始反弹。常云啸立刻组织反攻，大举将指数收高，但是收盘还是以绿盘报收，原因是常云啸依然拿不到指标股的主动权，显然唐浩是要坚守这块阵地。

佛香讲堂的后花园依旧宁静，前面的香火飘过来的味道，让这里永远有一种神秘的气息。

"我怎么才能拿到指标股的主动权？"常云啸已经在这里念叨了好长时

间,而一灯大师只是闭目养神,任凭他唠叨。

突然一灯大师伸手打了常云啸一记耳光。常云啸惊呆了,愣愣地看着大师。大师睁开了眼睛,"知道我为什么能打到你吗?你的武术比我好啊。"

"因为太突然嘛,我没有反应过来。"

"不对,是因为你存在,如果你不存在我再快又能打到什么呢?"

常云啸还是愣愣地看着大师,大师的话是什么意思呢?

一灯大师站起来,"不存在的东西就打不到,更不用去打,因为那没有意义。"然后进屋了。

常云啸坐在那里发呆,不存在的东西就没有意义,大师暗示的是什么?忽然他乐了,拍拍裤子上的尘土走出佛香讲堂。

回宾馆的车上常云啸就给神通了电话。

"神,我想更换恒生指标股。"

神停顿了一下,"异想天开,这太离奇了,怎么可能办得到。"

"要是都能办,这个世界就不需要神了。"

"香港三十三家指标股,是一九六几年定下来的一直没有改动过,你想改就改?你改动谁都不是件好事,你觉得哪个公司平白无故会同意呢?"神问。

"所以要您帮我协调嘛,当然这次危机过去之后我们还是要恢复现在的三十三家公司的,其实只是为了打好这场仗的临时调整。"

"修改指标股等于是对经济的重新定位啊,太难办。如果可以的话晚上六点香港证监会主席会给你打电话。就这样吧。"神挂断电话。

晚六点准时香港证监会主席史先生打来电话,说证监会基本同意为了香港经济临时更改三十三家指标股的提案,现在证监会想听听常云啸想如何更改。

"我知道这会给你们带来很大的不便,但是现在真的没有办法。一切为了香港吧。"常云啸说。

"你不用客气,我知道你执掌天火计划。直接说吧,我们尽力配合就好了。"

"第一批早上我们要换十个出来,用我这边已经控制盘面的十个红筹股补进去。如果还控制不了盘面,我们要在中午换第二批进去,还是十只股票。对换的股票一会儿我传真给您。"

纸 戒

挂了电话,常云啸立刻起草了一个方案,将两部分共二十只股票发给史主席。半小时之后史主席再度打来电话,证监会会议通过了常云啸的方案并做出了修改,这二十家中明日有七家会临时停牌,其余十三家可以临时更改,已经通知交易所和结算中心,连夜调整恒生指数。

19

抱着制造黑色星期五信心的唐浩,站在交易所大厅中,看着公告板发愣。他万万没有想到,自己控盘最严重的十只股票不是停牌了就是从指标股中剔除了,而常云啸所控盘的股票被换了进来。这样一来他手上的股票再如何打压对恒生指数也起不了太大作用,自己的绝对优势竟然被一个行政手段洗得干干净净。一旦失去了指数的控制权,就无法打击市场心理,同时在指数期货上也失去了控制权。

在他的心里开始浮现出失败的恐惧。这次作战投入了他几乎全部的家当,本以为后台老板小罗斯可以给予多大的帮助,但是小罗斯除去给他介绍了一批愿意做空香港股市的人物以外却没有出过一分钱的资金,显然是画了一张足够大的饼。而周四 A 国经济形势动荡,使世界对 A 国经济增长的预期产生质疑,所以 A 国政府立刻考虑到与中国的关系,如果想加强与中国的贸易往来,以此恢复经济强势,就不能在中国及周边地区制造太大的经济衰退。这样的背景小罗斯是应该见好就收还是违背政府意愿一意孤行呢?谁都明白作为一个著名的投资家兼政客不可能违背大规律的运行,那么小罗斯能做的只有撤出这个战场。这对小罗斯来说其实并不损失什么,从整个的计划来看他是一个策划者,投资出资的其实并不是他,或者说他只参与了很小的一部分。他所用的只是他的号召力,而这些资金就从世界各地会聚到了东南亚。现在即便是他自己控制的基金公司撤出,他一样会把最大的收益留给自己。而唐浩不同,他是众多追随者之一,却动用了自己的全部资金参与在一个局部战争的主战场上而且成为了这个战场的核心，一旦失去控制权和主动权，又没有援兵，他将第一个倒下。

看见常云啸走进来，唐浩讥笑，"真有你的，你的卑劣程度比我想象的要高，不仅给我釜底抽薪，而且还会偷梁换柱。手段高明啊。"

常云啸看着他，半天才说，"你一直都是把我当成对手，你错了，你的对手不是我而是全香港。你想打倒我不难，但是你要打倒香港，很难。如果也用成语的话，就用螳臂当车吧。"

"不能和你成为朋友真的很可惜。是因为林晓雨吗，爱情的力量真的有那么大？"

"有一天你会知道的。"走了两步，常云啸又回头说，"还给你一句劝，识时务者为俊杰，罢手还来得及。"

唐浩摊开手，做出无所谓的动作，常云啸点点头，两人各自回到席位上。

由于指标股的更换，常云啸操作起来就简单得多，而唐浩想要重新建立指标股的控制权是不可能的。

开盘后，新指标股在常云啸的指挥下开始反弹，其他指标股也开始跟随上涨，很多空方在看到指标股更换之后知道政府做多意愿明确，开始从空方反手做多。

一时间指标股蓝筹股红筹股等奋力反攻，房地产商业股成为主力军。中午时分交易所宣布第二批指标股更换。下午再开盘空方已经基本崩溃，大量做多盘涌入股市和期市，反弹一直延续到收盘。

[恒生指数回升 1705.41 点，一举收复万点大关，涨幅 18.82%，成交 15 亿笔，突破历史纪录]

[日本、新加坡、印度尼西亚中央银行对印尼盾联手干预，开盘暴涨到 3210 盾兑 1 美元。恒生指数上涨 680.33，升幅 6.15%]

周末香港特区行政长官称:我们有能力并已经有效地击败了国际投机者。东南亚各国领导也在周末表示团结一致，反击国际游资。

受到利好刺激周一恒生指数再度疯涨 2118 点，巩固了胜利果实。在全场的欢呼中，常云啸没有看到唐浩的影子。

周二指数继续上涨，空方完全没有抵抗能力，各股更是一路狂飙。常云啸看着面前屏幕的上涨，拨通了神的电话。

"我想请您帮我个事情。"

"危机基本度过了，还需要我帮忙？"

纸 戒

"跟股市没有关系。我想认识一下那个金壁联盟的指挥者。"

"就是那个投资公司联盟？为什么要认识他，有必要吗？"

常云啸深吸一口气，"我就知道您认识他。这样说吧，他让我感到了亲切，在我最需要支持的时候他是我的战友，而且他做盘的手法我也喜欢。我想认识他，做个朋友也好。但是我打听不到这个人的任何消息，好像他生活在另一个空间，让我感觉到神秘，我就更好奇。"

神在那边停顿了很长的时间："好吧，香港洲际酒店 808 房间。"

"太好了，那么他姓什么叫什么？"

"我还有事，再见。"

啸云号游艇已经等在天星码头，上船直奔尖沙咀。香港洲际酒店距离码头并不远，从酒店可以看到美丽的维多利亚湾。但常云啸没有时间和心情欣赏美景，直接上了八层找到 808 房间。门口有保卫，但是看到常云啸之后都让到一边。门是虚掩的，常云啸看看保卫，保卫点点头示意可以进入。常云啸推门进去。

这是一个巨大的办公室，至少有一百五十平米，让常云啸惊讶的是看到了一面电视墙，演示着多个国家的交易行情。屋内有一排排的电脑，感觉有点像交易大厅。靠窗户的一个角是老板桌，有一个女人在敲击着电脑。常云啸走过去，刚要说话，女人先开口了。

"是常先生吗？"

"是。你是……"

"你要找的人在里面。"顺着女人指的方向，常云啸看到在旁边有一扇门。

走进这个门简直就是到了医院，惨白的颜色看不到生气，有一个人躺在病床上，旁边是众多的医疗仪器，竟然还有一台大屏幕电脑依然显示着今天香港股市的走势。

"你终于来了，我知道你会来的。坐吧。"声音沙哑而断续。

常云啸看看边上有坐椅，轻轻地坐下。

"为什么一定要找到我？"

常云啸想了想，其实他也不知道为什么一定找到这个人，也许只是想认识一个朋友，但是没有想到这个朋友竟然是躺在病床上的，并且看上去情况很糟。"我只是觉得我们之间有些相像，或者是相同之处。"

"相同？是指证券还是做人？"

常云啸不知道应该怎么回答，跟做人有什么关系？他暗指什么？

"能告诉我吗？你怎么想到要废除指标股？"

"不是我想到的，是一位叫一灯的大师想到的，我是学来用的。"

"一灯？股海一灯财聚掌中，随我荣昌逆我而亡。难道真的是他？"

"您，难道认识一灯大师？"

"刚才我说的诗句你可曾听过？"

"没有。"

"孤陋寡闻，这么多年你还是不知长进。"常云啸听他这么一说有点蹊跷，难道这个人也同样认识我？病人继续说，"二十年前，一位笔名叫股海一灯的人在大陆的证券史上留下了惊人的壮举，开辟了大陆股市的新庄家时代，创新坐庄技巧，也刷新了坐庄的收益。但是后来他被法庭判金融诈骗和操纵股市进了监狱，再后来就没有一点消息了，大家都以为他已经死了。"

屋里静下来，好像是在回忆过去的某段经历。一灯大师原来是一个股市高手？常云啸的脑子飞快地在回想每次和一灯见面的过程。难怪他对股市总有特殊的见解，原来他在二十年前就已经是叱咤风云的人物了。

"他是不是左眼上有一道伤疤？"

"是，有一道伤疤。"

"你有一个师傅叫潘国峰对吗？"

常云啸惊了，难道又遇到了一个神，又什么都知道？"我确实有一个师傅叫潘国峰。"

"听说他对你不好，欺骗了你。"

"没有。是他领我进的股市教我做股票，他是我的师傅。师傅是为了报仇才那样做的，他没有欺骗我，请你不要这样说他。"

病人又很长时间没有说话，只听到脉搏器在嘀嘀的响。"那么一灯就是你的师爷了。"

"啊？"这个吃惊不小。这么说师傅的师傅竟然就是一灯大师？

正在吃惊的时候，病人挣扎着坐了起来。常云啸可以看到这个人，头发已经掉光了，脸瘦得就剩了一张皮，所以两个眼睛深深地陷了进去，由于消瘦，脖子上的皮折起像乌龟的下巴。可见这个人已经病入膏肓，但是那双眼神让常云啸感到熟悉。

"你是……"

纸 戒

"股市如战场不要相信任何人。"病人这样说。

"师,师傅?"常云啸一下跳了起来,面前这个人竟然就是潘国峰。

潘国峰嘴角抽搐一下算是笑了,"没有想到?"

"是你,是你在组织各投资公司?你就是金壁联盟的幕后策划?"

"我只是想在生命结束之前尽点力量。后来知道有一个天火计划,指挥人就是你,你不知道我有多高兴。我想……"他突然咳起来,看上去很严重。

"医生在哪里?"

"别,"潘国峰制止了他,"叫医生过来他们就要把你轰出去了。我们见面的机会已经不多了,让我们好好待一会儿吧。"

"师傅,你的身体这是……"

"其实我也真的不配做你师傅。那年骗了你真的是……"潘国峰讲起了当年的情景。原来他有一个弟弟,当时得了一种奇怪的病,身体出现了快速的衰老,走了很多医院都没法找到病因。为此需要很大一笔开销,潘国峰需要这笔钱,于是他设计了那样一个计划,为师傅报了仇也离开了常云啸。但是这笔钱仅仅维持了弟弟一年的生命。后来潘国峰去了 A 国学习,回国继续从事证券行业,成立了著名的私募基金灵光基金。这只基金在证券行业内甚是出名,却很少有人知道幕后的操作人,因为潘国峰很低调从不露面,但是行业内的人对这个神秘的幕后人非常敬重。这次香港危机,灵光基金号召各投资公司和证券公司联盟,大家正群龙无首被打得丢盔弃甲,有这样一个神秘老大号召自然像得到了救星。但是谁又知道这个神秘的幕后操作人已经耗尽他的生命,是在病床上坚守着他的岗位。因为潘国峰得的病和他弟弟是一样的,快速衰老,很容易受到细菌的感染。

"这种衰老,每一天都相当于正常人的一个星期或半个月。我甚至可以听到死神的脚步声,现在才感觉到生命的短暂,拥有的时候却没有珍惜。没有想到在我死之前还能做一些对大家有用的事情,这让我感到欣慰,应该说是感到一点轻松,就像是背负了一口袋的罪恶现在可以拿掉一些,轻松一点。"

常云啸不知道说些什么,眼泪在眼圈中晃荡着。

"能原谅我吗?"潘国峰问。

"我从来就没有怪你。而且这次保卫香港如果没有你在背后帮助我,我不知道要怎样才能挣扎到现在。但是你的身体已经……"

"看上去要死了是吧。死这个字对我来说早就没有可以畏惧的了。"像是自言自语,然后潘国峰抬起眼看着常云啸。"看来这场战斗已经不会持续多久了,唐浩的失败已经注定,结束后你有什么打算?"

"我?最先开始的时候,我都没有想到我会取胜,我以为几十亿的美元会打了水漂。这次能幸免保全下来的话,我也不打算再进入金融市场,回北京做一些实业可能更好。"

"你想带资金回大陆?"

"是。"

潘国峰摇摇头,"你这些资金是怎样来的,你比我清楚,而且这个世上也不止你我二人知道。要记住:富贵而骄自遗其咎,功遂身退,天之道。"

"你的意思是,如果我拿走这些钱,我就会被……"

潘国峰摆摆手,"也许没那么严重,但是一切并不圆满,对你的评价会是另外的样子。"突然他又开始咳嗽,并有血流出来。

常云啸急忙冲出门口大声喊叫医生,几个穿白大褂的人从隔壁的房间冲过来,最后一个人关上门的时候说:"他今天说了太多的话,我们不想让他再见什么人了,你请回吧。"

猛听到潘国峰又说:"生无爵,死无号,实不聚,名不立,此谓圣人!"

门在常云啸面前关上。沉重吗,还是轻松?隔开了两个世界,门这边已经看到了胜利的生机,而那边却已经走向了死亡,这就是门的作用吗,世界在它开关的瞬间已经改变。

那最后的一句话究竟是说给谁的呢,他自己,还是说给常云啸?无论说给谁,都告诫了人们一切来自虚无,而又归为缥缈。

门卫过来请常云啸离去。他最后看看那关闭的房门,离开了尖沙咀。

接下来的一个星期,各方面资金不断涌入做多股市,港股不断收复失地,指数带动东南亚大幅反弹,欧洲退休基金、A 国保险基金见苗头不好调头撤出在港的金融投机,资金分别为 100 亿和 130 亿美元,随后大小炒家见主将已逃也纷纷撤出战场。周四收盘后香港政府正式宣布成功地抵制了外国游资的侵袭,在这场金融战争中取得了胜利。

实际在此次金融风暴中香港财富直接损失近 3000 亿港币,间接损失更难以统计。大家继续坚守岗位,生怕那些猛兽会再度回来。

手机响了,是神,"我看可以结束了,你很好地完成了任务。后面的收

纸 戒

尾工作我会派人安排。我给你申请了一份奖励，五千万，作为奖励我只能给你申请到这个数额。三天内到你的银行账户。"

"神，我知道这个要求不应该提，但是我还是想说出来。"

"什么？"

"我……"常云啸停顿了一下，"想见见你。"

"我说过你没有必要见我，见到我你也不认识，也许我们就曾经擦肩而过。"

"一直以来都是你在后面指挥工作，我只想看看你。也许你们有什么规定，那么让我看看你的背影总可以吧。我没有向你要过什么，这是我唯一的请求。"

"好吧，你等等我来安排一下。"

对方挂断了，常云啸看向窗外，香港的夜景是那样美丽，所有的一切都恢复了以往的平静。经过了这次金融风暴，香港人民更加自信，他们为自己生活在香港这个美丽的地方而自豪。这样的祥和平静竟然出自我的手，常云啸笑出了声。

二十分钟后手机又响了，"常云啸，楼下有车等你。剩下的事情车里的人会给你安排。"

"真的可以？"常云啸的声音有些兴奋。

"不多说，明天晚上见。"神挂断了电话。

常云啸飞似的下了楼，出了酒店大门，一个穿黑色西服的人走过来："常先生吗？"

"是我。"

"请跟我来。"常云啸跟着他上了一辆没有车牌的黑色奔驰，一路到了机场。不用安检直接到停机坪，在一架私人飞机前停下。同样有人接待他上了飞机。

"我们去哪里？"常云啸问。

"不知道，到了之后自会有人接您。"

常云啸明白，这些人都只是执行命令，而不知道命令的结果。

飞机在凌晨时分已经到了机场，有车在那里等着。然后带了常云啸到了友谊宾馆第四区停下。有黑西服带他进了客间，这里的客间都是平房，属普通的商务标准间，一个会客厅，一个棋牌室，一个卧室。

"那么，我要见的人呢？"常云啸疑惑地问。

"对不起，我不知道谁要见您。但是通知说请您在这里休息，晚上会另有通知。还有您在这里的一切开销都不用您结账，我们自会安排。"黑西服说。

"好吧，谢谢。"常云啸倒在床上沉沉地睡了。

这段时间实在是太累了。每天都在角逐、每天都在争斗，甚至每一分钟都是一个战场。神经高度的集中，高度的活跃，有的时候他都觉得自己就要死了。现在好了，所有的事情都结束了，可以安安稳稳地睡一觉，不用担心半夜被谁叫起来说某某市场又出现波动了。可以睡了，这是常云啸几个月以来最深沉的一觉。

这一觉醒来竟然是下午三点多，很饿，打电话要了一份韩国料理。这家韩国饭店就在友谊宾馆主楼南侧，很快就送过来。吃完后，想给风铃打个电话，但是想想还是算了。虽然事情都完了，香港那边还有一批人呢，怎么着也要回去交代一下，不然以为自己逃跑了呢。

出了客房是一片竹林，常云啸打算出来走走，不远处看到了两个黑西服，其中一个跑过来问有什么需要。常云啸告诉他只是想走走，那个人就退下了。现在这个季节已经没有叶子，竹林也只剩一些倔犟的枯枝。

常云啸转了一圈有点凉意，回到屋里继续等。晚十一点有人敲门，常云啸跟这个黑西服上了车，竟然又回到了机场，还是那架飞机。

"怎么回事？"常云啸有点摸不着门道。

这时从飞机上下来一个人，"常先生让您久等了，我家主人请你。"

常云啸意识到主人就是神，三步并两步地上了飞机。心中竟然很激动，就像刚进公司的毛头小子得到总裁召见一样。飞机上只是零星开了几个灯，显得很昏暗。在长方的会议桌后面坐了一个人。穿着风衣，戴了墨镜，在昏暗的光下，看不到模样。

"是您吗？神？"常云啸有点结巴。

"是我。对不起，本想在友谊宾馆见面的，但是现在赶着要飞香港，所以就只好这样安排了。坐下吧，我们也算是老相识了。"神的声音很浑厚，比电话中的声音更亲和。

常云啸坐下，有人过来给他系上安全带，"飞机马上起飞，请坐好。"

"您究竟是谁？"常云啸忍不住问。

"我们不是说好过，不打听这件事吗？又忘记了？"

"对不起，我总是好奇。因为您总是能做到常人不可能做到的事情。"

纸戒

"我又不是外星人,普通人而已,只不过比你有钱罢了。"

"其实我早就猜到了您是谁,按规矩我也不说。真的很谢您,不然我赢不了。"

"谢我?我应该感谢你才是,挽救了香港经济。这次你动用了多少资金?"

"几十亿美元。"

"那么从联合基金中给你拨回去?"

常云啸摆摆手,"不用了。"

"不打算要了?"

"你也知道这些资金的来历,既然源于人民不如还回人民。金融市场让我已经很累了,想好好休息休息。"

神沉寂了一会儿,"那么要怎样还回人民呢?"

"用我的资金发起建立一个香港稳定基金。这次香港保卫战中,联合基金先赔后赚损失并不很大,首先由稳定基金填补部分亏空。然后以公开募集的方式折价卖给香港人民,以补偿大家在金融动荡中的一些损失。最后一部分可以适度填补一些税收,就可以减免税收,以促进经济的迅速复苏,当然这要由税务局测算合理性。"

"建立一个稳定基金?"神自言自语,"很好啊,这个想法很好。那么你就真的算是全部损失了,我这里说话可不能儿戏。"

"欠下的东西总要还的,您说是吧?"

侍者送上来两杯橙汁,神喝了一口,"可惜我只能给你五千万人民币的奖励。"

"不少,足够我养老了。"

"要是所有的人都像你那样抱着必死的决心来救国的话,我们就什么都不怕了。常云啸,香港的事情已告一段落,往后你打算做些什么?"

常云啸沉默了,这段时间一直忙,真的没有想过以后做什么。难道重操旧业,继续做黑庄?一切的事情都让别人记录了,没有什么能隐瞒掉的,眼前这位自称神的人可以洞察一切,即便连这位神都隐瞒过了,又怎能欺骗自己。

"好像你还没有想好?"神很平静地问,"没有关系,好好想一想,不急。很多事情掌握好方向,比实际操作还要重要。我想经历了这次金融风暴你会比以前更加成熟。"

一名侍者走上来,"神先生,你该休息了。"

"神,我们还有机会见面吗?"常云啸急忙说。

"我看不是万分必要的时候就不用了,你不是有我的手机号吗?我现在答应你可以帮你做三件事情,当然是在我的能力之内还要符合我的原则。你知道怎么用这个手机号了吧?"神站起身,跟侍者消失在后面的机舱里。

"您可以休息了,需要毛巾被吗?"另一名侍者过来问。

"好的,谢谢。"

飞机到香港机场,有车送常云啸回到君悦酒店。天火计划已经结束,李诚先生也通知联合基金的工作可以结束了,常云啸和他的组员撤出香港交易所,联合基金一切资料封存,香港政府将成立一个专门小组接管联合基金的工作。

可以回家了。

庆祝晚宴就设在君悦酒店,常云啸给每个参与工作的人发了一个红包。几十人欢聚一堂,好不热闹。大家高兴得一直喝到深夜,彼此告别互道珍重,第二日一早就各奔东西。都离家几个月的时间了,谁不着急回家看看呢。

中午许晗打来一个电话,潘国峰倒在他那台观望股市的电脑旁去世了。听了这个消息,常云啸异常难过,是潘国峰领他进入了证券世界,是潘国峰在背后一直支持他。作为一位操盘手,他最终倒在了工作台前,完成了他的使命和愿望。他才是一个真真正正的操盘手。三天后常云啸带竿狼和牛皮,参加葬礼。葬礼很简单,到场的没有几个人,李诚和许晗、常云啸三个,还有几个不认识的人。常云啸捧了很大一束百合摆在墓碑前,用上等的普洱茶掰碎撒在周围。

临走的时候看到一辆车正好启动开走,里面人影一晃隐约是一灯大师。

两天后常云啸回到了北京。与此同时,香港稳定基金成立,按照常云啸所设想的方案运行,在香港地区产生了巨大的轰动,一时间常云啸的名字在各大报纸和杂志上出现,关于天火计划、联合基金和常云啸本人的报道铺天盖地,甚至有人想写纪实文学。民族英雄、金融天才的名号更是多如牛毛。可惜的是,电视台没能请到这位民族英雄,因为他已经回到了

纸 戒

北京。

20

　　回到北京在香山别墅住了一周,按周子豪的说法现在进入了关键时刻,最后一次手术的结果马上就会知晓。如果膝盖有反应,风铃就有可能再次站起来。常云啸焦急地等待结果。

　　"感觉怎么样？过一会儿要摘绷带了。"常云啸握着风铃的手。

　　"我想我能行的。"

　　常云啸抚摸着她,"你一定行的,不要怕,遇到什么情况也不要气馁。"

　　"我相信周医生,也相信自己,我一定行的。"风铃的表情很放松。

　　这让常云啸轻松多了,他很担心治疗了这么长时间后依然没有结果会给风铃带来更大的打击。"对,你一定行的。"

　　周子豪和几个医生走进来,将风铃抬到轮椅上。

　　"我们要打开绷带了。"周子豪看着常云啸,"希望是奇迹。"

　　"我期待是。"常云啸拍拍周子豪的肩示意开始。

　　周子豪蹲下,一圈圈地打开绷带。屋里鸦雀无声,所有眼光都盯在周子豪的手上,静得让人能感觉到心脏的跳动。绷带全部摘下来,可以看到在膝盖下方有一道明显的疤痕。

　　周子豪深吸了一口气,"风铃,伸一下腿。"

　　风铃用了一下劲,却一动没动,"不行,疼。"

　　"会疼的,运动的时候是会疼的。但是请忍耐一些,慢慢用力试一下。"

　　风铃咬紧牙,小腿竟然活动了一下。

　　"啊。"周子豪高兴地跳了起来,"奇迹,奇迹,我成功了我成功了。"他抱住风铃,"风铃,谢谢谢谢,"又抱住常云啸,"奇迹奇迹。"

　　"真的,真的成功了?"常云啸也高兴得手舞足蹈,风铃更是笑得灿烂。

　　"如果不成功,就一点都不能动。现在能动,后面就是恢复问题了。"周子豪兴奋地说。

"太好了，晚上开庆功宴。"常云啸抱起风铃，"你好棒。"

"我说过我行的。"风铃高兴得直流泪。

第二天风铃进入恢复期，周子豪做了恢复计划帮助她恢复肌肉运动。常云啸也等待着风铃能早日站起来。

中午的时候梅子突然打来一个电话，说有一位老人无论如何要找到常云啸，说有十万火急的事情，并留了电话。

"他说你一定会感兴趣。"梅子跟常云啸汇报。

"老人家？我认识什么老人家？"

"他把电话打到你家，问你是不是还在那里。我跟他说多年前你搬走了，不知道在哪里。他很失望，但最后还是留了电话，让我如果能找到你就给他打电话。"

"知道我以前的电话？那你把电话告诉我。"

挂了梅子的电话，常云啸就给那位老人家拨过去，想不起来十多年前认识什么老人。

一个女人接通了电话："北大医院高级病房，请问您找哪位？"

医院？"我找，这是病房吗？是不是住了一个老人？"

"是找林老的吧。林老，您的电话。"护士跟另一个人说话。

"你是常云啸？"听声音这个老人病得不轻，沙哑而没有底气。

"是，我是，您是……"

"我是林文，林晓雨的父亲。"

常云啸按约定的时间到了北大医院，见到了林文。很多年前曾经在杂志上见过林文的照片和介绍，但从来也没有见到过他本人。眼前这个人比照片上的不知道要老多少。当年就是他极力反对常云啸和林晓雨在一起，现在的他看上去力不从心，很难想象曾经在商场上的叱咤风云。常云啸在心中无数次的咒骂过这个家伙，但是现在看他躺在病床上，常云啸不想多说什么。要不是担心林晓雨出了什么事情，常云啸并不想来医院。

"你就是常云啸？"林文靠在枕头上，手臂上还打了吊瓶。

"是我，您找我有什么事情？"

"哎，十多年了吧，只听到过你的名字却没有见到过你本人。来坐下说话。最近报纸和杂志有报道说有一个天火计划救了香港经济，而总指挥就

纸戒

是你,是吧?这才想起来,十多年前你和小雨的事情。"

"对不起,我最近没有看报纸,如果您是为了这件事想表扬我,我感谢您,我可没有那么多时间听表扬,还有很多事情要做。"

"年轻人少安毋躁,坐下,难道你连一个病重老人的话都不愿听听吗?"看常云啸坐下,林文继续说,"我知道你对我有意见,记恨我当年阻止小雨嫁给你。现在你也应该是做父亲的人了,也应该能体会我身为人父的心情,你那个时候还是个,是个……"

"是个小混混。"常云啸帮他说。

林文点点头,"那个时候你不知道自己要做什么,但是现在你已经有成就了。可以指挥千亿资金与国际游资抗衡,人们拿你做民族英雄,说你是股神。想不到呀,这些年真是风云变幻,当年的小混混竟然成为了金融英雄。"林文看着他,让他感到很不舒服。

"我只是碰巧赶上,职责所迫罢了。"

"怎么说我也曾经是商场上的人物,能操动如此大资金在多个金融战场同时作战的人,究竟是什么样的人物我还是心里有数的。"

常云啸笑笑,"林总今天找我想跟我探讨国际形势?"

"找你来有两件事情,我还是直说了吧。第一,我要为我当年对你的不公平道歉,算我没有眼光没让女儿嫁给你,没有这个福分呀。第二,也是看走了眼,让女儿嫁给了唐浩,我的孽债呀。"林文的眼神有点暗淡。

"林总这样评价自家女婿?"

林文抬抬手,示意常云啸不要打断,"我有一个很可怕的感觉,唐浩进入我家是有目的的。"

这句话着实让常云啸吃了一惊,"有目的? 他……不爱小雨?"

"开始我以为他真的追求小雨,但是现在我认为不是。唐浩娶林晓雨之后,我很自然的培养他做文武集团的高级管理人员。唐浩这个人十分聪明,心机过人,很快就胜任了副总经理的位置。在我弟弟林武死后,他接任总经理的位置。但这以后我发现了很多奇怪的事情,这个唐浩处心积虑地想把文武集团搞垮,后来我又发现他对小雨根本不好,在外面还有其他女人,而小雨一直都瞒着我。"

"他已经是你的女婿,搞垮文武集团对他有什么好处? 而且文武集团在香港上市,他也算是功不可没。当初不是他追求小雨的吗?"常云啸越来越不解。

"唐浩假借公司事务繁忙,很少回家与小雨在一起。我偷偷在他们的别墅安装了针孔摄影机,发现他与小雨甚至几个月不亲热。前几年我弟弟林武突然车祸死亡,警方调查后说是自杀。我总觉得这其中必有蹊跷。但是苦于没有证据我只能藏在心里。而后我多加防范唐浩,最后却还是被他架空了,文武集团名义上是我的,但是发号施令的其实已经是唐浩。接下来我发现文武集团的资产在外流,而集团在香港上市只是圈钱的一个手段,然后让更多的资产流出去,总有一天文武集团就剩一个空壳,他用这个公司可以做很多事情,就像在金融风暴中的那样卖国求荣,但我却无法控制他,甚至拿不到一点把柄!"林文情绪很激动。

"也许,也许只是感觉。"

"我不是白痴!我也曾是上亿身价的人,不比你差,小子。"

"我知道,那么你告诉我这些是想让我帮你?"

林文喘了口粗气,看来他的身体实在是太糟了,"是的,我需要你来帮我查明真相。"

"我?为什么是我?我曾经非常的恨你,你觉得我会同意吗?"

"恨我雇人打你?我找你来查这个事情有三个理由:一、你曾经深爱着小雨,但是现在她嫁给了一个不爱他的无赖。二、你有头脑,从这次的天火计划就可以看出来。这三嘛,林晓雨还有一个天大的秘密,如果你能查清楚这件事,我可以告诉你。而且这个秘密关系到你。"

"关系到我的一个秘密?"常云啸感到奇怪。

"我只说这么多了,至于帮不帮我是你的事,我强求不了你。我累了,想休息了。"林文闭上眼睛,躺在被子中。

常云啸站起来退出病房,找医生问了林文的病情。老人有心血管、脑血栓、心梗等等,最重要的是有一种毒素在体内会使人突然昏厥,很可能引发其他病症甚至导致死亡,而这种毒素暂时还无法确定是什么,也无从知道它产生的原因,就无法对症下药。

走出住院区的时候,迎面遇到了林晓雨,这是这几个月中第二次遇上,只是上次在香港交易所多了一个唐浩。林晓雨显然也觉得意外,两个人相对站着,一时找不到要说些什么。

"你来了。"说完这句常云啸自己都觉得好笑,人家是来看自己的父亲,难道还要打报告不成?

纸 戒

"我来看我爸。"

"哦,我刚刚看过他,气色还不错。"

林晓雨很惊讶地看着他,"你是来看我爸的? 你看他做什么?"

"是这样,他打电话给我,想问我一些事情。"

"什么事情?"林晓雨还是不解。

"不如我们去街对面的蛋糕房坐会儿。"

两人先后进了蛋糕房,要了蛋挞和果汁。

"我爸跟你说了什么?"林晓雨没有抬眼睛。

十几年了,这是第一次可以近距离看到小雨,不,是我曾经的小雨。不知道有多少个日夜在想念着,就是这张曾经美丽的脸庞,而现在的她已经不是当年的小女孩,在脸上的不是美丽,而是成熟女人的魅力。这种魅力是一种沧桑,更带了一点忧郁和惆怅。嘴角的酒窝已经不见了,显然她不需要它了,因为没有了笑容。

林晓雨意识到了他在走神,依然没有抬头地又问了一遍,"我爸跟你说了什么?"

"你爸,也没有什么,他询问了一些这次金融危机的事情。"常云啸赶紧回答。

"对了,忘记祝贺你。在杂志上看到你,现在你成了英雄人物。"

"我对这个并不感兴趣。"

"我爸是不是跟你说了唐浩的事情。"林晓雨突然问。常云啸本不想跟她说这个,因为唐浩毕竟是她的丈夫。一个是她的父亲,一个是她的丈夫,林晓雨的身份夹在中间,而常云啸却像一个密探。

"是,你父亲是说了少许你们家里的事情。"

"他说他怀疑唐浩,怀疑唐浩要把公司搞垮,怀疑唐浩谋杀了叔叔,怀疑唐浩有不可告人的秘密或者叫天大的阴谋,对吗?"林晓雨的情绪有些激动。

常云啸不知道应该怎样跟她说清楚,"你父亲只是有一些不满意,发发牢骚而已。"

"他找你来做什么? 做救世主吗? 你不要以为你当了什么英雄就可以拯救世界拯救人类。我们家里的事情,不需要你插手。能把你自己应负的责任做好就足够了。"林晓雨拎起书包走了。

有股怨气,为什么? 做好应该负的责任? 什么意思? 我是不负责任的人吗？也许是生活太压抑了,总是让她感到不安？她知道她父亲是怎么想的,而她并没有提出反驳,只是叫我不要插手。难道她也有同样的感觉,只是不想说出来？难道文武集团真的有一个什么阴谋存在？而这个阴谋的主谋就是林晓雨的丈夫唐浩？看来我跟他的对峙又多了一层意义。

常云啸决定,要暗查此事。

常云啸回到了母亲的老房,把牛皮和竿狼召集过来做了安排。

"我就知道总有一天你会惩治那个唐浩的,君子报仇十年不晚。"牛皮说。

"可惜了我们辛辛苦苦在 T 国赚的钱,要不是我们在天火计划后建立什么稳定基金,不然老子拿钱砸死他。"竿狼接着牛皮说。

常云啸示意两个先安静,"这次应该算是在金融上赢了他,要不是林文找我,我并不想再理会这个无耻小人。既然他对林晓雨不好,那么也别怪我做人太狠。这次一定要清查唐浩的不法行为,在香港的时候我就调查过他的资金,和地下钱庄有密切联系,那么一定涉及非法经营和洗黑钱,另外我怀疑林武的死也和他有关。我不想林晓雨有一个劣质的老公。"

"你直接说把林晓雨从他手上抢回来就得了？以你现在的魅力与唐浩比绝对赢定了,他是你手下败将。"竿狼拍拍牛皮,"你说是吧。"

"你怀疑唐浩杀死了林武,才坐上了总经理的宝座？"

"只是猜测,"常云啸说,"是林文的一种感觉。"

"这个老家伙,要不是他当年阻拦你和林晓雨,也不会闹到今天这个地步。"牛皮不满地说道。

"我在和你们说正事。"常云啸瞪俩人一眼。

竿狼赶紧说,"都严肃点。大哥你有什么计划,我们听你的。"

"我来安排一下。"常云啸又拿出他坐庄时最重要的东西,黑板,边写边讲解。

第一,了解文武集团内部情况,必须从内部找到可以突破的人作为切入口。

"首先要了解文武集团的内部结构和财务情况。而接触上市公司最好的办法是让证券公司的自营业务部门出面,集团董秘会减少很多戒心。这件事最合适的人选是乔忠民。"

"没问题,大哥你就放心吧。我做这些请客送礼收买人心的事没有

纸 戒

问题。"

常云啸继续在黑板上写：

第二，查明林武的死因。

"林文怀疑弟弟林武的死不是正常车祸。我询问过，事故现场是在 S 市，林文将林武葬在杭州。要和 S 市警方取得联系查明卷宗，还有医院的诊断，也许还要去趟杭州。这第二步我来做，那么在北京一些调查牛皮来做。"

第三，通过证监会查唐浩出道以来的全部档案。

"唐浩最早是在鸿雁投资公司，牛皮我要你查所有与他有关的交易记录，包括文武集团涉足的证券市场。要细到每一个证券公司和账户。这没有证监会和证券协会的支持是不行的。"

"可是我不认识证监会的人。"牛皮犯难。

"这个我会给你安排好，我会通知你与什么人见面的。记住我们是暗查，不要大张旗鼓免得打草惊蛇。但是还要查得仔细，每一个细节都不要放过。"

"好，我想从这三个方面总能查出个蛛丝马迹。"

"大哥，"牛皮有点犹豫，"你对林晓雨是不是还……那风铃怎么办？"

"我只是接受一个重病老人的委托……"

当晚常云啸拨通了神的电话。

"找我什么事情？"神还是那种沉稳的语调。

"你说过能实现我三个愿望，是不是还算数？"

神笑了，"我说话有不算数的时候吗？"

"那么我想你能帮我完成一件事。"常云啸仔细想过了没有神的帮助想调查唐浩，可能会受到层层阻力，并需要一个极其漫长的时间。

"你先说说看。"

"我要查一个人，文武集团的总经理唐浩。我怀疑他在经济上有违法行为。并且很可能原文武集团的副总裁的死跟他有关。"

"在金融上你已经胜过他，觉得还不够过瘾？真的要追杀到底？"

"要调查他是林文的意思。"

神想了想，"说说要我怎样做？"

"我并不是想无事生非，不会让您帮我冤枉一个好人。您只需要帮我疏通两个部门,要他们配合我的人做调查就可以了。一个是中国证监会,一个是S市公安局。如果他真的是遵纪守法的好公民,我又凭什么追杀到底呢?"

"好吧,中国证监会机构稽查处处长戴学农,S市公安局局长吴长安,你明天早上就可以去这两个部门找他们,他们自然会接待你的。"

"我就知道您可以的。"

神笑了笑,"这是你第一个愿望?"

"是的,打扰您了。"

第二天一早常云啸跟风铃匆匆告别直奔S市,牛皮去证监会,竿狼去了香港找乔忠民。三人开始了分头调查。

S市公安局局长吴长安接待了常云啸,安排人提取了林武事故的档案。从当年的交通事故档案看,林武是驱车从一个高坡上冲下来,撞在坡下一家商店的墙上而身亡。当时车上只有他一个人,而且血液中含有大量酒精,属于酒后驾车引起交通事故。

"事发时间是凌晨三点,街面上几乎没有人,但有一个人看到这辆车是快到下坡的时候突然加速冲下来的,没有刹车就直直地撞在墙上,当场人就死了。"吴局长说。

"面包车是林文在S市别墅中,厨师们买菜用的。厨师们说他经常开这个车出去,分析可能是怕别人认出来。"吴局长拍拍档案,"事发当时车上没有任何人,也没有人接近这个车子,这可以从街头的监视录像中看到。所以从各个角度看都像一起意外事故,否则就是自杀。"

"怎么确定是自杀?"

"我们在车内找到一部手机,最后一个电话恰恰是事故发生前。打电话的是一个夜总会的小姐,我们已经调查过,这个女的是在事发的半年前认识上林武的,林武把她包下来。你看这本取证。"吴局长递过另一个卷宗,"据这个小姐交代,当晚林武去了夜总会,由于发现这个小姐接了别的客人,就与夜总会发生了争执,而后愤然离去。小姐打电话就是要解释一下这个事情。经调查林武离开夜总会就去了酒吧,醉酒开车。所以我们怀疑,林武是酒后开车的时候接到小姐的电话,一时气愤发泄,狠踩油门导致撞车死亡的。"

"这些卷宗可以借给我吗?"常云啸想回去慢慢研究。

纸 戒

"按规定不可以,但是领导有令,一切为你开绿灯。"

回到酒店,常云啸通夜读了所有卷宗,没有发现一点破绽。难道说真的是意外或自杀? 林文的梦只是一个错觉? 如果真的是唐浩杀了林武,他在什么地方做的手脚呢? 而且可以让林武自己撞上去? 一切都顺理成章,他是怎样杀人的呢。

事发当日林武停留了四个地点:别墅、夜总会、酒吧、出事地。两个疑点:面包车和一个他喜欢的小姐。一个正面接触的人:夜总会小姐,王丹。

常云啸决定从这个小姐王丹入手了解一些情况。到了那家夜总会,找到妈咪才知道王丹已经走了,不知去向。

"把你的姑娘们叫来,我问问她们。当然不能让妈咪白受累,如果有人能提供线索,这个就是你的。"常云啸点了十张大票,晃了晃。

"呦,好说好说。"妈咪出去一会儿工夫带进来几个小姐。"这位爷问你们关于王丹的事,你们曾经认识的,知道的话有奖赏。"

"能回答我问题的都有奖,回答详细的奖励二百,回答不详细的奖励一百。现在开始。"常云啸拿出一摞钞票在她们眼前。

他拿出一张林武的照片,"这个人谁认识? 王丹是不是认识他?"

"这个谁不认识呀,是林总嘛,死了好几年了。以前来了就点王丹的台,出手可大方了。"妈咪抢先说。

常云啸塞给妈咪二百,"王丹和林总怎么认识的?"

"我来说,"一个小姐抢着回答,"这个事情我知道,先前有一位常客叫什么来着忘了,反正很早的时候是他包的王丹,后来他带了林总来,就把王丹介绍给林总了,再后来自己就不常来了。"

"一个常客,他姓什么? 是这个人吗?"常云啸拿出了唐浩的照片。

"对,对,就是他,姓什么忘了。"

"我知道,姓唐,我当时还用糖豆的外号取笑他呢。"另一个小姐说。

"王丹现在在哪里?"常云啸甩出几张人民币。

"我知道,其实她躲着我们回老家了,听说在城里开了一个好大的酒楼,可气派了。"

"很好,告诉我是哪家酒楼,我给你一千。"

"我还要打长途问呢。"

"两千。"

"好好,我这就去打电话。"小姐高兴地出去了,只等了一会儿就回来了,"在嘉兴,我给你抄了一个地址和电话。"

常云啸接过纸条看看,往桌上甩了五千元,跟妈咪说:"自己分吧。"转身出了夜总会。

现在的事情正向他预料的方向发展着。小姐王丹不是偶然出现的,是唐浩安排好的,那么唐浩安排一个坐台小姐给林武又和这个车祸有什么关系?总不可能唐浩知道王丹一给林武打电话,林武就一定会发疯去撞车吧。有一个疑问,一起出来做小姐,别人还在夜总会,为什么王丹会有钱开酒楼?事发半年离开,拥有一笔收入,必定另有玄机,看来必须找到王丹。

有地址,王丹不难找,三天后常云啸在嘉兴找到了那家酒楼。一座两层的古式装潢的酒楼,从门口车的档次就可以看出这个酒楼的消费水平。常云啸称自己是来还钱的,马上就见到了总经理王丹。

"我,好像不认识你。"王丹见到常云啸有点莫名其妙。

"不认识我没有关系,认识它就可以。"常云啸打开提包,露出十万人民币。

"什么意思,你想做什么?"王丹从经理椅子上站了起来,走过来,用腿蹭着常云啸的膝盖站着。

"我有一个问题需要你核对,你老实回答,这个钱就是你的;如果你骗我,我会让你知道我到底是什么人。"

"瞧你还搞得这么酷,说吧,什么?"

常云啸把箱子合上,"有一个人叫唐浩,你认识?"

王丹的眼神一怔,"不认识,怎么了?"

"不认识,回答得好。"常云啸突然站起来,照着王丹的肚子就是一拳,王丹摔倒在墙角捂着肚子半天才哼出声来。"如果你想骗人的话,我怕你走不出这个门了。几拳下去你歪鼻子斜眼,保安进来之前你就变倭瓜了,我的夜总会坐台小姐。"常云啸抓住她的领子从地上揪起来扔到沙发上,"老老实实回答,就可以得到十万奖金,哪个合算?"

"好,好"王丹喘顺一口气,"我认识唐浩,他曾经包养我。"

"林武呢?你也认识吧?"

"是唐浩介绍给我的,后来林总包了我。"

"林武出事那天,你和唐浩通过电话对吗?"

纸 戒

"没，没有。"显然王丹有些紧张。

常云啸举起了拳头，"又说假话，电话局的清单是怎么回事？"常云啸诈了一句。

王丹一见常云啸抬手，啊的一声团成了一团。"我说我说……"

事情原来是这样，事发当天，林武说心情不好约了王丹去酒吧喝酒，王丹就答应了。唐浩突然来电话说一会儿林武到的时候，要王丹躲起来，并说自己已经跟别人出台了。说这是和林武开个玩笑，并答应开这个玩笑可以给王丹十万元。有这样的好事，王丹当然愿意。于是林武到的时候另一个小姐就对他说王丹出台了，结果林武暴跳如雷，闹了一顿出了夜总会。一小时后唐浩又一次打电话给王丹，要她立刻给林武打电话道歉，并说道歉后可以再给她十万。谁知道林武接到王丹的电话后竟然撞车身亡。唐浩说本来只想开个玩笑，谁知道竟然这样了，又不想牵扯到自己，就让王丹在警察那里不要提起唐浩的这些通话，答应出封口费二十万，并在半年后又给了她十万，要求她离开 S 市从此不要再踏入 S 市。于是王丹拿着这五十万就回了嘉兴老家，开了这个酒楼。

"林武说没说为什么心情不好？"

"没有啊。事后警察调查了我好久，好像林总的死跟我有什么关系似的，但是我仅仅是给他打了一个电话而已，谁知道他那么感情脆弱非要去撞车呢？"王丹觉得委屈。

"你觉得会不会是唐浩杀了林武？"

王丹冷笑，"凭什么说林武是唐浩杀的？他那天不过是开了一个玩笑而已，谁都没有想到是这样的结果。"

"什么都有可能，这钱是你的了，以后如果我想问你什么会再找你，今天的事情不可以让第三个人知道，否则你知道后果。"

"你想证明唐浩是杀人犯？"王丹笑着摇摇头，"警察都说是自杀的，而且唐浩只是让我给林武打了两个电话，就能杀人了，可笑。电话是我打的，难道我是杀人凶手不成？"

常云啸笑笑走了。

打电话的时机和内容都是唐浩指示的，但是他是怎么谋杀的呢？到现在看来还是自杀。就算是用语言激怒了林武，也不能算是谋杀吧。如果把这些表面事情都想成是一个假象，一个阴谋的遮盖物，那么他到底怎么让林武心甘情愿地去撞车的呢?

常云啸回到 S 市躺在酒店里,一天没有吃饭也没有睡觉。想让林武加速撞车靠激发他的情绪的可能性太小了,还有办法就是控制林武的身体,可是怎么控制呢?当然不是语言催眠,至少王丹做不到。用药!一定是让林武吃了什么药。可是药物发作的时间计算得这么好,恰恰是面临一个下坡的时候?时间掌握这么好除非是马上吃马上见效,唐浩又是怎么给林武吃药的呢?而且林武又怎么能心甘情愿的吃药呢?

注射!突然一个词在他脑海中闪现,对,一定是注射,药物的速度快,而且可以不通过林武同意,强行注射。

常云啸洗了把脸匆匆去了公安局。吴局长亲自接待了他。

"我想知道撞坏的那辆车后来怎么处理了?"

"车?我找人给你查查。"吴局长拨了一个电话安排下去。闲聊了近二十分钟,有电话打过来。吴局长放下电话对常云啸说,"车子撞坏后,听说就送给家里的厨子拿到农村去开了。我给你抄了一份姓名和地址,你可以去找找看。"

"好的,非常感谢。"

"如果你查到什么,请尽快跟我们联系,尤其不能冒风险,你要知道你出了问题我是要负责任的。"

常云啸笑笑挥挥手,离开办公室。

当天下午他就找到了那个厨子的住处,看到了那个车子。车子的前脸显然是已经更换过了,但是内室并没有更换的迹象,还是很旧的那种。

常云啸跟车主商量,用一万元租下了这辆破车,那个厨子乐得屁颠屁颠的放下钥匙拿钱走了。

常云啸打开车门,在司机的座位靠椅上摸,手在大概腰的高度上停下来,他淡淡地笑了一下。继续向下摸,在椅背下面摸到了座套的接口,这个接口的线已经破开,是用胶粘上的。他用小刀将这里切开,把座套翻起来,在座椅上露出一个洞,高度在腰上,这个洞应该是有人特意留下的。

"吴局长,咱们把这些事情串起来好好想想,就知道这个交通事故其实是一个谋杀,而不是自杀。座位上的小洞,应该是一个针头的发射器,如果没有猜错的话,这个针头里应该是一种迅速的麻醉药品。整个的事件应该

纸 戒

是唐浩布下的一个局，"常云啸开始给吴局长分析案情，"唐浩为了杀死林武设计了一个很周密的计划。他让林武和自己的旧相好王丹相识，实际上是监视着林武等待机会。终于有一天机会来了，林武心情不好说要去找王丹喝酒，唐浩认为自己的设计可以实施了，就让王丹谎称自己跟别人出台。林武愤怒地独自去喝酒，然后自己开车回家，整个过程实际上唐浩都在暗中观察，当他确定唐浩真的喝多了的时候，他就可以完成下一个动作。在事发地点我发现有一座小楼，是一个很好的观察点，我在那里打听到曾经有人高价长期租了临街的房子，但在林武死亡之后不到一个星期就退房了。相信唐浩应该是在那个小楼中观看了林武的车祸。他让王丹给林武打一个电话实际上是假象，目的是让我们相信林武是因为吃王丹的醋激动中自己撞死。实际上在林武接电话时，车子到达了高坡上，这时唐浩用遥控器启动了事先安装在座椅靠背中的针头发射装置，给林武注射了药物。林武在麻痹状态中肌肉绷紧，踩下了油门，造成了一个因感情受到打击而酒后驾车造成交通事故的假象。实际的幕后主使就是唐浩。"

吴局长笑了笑，点上一支烟，"的确分析得不错，而且好像也很合理，但是证据呢？证据不足对吧？"

有人敲门，进来的警察带来一份报告。"局长，我们化验的车座里的海绵纤维中发现了琥珀仙胆碱的成分，这是化验报告。"

"琥珀仙胆碱？是什么东西？"常云啸不解地问。

吴局长示意警员出去，"西方一些国家的牧场主用琥珀仙胆碱给动物麻醉用的，就是一种麻药。注射进去之后肌肉会变得僵硬，但是心脏正常。对人大剂量注射的时候可以瞬间死亡，而这种药最大的特点就是可以溶解在血液中，不会留下毒素的痕迹。"

常云啸高兴得一下站了起来，"这就对了，说明我的判断没有错误，这是一个谋杀，不是自杀，你们可以把唐浩抓起来了。"

吴局长摇摇头，"事情没有那么简单，证据呢？第一，车座中有琥珀仙胆碱的成分，不代表林武身体中也有，药物溶解于血液但是现在科学可以在骨头上化验出来，问题是人已经被火化了。第二，谁能证明这个针是唐浩安装的，你只是推理。"

"那他为什么要给王丹钱呢？还要她回老家？"

"这个不是证据，在法庭上唐浩可以说给钱是他乐意，回老家是看她在外辛苦。"吴局长看着常云啸。

常云啸一时无话可说,过了好一会儿才说,"难道就没有办法证明是唐浩杀死了林武?"

"至少暂时没有。你的推理都可以说合理,也许能推倒林武意外死亡或自杀的定论,改成他杀,但是没有证据表明唐浩就是杀人凶手。而且我告诉你,在没有定论之前如果你乱说的话,唐浩可以告你诽谤或诬陷,那你可就麻烦了。一切都因为没有确切的证据。"

"他妈的证据。"

三天后常云啸回到了北京,与牛皮、竿狼碰了头。牛皮从证监会收集的材料已经在整理过程中,竿狼通过乔忠民买通了文武集团的财务总监,也深入地了解到文武集团香港分公司中的很多问题,正在抓紧整理。

当年唐浩任职鸿雁投资公司基金经理期间所做的业绩还是很惊人的。首先策划了香正基金的发行和扩募,其中涉及的有关政府官员就有二十几个,而在中央查处这个事情的时候,他不仅仅提出来了操作上的合法性,并拿出了很有力的不在场证明,而将所有事情推到了基金总经理身上。而后在五星科技、海洋生物中坐庄,使鸿雁投资迅速壮大,当最后把钨钢股份炒高三倍之后,他做出了一个惊人的举动,38 元高位接手了新乐软件,而后离开了鸿雁投资,从此新乐软件因业绩和官司问题一路下跌到了 6.23 元。其中唐浩不可能没有得到好处。进入文武集团之后,唐浩的投资更大了,先后恶炒方兴科城、双禾发展等八只股票,一度被各路庄家称为"少帅"。最后把文武集团推到香港上市,自此进入了投资银行业务。

而在文武集团进入香港股市之后,他并没有停手,不是在投资领域,而是开始对文武集团进行重组分拆上市,而在分拆的公司中就有众多的财务问题,然后再利用资产重组将一些财务问题甩出去。在被剔除的几个公司中却发现了极大的发展优势和潜力的两个子公司,几年之间这两个公司不断壮大,后来又合并成为浩成商贸有限责任公司。从某种直觉上看,文武集团的资产正一点一点地转移向浩成公司。

"看来唐浩这小子真是一肚子坏水呀,可是我不明白,他娶了林晓雨,林文的那份家当迟早是他的,林武又没有继承人,所以这个文武集团最后基本上全部都是他的。他又何苦吃里爬外呢?害死林武对他也没有什么更大的好处呀?"常云啸看着他们两个,两个人都面面相觑。

竿狼犹豫着说,"可能是觉得来的还不够快,急于求成。"

牛皮摇摇头，"也许是为了洗黑钱做的障眼法？"

牛皮叹了口气，对常云啸说，"我觉得你现在难了，依现在的证据我们仅仅是可以向有关部门检举，而不能告他，因为谋杀罪名不成立，现在也只是在证券市场上有一定的证据，但是其中可能涉及官员，事情不一定好办的。这样看把唐浩送进监狱很困难。"

竿狼接上去说，"而且就算是你把唐浩送进了监狱，林晓雨怎么办？她的感受你考虑了没有？我想你对她还是有感情的，要不然你也不会接这么一个麻烦的事情吧。"

"林文的用意也要揣测，是不是想借你的手除掉唐浩？最后把一切的罪名都加在你的头上，让你落下一个整死情敌的名声，毕竟现在的你是需要注意声誉的，你是金融界的名人。"牛皮和他一唱一和。

常云啸笑了，"看来你们两个早就串通好了。这个事情不急，容我再想想好吗？"

21

常云啸到医院看了林文，本想把调查的这些事情告诉他，但是看到这个病态的老人又没有说出来，只是跟他说调查还在继续。

林文笑了笑，摇摇头，"本以为你可以信任，看来你也不想说真话……知道我怎么进的医院吗？我身体里有一种毒素，这种毒素毁掉了人体的很多功能。其实我心里明白，但我一直也没有说过，包括医生。这种毒素是从一种叫地虎的蜘蛛上提取的，列世界十大毒蛛之一，一只地虎可以轻易干掉一头大象。当然我自己不会去吃毒药的，现在你明白了吧？"

"你，你是说唐浩？"

"我没有证据，我每天和家里人吃的是一样的东西，但家里其他人没有像我这样。"

"家里人都像哪样呀？"一个人突然高声说。

常云啸回头看到唐浩站在门口,身边跟着林晓雨。

"哦?我当是谁呢。来做老人家的工作吗?是不是想让小雨回到你身边呀?那么来吧,送给你,拿去吧。"唐浩说着把林晓雨向前一推,小雨无助地站到了一边。

常云啸站起来,"怎么,现在连自己老婆都照顾不周还需要我来帮忙吗?"回头向林文道了别,向门口走去。余光中看到小雨的眼中含着泪,唐浩的话很明显的在侮辱她。

"这么快就走了?不再叙叙旧情?"唐浩的样子越来越无赖了。

常云啸走过他身边的时候轻声地说,"别太猖狂,也许不久的将来我可以去监狱跟你叙叙旧,到时候有什么需求,别客气哦。"

出了门常云啸径直向电梯走去,刚才的一瞬间使他下定决心,一定要把这个唐浩搞垮,这才是对林晓雨真的好。

唐浩在电梯前追上了他。"常云啸我知道你去香港调查过我,但是你给我记住,林晓雨还在我手里,我知道你还爱她。想动我?小雨也不会有好果子吃,我完蛋之前也一样会捎上她。而且上法庭不一定我会输,你没有证据,放聪明点吧。"唐浩狂笑。

常云啸用鼻子哼了一声,突然一拳打过去,唐浩呜的一声,倒在楼道里,嘴角和鼻子都是血。

"看,想动你还不是就动了?"常云啸挥挥手进了电梯。

为了查这件事情,已经三个月没有回家了,曾经给风铃打过电话,听说治疗得很有成绩,现在已经可以慢走了,而且基本看不出来腿有毛病。医疗专家队已经解散了,留下周子豪帮助风铃恢复腿部肌肉。常云啸去蓝巾酒吧看了一圈,跟梅子他们说了几句话,就赶紧回香山别墅了。路上在双安商场买了鲜花和一条钻石项链,今天要好好向风铃请罪,这段时间太忙,没有好好照顾她。

把车停在门房,大门没有锁常云啸进房找了一圈竟然没有看到人影,今天是周末,两个保姆都回家了,但是风铃呢?常云啸上二楼到了卧室想把花插上,听到后花园有说笑的声音,从窗户看下去,是风铃和周子豪。

在后花园的秋千上,周子豪坐在上面,风铃竟然坐在他腿上,正在喂他吃葡萄。两个人很亲密。

纸 戒

常云啸深深地吸了口气,吐出去,心头有一种说不出的疼痛。转身把花插好,把项链盒摆在花瓶前。看到桌子上有几个名片夹,一些名片散落在外面,还有一些已经撕碎堆在一边,看来风铃在整理名片。忽然在碎片中看到"警署"两个字,按说风铃这样的人不应该跟警察有什么关联的。常云啸在碎片中翻找,终于将名片拼凑起来。原来是香港警署一位高级长官的名片。风铃怎么会有香港警官的名片,她要这个名片做什么?常云啸的脑子有点乱,赶紧将碎片重新打乱,然后悄悄下楼开车回到了妈妈的老房。这里还是那么干净,一切都是那么熟悉。

　　常云啸坐在沙发上,整个人陷在沙发里。这里是他从小长大的地方,有妈妈也有哥哥。妈妈还是那么慈祥,总是刀子嘴豆腐心;哥哥总是一心为工作。只有自己是一个叛逆,不喜欢被别人管教,也不喜欢上学,总是不听妈妈的话,挨打的时候总是哥哥帮忙说好话。自己搬出去住后,一直也没有想过要回报家里一点什么,一直都只是索取。当所有的事情在一天发生之后,再也不需要他回家看看,再也不需要他的回报。对他来说,报答已经是件不可能的事情。

　　这些年东奔西跑,经历了很多风浪和很多坎坷,很少有时间静下来,坐在一个温馨的地方享受时间在身边慢慢溜走。现在终于又坐在这里,关闭了门窗,能看到窗外的杨树在摇动,但是听不到声音,周围是那么的静。

　　风铃竟然有香港警官的名片,看来洪天泽和舅舅的死不是那么简单的事情,会是她做的吗?难道她为了我能够摆脱与洪天泽的关系,暗中跟警察告了密?这样不是连她的干爹都害了吗?为什么不为我想想,舅舅已经是我最后一个亲人。大青的死也成为了徒劳无功。这就是爱情力量吗?她为了我为了这份感情不惜背叛了所有人,但是最后她还是背叛了这份感情。能用背叛这个词吗,我给予了她什么呢?在我的心中曾经放弃过林晓雨吗,我这样是否也是背叛?不仅仅是背叛了林晓雨也背叛了她。她曾经那样爱我,我却不知珍惜,现在她找到她的幸福了,我又在这里怪罪谁呢?

　　经历了太多,最后还是回到这里,才感觉最安全。所有的人所有的事,在眼前度过,野性的梅子、温柔的小雨、姐姐般的风铃、倒在病床上的潘国峰、叱咤一时的洪老大、阴险的唐浩、飘忽的"神"、股票、国债、外汇、香港、S市、T国、天火计划……常云啸突然流泪了,是为了从一无所有到数十亿美元再到一无所有?还是为了走到最后依然是孤单一人?其实他也不知道为什么流泪,也许人累了之后都会流泪吧,或许辛酸,或许甘甜。

手机响了,是风铃。

"你,你刚才回来过了?"

"啊对,我回去了一趟,家里没有人,我这边还有事所以就急忙走了。你现在怎么样?"

"我现在恢复得很好,但是还需要慢慢地走,走多了也会疼的。"

"真的是太好了。你刚才去哪里了?"

"我,我出去走了走。"

"最近关心你很少,你自己要懂得照顾自己。"

"云啸我想跟你说些事情,你什么时候回来?"

"这个嘛,我,我现在还有很多事情在忙,大概过几天回去吧。"

"还在忙? 忙林晓雨的事情?"

"其实这都是生意上的一些事情,我答应过林文帮他查一些事情,所以就……其实跟林晓雨没有什么关系的,只是……"

"我明白,你不用解释那么多。"听得出来那边的声音有些哽咽,"早点休息吧,我知道你最近很累,我学会煲汤了,等下次你回来的时候我做给你吃。"

"好啊,你也会做饭了,真不错,以后是贤妻良母了。那么早点休息吧,晚安。"

"晚安。"

放下电话,常云啸闭上眼睛,也许这也算是一个不错的结局。风铃漂泊了一生,如果能够找到一个珍爱她的人,对她呵护对她宠爱,总比跟着我奔波要好。而且说实在的,我对林晓雨的感情……这样对风铃其实是一种不公平,也是一种不负责任的表现。

常云啸抓起电话,"喂,竿狼吗,派人给我盯住唐浩,去的地方接触的人财务的变化都给我详细记录,明白吗?"

没有出常云啸的猜测,唐浩这几天的活动开始频繁了,先是去了一趟香港两天后又去了浩成公司,回来后急忙活动各部门分别请了证券、银行、法院、金融委等领导吃饭,资金调拨也开始频繁。

常云啸也不能闲着,他给神拨了电话:"文武集团唐浩的问题,您看……"

"呵呵,你小子看来是势在必得呀,真的搞垮他对你有什么好处呢?"

纸 戒

"我只是不想放过一个坏人。"

"不用说了，说了我也不信。好吧，我来过问一下。"

"谢谢，他现在和很多个部门在联系，包括……"

"好了不要说了，我会处理的。"

"哦，那就拜托了。"

"明天你去市公安局去一趟，李局长会接见你。他会带你去检察院和法院。我想事情交给他办就可以了。还有，一个星期内不要打这个手机，我最近事务很忙。"

对方的手机关掉了，常云啸慢慢合上手机，情不自禁地笑了。

第二天李局长接见他的时候好像已经很清楚整个事情了，带他几个部门走了走，最后对他说，"事情我会处理好，请你放心好了。你们还是不要过多插手，我怕打草惊蛇。"

买了几盘佛号的磁带，在家里静静地听，常云啸从早上就开始闭着眼靠在沙发中。最近发生的事情好像让人苍老了很多，他真的觉得很累。难道自己真的老了？早上洗脸的时候，发现自己的白头发越来越多，嘴边的皱纹已经很深，也许是自己笑得太多了，他这样给自己安慰。

叮……急促的电话铃声。

"常哥，动了动了！"是竿狼，说话紧张好像很激动。

"你慢慢说，是唐浩有行动了？"

"是的，财务总监说，近期他经常调动大资金到几个下属公司中，刚刚他从财务提取了一张巨额现金支票，神色有点不对并且没有填写支票用途和去向。"

"那你立刻和李局长联系通知警方。"

音响中的佛号还在清幽地唱着，常云啸又坐回沙发，静静地听着，手指在沙发的皮面上随着节奏砰砰的点着。一切都在计划中，却感觉到一点点的心痛，肯定不是因为唐浩，难道是和林晓雨有关？只是感觉鼻子酸酸的，不太舒服。

唐浩失踪了，就在警方决定对他正式拘捕的时候，他突然失踪了。侦查部门对文武集团和下属公司进行了全面的财务调查，发现了重大问题。

同时证监会也正式将鸿雁投资和唐浩一案递交检察院。警方冻结了唐浩个人资产，并发出了通缉，相信他不会逃出很远。可是整整一个星期都没有唐浩的踪影，好像真在人间蒸发了。

常云啸知道，唐浩这个人不是那么容易认输的，如果把他逼到悬崖边上，他一定会做出极端反应。他倒是不担心自己，他担心林晓雨，唐浩曾经说过死也要拉着林晓雨，这让他坐卧不安。想给林晓雨打个电话，却又总是拿起电话再放下。没料到是林晓雨先给他打了电话，约他在文武大厦见面。

常云啸如约到了文武大厦，在总经理办公室见到了林晓雨。最近发生的事情太多，对娇惯的林晓雨来说实在太难承担。这一点从她的脸上就能看得出来，眼眶已经发青，鬓角的白发没有修饰，现在不再是当年二十多岁的少女，眼角已经多了皱纹，由于没有化妆，显得很憔悴。

林晓雨给常云啸倒了一杯茶，两个人隔了茶几坐着，谁也不知道应该先说什么。只好拿起茶杯慢慢地喝，喝完林晓雨再给他续上，几杯之后，常云啸决定打开僵局。

"对于唐浩的事情……"

"我爸爸让我感谢你。"林晓雨插话道。

又是沉默。

"小雨，我，对不起。"

"什么事情对不起呢？"

"关于唐浩的事情，我……"

"不能怪你，香正基金的事情是他做的，你哥哥不就是因为这个死的吗，还有你妈妈。还有我爸爸、叔叔、文武集团，是你让我看清了他的真面目。以前虽然我知道他不是一个正人君子，但是并没有想到他会是这样一个肮脏的人，我满心希望他能把文武集团搞好，可是现在……"林晓雨的声音有点哽咽，她停下来，侧过头抬手擦掉眼泪。

"我希望你不要怪我，我真的，真的，我……"

"好了，不要说了。不好意思我去洗手间。"林晓雨起身出去了。

常云啸坐在那里等，真的不知道自己应该说点什么，唐浩对他来说的确是罪大恶极，哥哥和妈妈的死都直接跟唐浩有关。文武集团的阴谋虽然是唐浩策划，但是那毕竟是人家家里事，唐浩毕竟是林晓雨的男人。自己这样做,应该说没有任何错误,无论从私情还是国法,但是对林晓雨呢?这也是最近缠绕常云啸的难题,他实在不想看到林晓雨流泪。

手机响了。

"喂,哪位?"

"姓常的,找了我好多天吧?跟老情人谈得怎么样了?来吧,到楼顶上来吧,别只跟她聊也上来跟我聊聊!对了,这还有一个你很愿意见到的人。"电话断了。

唐浩!竟然是唐浩,还带了我想见的人?林晓雨,一定是林晓雨,这个恶魔上了楼顶一定是狗急跳墙要伤害林晓雨,常云啸急忙打了电话报警,然后自己向楼顶冲去。

楼顶的风很大,一站上去就有一股寒意从脊梁钻进去。唐浩就站在对面的楼角上,可怕的是他竟然把自己的女儿绑在了一个煤气罐上。小女孩扭动着,嘴里塞了东西,哭喊不出来,但是从表情上可以看出无比的惊恐。

"哦?常老板来得真快呀。"唐浩穿着一件黑色的风衣,戴了一副墨镜,叼了烟靠在煤气罐旁边。

"你想做什么?"常云啸向前走。

"站住,看看我手中是什么?"唐浩抬起右手,握了一个遥控板,又指指女孩身上的一个装置,看上去像是雷管,遥控板和雷管之间有一根长长的电线。"你再向前走,我轻轻一按,嘭的一声大家就获得自由了。"

常云啸站住,他满脑子只有一个想法,救那个孩子,因为那也是林晓雨的孩子呀,"喂,你以为你把孩子绑上炸弹,就能要挟到什么吗?实际上你的失败早就已经注定了,从你操纵香正基金开始,就注定了失败的结局,这就是恶有恶报。但是死又能怎样?以为死掉就可以逃避你的失败吗?只会让人说你是一个输不起的男人,最可笑的是一个风云人物最后的挣扎竟然是拿一个孩子当挡箭牌,来赢得残喘时机。"

这个时候有保安和酒店员工冲了上来。常云啸示意大家靠后,看到煤气罐和雷管,谁也不敢上前。

"你以为我在这里想做什么?用一个孩子乞求你们送我远走高飞吗?你们会那么仁慈?不要以为我输了,我赢不了就谁也不会赢。你,常云啸会赢吗?其实在你我之间哪一个是英雄哪一个又是小人,能分得清吗,不过胜者为王罢了。别拿一种王者的口吻来教育我,现在我就可以让你跪在地上求我，为什么呢？常云啸，金融骄子、民族英雄来看看这个孩子，好好看看，多漂亮呀，可惜只要我手指轻轻一动，她就消失了。我残忍吗？只能怪她命不好，因为她是你的野种，是你和那个小婊子的野种！"唐浩仰天狂笑。

常云啸惊呆了，我的？我的孩子？我和林晓雨的孩子？怎么回事？我和林晓雨生的孩子？她从来没有提起，这到底是怎么回事？这个疯子说的是真的还是另有阴谋？

"小晴！"林晓雨冲了上来。

"站住！"唐浩大声喝道。

常云啸拉住林晓雨的胳膊告诉她有炸弹，小雨突然跪在地上，"求求你，别伤害她好吗？求你，你要我怎样都可以，唐浩看在我们还是夫妻的份上可怜可怜孩子，放了她吧，你要我做什么都可以。"

"夫妻？别以为你长得有点姿色，你爸有几个臭钱我就能看上你。你们家哪一个是好东西？我猜你们都很奇怪，我为什么要搞垮文武集团要搞垮你们家。那么我让你们死得明白些。"唐浩走到小晴面前摸摸女孩的头，继续说，"我从小就没有了妈妈，我多希望得到一份母爱，后来父亲找了一个女人来，可就在那个女人马上要做我妈妈的时候，是谁抢走了她，就是你爸！然后玩腻了一脚再踢出去。那个林武呢，要不是他多次砸烂我家的店铺，我家也早就发达了，我爸也不会抑郁致死。还有你，林晓雨，每天在我床上哼哼唧唧的，却在梦中念着他的名字。"唐浩愤怒地指向常云啸，"要不是想搞垮你们家报仇，我会忍气吞声的接受这个小杂种吗！现在好了，你们一家人都团聚在这里了，团聚在这里准备烟火吧。"

常云啸把林晓雨拉起来，小雨扑到他怀里，"快，快救救我们的孩子，她真的是你的女儿呀，你有办法的，对吗？小云，求求你救救她吧。"

常云啸抱紧她，"你觉得没有母爱和父亲的死是林家的罪过，所以你进入林家就是要报仇？我们做个交换的条件怎么样？你放了她我有办法保住你的性命，以后我们谁也不欠谁。"

"看来我的命还真有人关心呀，我用得着你来保全我的性命？你当你真的是谁了？在别人眼中，你是一个胜利者，但是在我眼中你只是一个小丑。你我都是做金融的，经济发展到一定程度的时候必定出现经济危机，而你只是阻挡经济发展规律的一个小丑，你觉得你这样做就可以阻止经济危机的到来吗？愚蠢的行为只会让危机堆积，当下次再来的时候只能比现

纸　戒

在更加猛烈。"

"的确,在经济发展的道路上你是顺应了规律,但这并不顺应民心,你我看到了危机,就应该尽量地去避免和减小它的影响,而不是增强它的破坏性。你想利用经济的漏洞瞬间击垮一个完整的经济体系来达到自己的野心,这根本就是妄想,是不可能的。"

唐浩笑了,"你开始的时候不是也在做空市场吗?我想你后来不做空的原因应该是不想和我合作吧?转过头来帮助香港政府做多市场,这其中没有你的私心和野心吗?我在做什么?我要推动经济秩序的重新排列,解决不合理的矛盾,而你呢?"

常云啸摇摇头,"中国内地的股市和期货市场不挂钩,外汇的自由兑换没有全面放开,银行介入金融市场的程度不够深,交易的品种不够多样化彼此没有避险和放大效能,外资进入中国证券市场的数目过小。所以你不会成功的。其次经济秩序也不需要你踩在别人的肩上去肆意改变。"

唐浩突然仰天大笑,"常云啸,你也算是一个金融才子了,只可惜我们没能成为朋友,否则可以横扫天下……哎!不过在我眼里你不是英雄依然是小人一个。无论我怎样做空香港市场,无论我的目的对民众有多大的危害,我所用的手段都是在游戏规则中的合法手段,而你不是。可以这么说你是操盘手中的一个耻辱,你的手法没有体现在盘面上却体现在暗算中,作为一个操盘手你玷污了这个职业。外行人可以称颂你为英雄,但是在这个职业圈中你只能算一个小人,远比不上你师傅潘国峰。"

"我师傅同样厌恶欺诈。我本来也就没有想回到这个圈子里,我又何必在乎什么英雄还是小人呢?你知道我没有带回来一分钱,我的资金成立了香港稳定基金,这就是我退出这个圈子的决心。"

"香港稳定基金!"唐浩向空中挥挥手轻蔑地笑着,"要不然我说你只能算是小人呢。你敢跟他们说说你的资金的来历吗?我敢,我敢跟他们历数每次坐庄的经历,你行吗?你从中国大陆股民手中骗取多少血汗,能算得清楚吗?仅因为松田汽车的一次坐庄就害了多少人家,你敢承担责任吗?如果我没有猜错的话,你是用这些钱买了一个名誉和生命的保障吧?"

常云啸愣一下,痛苦地说,"也许你也不知道我为什么总是跟你过不去吧?现在我告诉你,我哥哥就是参与了你阴谋策划的香正基金而跳楼自杀的,我母亲心脏病复发也去世了。短短的一天,我就失去了两个亲人,在你的资金中有多少的肮脏你能计算吗?"

"肮脏？我不觉得，我用操盘手的手段得到操盘手应该得到的回报。在我看来，你的资金也并不肮脏，只是在荣誉和生命面前，你才开始觉得它的肮脏了，你不敢去面对了，因为你面对它的话你就要失去所有的荣誉，失去在人们心中的光辉形象。你被虚荣所迷惑了，不敢再回想你曾经操盘手的经历，不敢再面对这些辛辛苦苦得来的资金。对于我们操盘手来说，资金就是生命，我为了财富最后失去了资金，你为了名誉最后也失去了资金，你和我其实没有什么区别。"

"唐浩，你我之间谁是谁非自有历史评判，我劝你还是自首吧。今天的这个形势你看到了，你很难逃脱。当然你可以选择同归于尽，那么至少在别人的眼里，你是一个失败者，而且永远不能翻身。而我常云啸是一个胜利者，死了也是。所以如果你想跟我斗，就要保住一条性命。你自首，我确信我有能力保你性命，等你东山再起。"

"你保证？想骗谁，你说保我就能保我？警察能放过我吗？我这里一松手，你身后的警察就送我上法庭去枪毙了！嘿，警察们给我听着，林武是我害死的，那起交通事故是假的，是我设计出来的。不过常云啸我还是很佩服你，好像这里也只有你想到了我是怎么做的。对了，还有林文也要死了，因为我长期给他下了一种毒液，谁跟我斗他都要死。有本事你们开枪啊，开枪啊！"

"爸爸？真的是你要害死我爸。"林晓雨惊恐地望着他。

常云啸恨得牙痒痒，"你有本事找我来算账，拿个小女孩较劲你也算男人？"

"对呀，我应该跟你算账。那么我来考验一下你的勇气吧。给你两个选择，第一个选择我按动按钮咱们一起看烟火；第二个选择嘛……你从这里跳下去，我放了你们的孩子。"

"不，不要！小云你不能死，唐浩唐浩我求求你了，放过我们，这样我死我死行吗？"林晓雨已经哭成一个泪人，精神处在了崩溃的状态，常云啸抱住她。

"怎么？不好抉择了？很显然你也很自私，所以不要说我唐浩自私，看到了吧，人都是自私的。看来我们只好选择第一个方案了。"唐浩举起了手中的遥控器。人群哄的一下乱了，有人往楼下跑。

"慢！我跳！但你要言而有信，必须放过我女儿。"常云啸咬着牙说。

"不，不要呀，你不要相信他。"林晓雨瘫软在地上哭喊道，抱住他的腿。

287

纸 戒

"唐浩！你还有我呢,连我你也不要了吗?"一个女人从人群中走出来,径直向唐浩走去。

"唐浩,你忘了我吗? 在你心中我究竟算是什么? 我这些年这样爱着你关心你,可是你给了我什么? 我不需要什么名分,至少你也想想我的体会。"

"许童,我……"

许童的出现让在场的人惊呆了,因为她径直走过去但唐浩没有喝令她站住。许童也穿了一身黑色风衣,带了一条白色围巾,在风中簌簌地抖着。

"你忘了你跟我说要爱我到永远? 你忘了你说要带我去世界周游? 你忘了我们还想要一个自己的宝宝?"许童走到了唐浩面前停下来。

"不,我没有忘,但是现在都没有可能了,是他,"唐浩怒视着常云啸,"是他破坏了一切,我根本没有生存的机会。许童,对不起,我不能陪伴你了,我现在是一个罪人,我诈骗、我杀人,我不值得你去爱的。"

"但是你对我好不是吗? 你还是爱我的不是吗? 你看,这是我们一起买的风衣,是情侣装,站在一起,我们不是很相配吗? 这些年来我们总是躲躲藏藏,现在终于可以不隐蔽了,这样多好?"看上去可以感觉到许童在哭泣。

唐浩抬起手抚摸着她的头,"是的,我爱的只有你,要不是为了进入林家,其实我们真的可以好好的一起生活,我会爱你一生一世,直到我们满头白发。但是现在……我能怎么办? 忘了我吧,不要浪费你的美好青春,让我自己和他们做了结吧。"

许童忽然抱住了唐浩,亲吻他,抚摸他。

常云啸忽然感觉到什么事情要发生,欲意冲上去。

突然,唐浩推开许童纵身跳出楼边的护栏,人群惊呼一声。

许童从地上爬起来,异常镇静地对林晓雨说,"放心吧,电线我已经剪断了。"说完丢下一把剪子,突然也跃出了护栏。人群又一次惊呼。

人们愣在那里至少十几秒,然后惊呼着奔向楼沿,很快警察就控制了局面。常云啸和林晓雨跑过去解开女儿。这时常云啸看到唐浩刚才拿的遥控器扔在地上,捡起来竟然是一个普通的电视遥控器。身上绑的也不是什么雷管,只是纸筒。

为什么是这样？难道唐浩根本也没有想要杀死我的孩子？难道他只是想要把我引到这里，来揭穿我这个英雄外罩下的罪恶嘴脸？或者他只是想在自杀之前最后再看一眼作战的对手？原本已逃走的他为什么要回来？回来面对自己的过去吗？如同花面兽当年的选择？那么我又应该面对什么呢？唐浩，一个坚强的人，一个不服输也输不起的人，同时又是操盘手中的精英。

22

　　文武集团的股价连续下跌,总经理畏罪与情人双双自杀的事情传得满城风雨,而林文又躺在病床上,林晓雨更不可能接管公司,只是带着孩子躲在家里不出来,一切事务只好放在了母亲张雨身上。在张雨和林文的请求下,常云啸答应帮忙维持公司一般运营。

　　林家大院还是那么阔气,花园中依然飘满了花香,只是少了观赏它们的心情。常云啸是第一次走进林家大院,听说林文已经从医院回到了家里,其实常云啸更想见到的是林晓雨……

　　张雨让吴婆婆给常云啸冲了咖啡,吴婆婆已经老了很多。

　　"林伯伯怎么样了,医生怎么说?"

　　"他好了很多,医生知道了他中的是什么毒就可以对症下药,现在已经在恢复期,只是康复还要一段时间。他让我感谢你,为我们做了这么多事情。你和小雨最初的时候,是我们的不好,我向你道歉。"

　　常云啸摆摆手,"都是旧事了,这么多年,何必再提。希望他能早日康复,公司也就起死回生了。"

　　"可惜我们只有一个女儿,没有像你这样的儿子,这么大的一个企业还要我一个女人家出面打理。"

　　这时吴婆婆喊张雨上楼,大概是林文那里有什么事情。张雨让常云啸

纸　戒

在这里稍等,自己上了楼。

吴婆婆过来给常云啸添咖啡,他叫住婆婆,"吴婆,那个,那个小雨她怎么样? 电话也打不通,听说这些天就没有出过门?"

"亏你现在想起来关心她了? 当年做什么去了? 你是看到了自己的孩子才想起来关心她吧? 否则你还不知道在哪里逍遥呢!"

"我,我其实正想问您,这个孩子是怎么回事? 为什么小雨从来没有跟我提起过?"

"不提你就假装不知道? 我问你,我们家小姐怀孕的时候你在哪里?"老太太好像很生气。

"我? 我想那个时候我应该是去 S 市找我舅舅了,我不知道她怀孕了,真的,我……"

"好吧,那我告诉你。你走后小姐发现自己怀孕了,可是怎么给你打电话都联系不到你,好像说你去了澳大利亚。她就天天找你,后来以为你出事了,她害怕就跑回家跟家里说。这对林家来说是个耻辱,老爷要她打掉孩子她死活不肯,于是老爷又要轰她出门。这时候那个唐浩出现了,他说她愿意娶小姐,也愿意抚养这个孩子。看着一天天大起来的肚子,她就只能同意了。结婚后她提出来去澳大利亚旅游,一去就是半年,其实还不是希望能打听到你的消息? 她和唐浩的婚姻一点都不幸福,那个唐浩对小姐总是不理不睬的,听小姐说他在外面还有一个小老婆。但是为了把孩子抚养长大,小姐她只能忍气吞声。再后来家里就出了很多事,你也知道了。"吴婆婆停了停,"我去照顾老爷。"转身上楼的时候又补了一句,"小姐和孩子从那边上楼梯二层。"

看吴婆婆的身影消失在楼梯上,常云啸站起来,上另一个楼梯来到二层,这边只有一个房门。他站在门口听不到里面的声音,抬手敲门又放下,重复了两次,他还是敲响了它。

"谁?"熟悉而又陌生的声音,是林晓雨。

"是我。"

"我谁也不想见,你走吧。"

"我只是想跟你谈谈,我知道你受苦了。"

"有什么好谈的,我受苦也不用让谁来可怜,你走吧!"

"我知道我对不起你,让我补偿好吗? 补偿你补偿孩子……"

"你走! 我不想见到你,你走啊!"小雨很情绪化,可以听到她在哭泣。

"好好,你不要激动,我这就走。可以给我打电话,好吗? 我走了。"

常云啸退下楼,张雨已经在大厅中坐着。

"小雨最近情绪比较波动,大概是那天受到了刺激,已经请了医生,我想她自己调整一些日子应该可以的。你要是愿意,可以时常来看看,好吗?"

常云啸点点头,"我还有事,不多打扰了。"

他在楼下的花园里站了很久,二楼的窗帘一直拉着,看不到任何人⋯⋯

三天后,林晓雨突然带着小晴失踪了。留了一封信说自己要找一个安静的地方休息一下,让大家不要担心。

常云啸筹集了资金让竿狼护住文武集团的股票,自己找遍了能够想起来的安静的地方,但是都没有林晓雨和孩子的身影。

他忽然感到少有的百无聊赖,去蓝巾牛仔要了啤酒。梅子给他端过来,坐在他身边,帮他倒上一杯,自己也满了一杯。

"来,我陪你喝。"

当的一声,两人一饮而尽。

"林晓雨还是没有消息?"昏暗的灯光下,还是能看到梅子的眼睛。

常云啸看着她,忽然笑了。

"笑什么?"

"没什么,忽然想起十几年前在七里村喝酒的时候,你的眼神好像没怎么变。"

"是没变,那个时候你也是在想她。"

"也许这就叫做本性难移吧。"

两人都笑,带了苦涩,继续喝酒。

迷迷糊糊中有人敲门,常云啸睁开眼看了一下墙上的时钟,十一点多。昨天也不知道和梅子喝到了几点,现在头还是昏沉沉的。

穿了睡衣,开门见是风铃。

"呦,这么晚了还睡呢?"

"昨天多喝了点,帮我沏点茶好吗? 我去洗个脸。"

洗漱完毕风铃已经把茶泡好,喝上一口,喉咙好受多了。

"好久没有回去了,那天电话中你说腿基本好了,真为你高兴。啊,对

纸 戒

了刚才没有注意，来来，走一个让我看看。"

风铃站起来，走了几步，竟然跟正常人没有什么区别，看来治疗得相当有成效。

"不错不错，一点都看不出来，真的不错。"

"子豪说只要不剧烈运动会越来越好的。"

她没有说周医生，却叫了子豪，常云啸的心在颤抖，是酸楚还是嫉妒？风铃说完好像也意识到了什么，在他身边坐下来。

"我，我想跟你说点事情，你能保证不生气吗？"风铃说话的时候有点怯怯的，还是头一次看她这样说话。

"哦，对了，我也有事情要和你说。"常云啸站起来走进卧室。鼻子酸酸的，他咬紧牙没有让眼泪落下来，从抽屉中拿出一个盒子。

"这个送给你。"

"是什么？"

"应该说是送给你们的，什么时候办事？"

风铃看着他，从眼神中露出惊奇和歉意。

"我，我就是想来跟你说这件事情。子豪他，他对我真的很好，我无法拒绝他。我从小没有父母，是你舅舅收养我，但是我过的是女人的生活吗？每天跟男人一起打打杀杀，表面上是你舅舅的干女儿，其实呢？"风铃声音哽咽，眼泪顺着脸颊流到了唇边。

常云啸伸手拉住了她的手，使她平静下来。

"你记得常常在我身上发现的青肿吗？我跟你说是练功弄的，实际上都是你舅舅，他没有性能力却有虐待的癖好。我就是这样生活的，你知道吗。"

常云啸吃惊的松开手。其实他早就感觉到风铃和舅舅的关系不一般，但是没有想到是这样。这让他很心痛，仿佛做错事的是他自己而不是舅舅。同时他也明白了为什么风铃能狠下心告发了洪天泽赔上了收养她的干爹。

风铃笑了笑，"不说这些，让我看看你送我的东西。"风铃打开锦盒，竟然是三枚玉佩。风铃在香港和澳门也算是见过名贵珠宝，但是这三块玉石的确可以称为极品。这是三块晶莹剔透的紫色帝王翡翠，色高水足，上面分别雕刻了龙、凤和麒麟。

"好漂亮。"

"送给你们和将来的小宝宝。"常云啸平静下来。

"太贵重了,我怎么能收呢。是我对不起你,我……"

"礼物不在贵贱,只要心里喜欢,真心的祝福你们两个,也真的很高兴你能找到一个属于自己的港湾。好好珍惜,别像我一样总是错过,错过了之后才明白珍惜却无可挽回。"

风铃抱住他,趴在他的肩头抽泣。"对不起,真的对不起。"

"我不是生气,我为你高兴。"常云啸想起了小雨,想起了那两枚不值钱的纸戒,"也许,我也应该去寻找我的幸福。"

"你打算找到林晓雨?"

常云啸淡淡一笑。

风铃和周子豪的婚礼虽然没有邀请很多的人,但是很排场。常云啸包下了所有费用,算是送给新人的礼物。

"风铃,我还有一个礼物要送给你。"

"不要了,你给我的太多,我却无以回报。"穿着白色婚纱的风铃美极了,就像白色的天使。

"但是这个礼物很特殊。"常云啸挥挥手,从后面上来一个人,捧了一个盘子。常云啸接过来,掀开上面的红布。

"啊!是批文?"风铃高兴地跳了起来。

"我知道你和周子豪想办一个关注残疾人基金会,但是一直批不下来。这个礼物如果你不要,我就收回了。"

"我要我要,子豪,你看我们的基金会已经批准了。"风铃高兴地拉着新郎,周子豪也高兴得不住道谢。

"子豪,好好对待风铃,她就交给你了。赶紧把基金会办起来吧,我在律师那里放了两千万的支票,基金会剪彩那天会划过去。"常云啸拍着周子豪的肩膀。

"我真的不知道应该怎样谢你,就代表所有将来得到帮助的人敬你一杯。"

散席后风铃把常云啸拉到了一边,"我听梅子说,你把钱都捐给了希望工程,现在再把钱捐给基金会你就没有钱了。你到底怎么了,想做什么?"

"我要去寻找我想要找的东西。"常云啸坚定地说。

"那也不用放弃一切呀?"

纸　戒

"不是放弃，是解脱。放心我会照顾自己的。"常云啸拥抱了她一下，走了。

香港的佛香讲堂还是那样幽静，青烟缭绕，一灯大师盘腿坐在石墩上与常云啸慢慢地品茶。

"想出家是好事，可惜你动机不纯，孽缘未尽，又怎么能安心出家呢？"一灯大师闭着眼品着茶香。

"大师，我经历了那么多，好像我什么都行却又什么都不会，好像什么都明白却忽然有一天发现什么都不懂。我想这些苦闷要在佛法中去寻找根源和答案了，要多读些经书。"

"佛法？很多人用一生的心血都得不到一个法字，每天抱了一本经书能够从头背到尾，殊不知法并非在书中。这就像是一块路牌，上面写着厕所并画了箭头，你找厕所知道往箭头的方向走，却不会抱着路牌不放。经书就是一个印了箭头的路牌，指出了法的方向，但它不是法。既然经书不是法，你又何必要读呢？正所谓，天之自高，地之自厚，日月之自明，夫何修焉？"

常云啸自己笑了，"其实我来的时候，就知道您不会让我出家的。"

"哦？既然已经知道结果还要执著？你又是怎么知道结果的呢？"

"第一我的口才没有您好自然理论不过。第二我也的确尘缘未了。第三如果没有猜错的话应该跟神有关系吧？"

一灯大师睁开眼睛，微微颔首，"你越来越能看明白事物了。"说着从口袋里掏出一部手机，慢悠悠地开了机，拨出一个电话。"你没有说错，他最终还是来了，你要不要跟他说话？"一灯大师将手机递过来。

"常云啸啊，我和一灯大师等了你好久了，我就说你一定会来。我知道你遇到困难了，我答应过帮你三次，第一次是彻底清查唐浩，第二次审批残疾人基金会，那么现在我可以帮助你第三次，寻找你要找的人。"

常云啸端起茶杯，"神，我和一灯大师在讨论佛法，谁说要你帮我找人了？呵呵，我知道你能帮我找到她，但是又能怎样？找到了她的人，是否能找到她的心？找到她的心，是否多年依旧？所以我看这次不想您帮我了，是好是坏是成是败，我自己来吧。"

对方停顿了许久，"你说得对，自己努力吧。"

"谢谢，我已经很感激您了。"

"以后还有什么打算？"

"离开了金融市场，您也知道我这个人没有什么正经本事，在金融市场上也没有做什么好事。再说了我做什么您也都监督着，我看我还是不去动金融的好。后面我可能世界各地走走或者找个地方去清静。"

"呵呵，我什么时候监督你了？好了不多说我还有事，那么最后一次求助的机会依然留给你，有事情打电话吧。"

神的电话挂断了，常云啸看看一灯大师，把手机还回去。"这次神和大师都不能救我，一切还需要我自己化解，事由我生，又怎能逃避？谁又能解我心中魔障？也许一切都已经太晚，或许也没有必要去挽回什么。人一生真正想要的东西是什么，金钱、地位、人格、尊严、爱情、自由或是什么？可惜大师不愿意收留我呀，我也没有缘分在这里沉思。"

一片叶子飘落了下来，落在杯中，大师并不在意只是吹了一下继续喝茶，"如果你只是想思考的话，我可以给你找一个清静的地方。我在 T 国认识一位大师，我可以介绍你去那里，不用你出家，随时你都可以离开，就像这叶子来去自由。静静地去静静地思考，你不需要去寻找你要的东西，静以制动。"

"哦，是这样，太好了大师，那么就拜托您了，我回北京等您电话。"

一灯大师挥了一下手，"阿弥陀佛，不送。"

又过去一个多月了，林晓雨和女儿晴晴都还没有找到。放出去的线人打听回来的消息还是不能确定这两个人的去向。常云啸知道她在躲他，同时也在逃避她自己。

文武集团的风波已经基本上稳定，张雨女士已经可以打理这个公司的运作，牛皮和竿狼现在留在她身边帮忙已经成为了文武集团的管理人员。

蓝巾牛仔的生意越来越火，梅子带着几个朋友一起努力奋斗把这个酒吧搞得有模有样。现在这个酒吧已经是全英文的服务，很多外国人和喜欢学习英语的人到这里喝酒聊天。风铃和周子豪也经常来这里，他们的残疾人基金会已经发展到了一个亿的资金规模，建立了一家平价医院，虽然规模不大，但是也小有名气。

常云啸和梅子驼子竿狼在酒吧里喝茶，聊得正开心，牛皮走进来坐下抢了一杯水。

"我把你的事情基本上办好了，竞标之后就可以施工了。"牛皮说。

纸 戒

"嗯,那么后面的事情你就继续办吧,交给你我放心的。"常云啸慢慢地说。

"什么事情啊?"梅子好奇地问。

牛皮边喝边跟她说,"常哥说要捐赠希望工程,我们从希望工程要了两个学校的指标,现在正在招标建筑公司。"

"两个学校? 你剩下的钱还有多少让你这样做? 你总要留下一些过你下半辈子吧?"梅子真的为他担心。

常云啸只是笑而不答,自己喝茶。

"你怎么不说话? 你倒是说呀。"梅子着急地说道。

"算了,你也别问了,我们问了很多次他都是这样什么都不说。但是我知道他的银行账户几乎空了,是这样吧?"牛皮碰碰常云啸,"现在他还没有我们几个富有。"

"你不会还是因为林晓雨的事情吧? 她不想见你躲你,你也不能这样吧? 这算什么? 是自暴自弃?"梅子是真的为他着急。

"你总是改不了你的火暴脾气,驼子怎么受得了,是吧驼子。我是想做点好事,然后呢自己找个地方静养,这几年你也知道我实在是很累了,你不想我累出个什么癌症之类的吧?"

"是啊,常兄也是这些年太累了,是要好好休息,而且他的脾气你还不知道? 谁能犟得过他吗? 去静养总比躲到哪里让我们找不到好吧?"驼子帮忙说话。

梅子没理他,"云啸,你在酒吧的账户有存款,而且你是老板,缺钱的时候一定要说话,走到全世界也不过就是网上转账那点时间。别担心钱,你听到没有?"

常云啸笑着站起来,摸了一下她的头,"我不担心钱。"拿出一张一百元人民币:"竿狼,这是什么?"

"一百块钱呀?"竿狼莫名其妙道。

"但本质是一张纸。印上一百就是一百,印上一万就能是一万。仅仅一张纸就能兴国安邦,也能国破家亡,就是金融赋予它的生命。这几年大家手上都富裕了,觉得票子来得容易了,但是绝对不可以轻视它,这张纸的作用是害人还是救人都在于使用它的人的本性。不可以轻视它是因为它有自己的戒律,违反戒律终究有一天会毁在这张纸上。听懂了吗竿狼?"

"干吗就说我呀。"竿狼尴尬地笑笑。

"这些人里，就你挥霍得厉害。T国回来给了你一千万，赌博输多少，还要我查吗？"

竿狼咧咧嘴，"我下次不赌了就是。"

常云啸看看大家，"纸的戒律就是纸戒，不只说给竿狼听，大家都要记住不可以轻视它，否则会和唐浩一样下场。"说完带着牛皮离开了蓝巾酒吧。

一灯大师来电话，T国寺庙那边已经说好了，可以随时过去。当天晚上和风铃通了电话，结果她哭的什么似的，好像这辈子再也见不到了，害得常云啸安慰她直到半夜。

第二天一早，他收拾了一些衣物，装了一个旅行箱，走到门口的时候他站住了。回来，从抽屉中拿出了那个心形的糖盒。里面什么都没有了，没有了那两枚纸戒，没有了那个烛光的夜晚，没有了那个熟悉美丽的身影，没有了白色的连衣裙，只有这红色的盒子。常云啸把它放在胸前，闭上眼过了一会儿，将糖盒放入旅行箱。

陆地越来越远，已经模糊不清了。常云啸捧着那个红色糖盒久久站在船尾的甲板上望着远方的地平线，是留恋什么还是期待？他说不清。这个空荡荡的红色糖盒已经跟随了他十多年，难道这么多年还要留恋或者还在期待什么奇迹吗？

海风夹杂着淡淡的苦涩吹过，如同人生的味道。

脚下的游艇就是他的"啸云号"，本次是它最后的旅行。常云啸已经找好买家，船一到T国就更名换主，出售的五千万人民币将捐献给世界儿童基金组织。从此，"啸云号"将不再存在，常云啸也将消失于五十亿的茫茫人海中，他微笑了。

对外人来说有谁会理解，这样一个几年间叱咤金融市场的年轻人又何苦草草收场？多少人对他的资金和经历羡慕不已，他又何苦这样挥之东去？是的，这个年仅三十七岁的年轻人，曾经震惊了亚洲以至世界，他的财富也足以实现人们梦想中的奢华生活。然而他决定消失了，因为只有他自己知道：他真正想拥有的，都已远去。

常云啸把红色的糖盒放在酒桌上，自己走到船舷边，点燃一支烟来掩饰心中的不安，愣愣的凝视远方，最后奋力地吸了一口丢进大海。海的气度如此庞大，掩盖了人类的多少污秽和累累的罪恶，就连陆地的淡影也被包容得没了痕迹,消失在深蓝的海水中。他最后再眺望一眼大陆的方向,转身向船舱走去。

走过圆桌的时候,突然发现有人打开了糖盒,他慢慢地将它捧起……

流泪,他流泪了,是惊喜的眼泪。

糖盒中多了两颗纸戒,用金色糖纸折叠的纸的戒指……

"保存两枚纸戒,保存我们爱的约定。"曾经的声音在耳边响起。

他急忙抬头寻找曾经拥有过这个糖盒的另一个主人。

一个白色的身影映入了他的眼睛、他的神经、他的心、他的每一个细胞……

那是一身白色连衣裙,那是曾经无比熟悉的颜色和无比熟悉的身影,是梦中魂牵梦系的身影。迎着阳光那是一团白色,在白光中是她吗是她吗是她吗……

真的是她吗……

手机接通:

"他都已经说了不用我管,你还非要我插手。这样的闲事我看不管也罢。"

"闲事?从最初你设计让我在茶楼与常云啸相见开始,你手中就多了一把猎枪,现在打死了豺狼多保养保养枪没有坏处,说不定以后还用得上派场。再说我们师徒三代就算没有功劳也算多少有点苦劳吧。这点为他人谋幸福的事情,你一定不会推辞的才对。"

"你啊,出家了嘴也不饶人。其实呢,要找的人我已经给找到了,他们现在也应该见面了,但是结果如何不是我说了算数的。怎么样,可以算我交差了吧?"

"你办事人人放心,谁让你自称叫做神呢?"一灯大师放下手机。